COLLECTION FOLIO

René Barjavel

Tarendol

Denoël

A ma mère,
pour moi toujours vivante.

PREMIÈRE PARTIE

UNE NUIT DE PRINTEMPS

Aujourd'hui 9 septembre 1944, zéro heure trente...
Je crois que mon réveil avance d'un quart d'heure.
Je n'ai pas de montre, pas de pendule, rien que ce
réveil.

Le jour, je le pose sur la cheminée de mon bureau,
à côté du cadre à photos. Dans le cadre se chevauchent
quelques photos de mes enfants. Voici ma fille dans
le sable, le buste de mon fils avec son grand front.
Les voici ensemble. Et puis tous les deux sur mes
genoux, un jour d'hiver. Chers petits, ils sont si
beaux, ils sont si jeunes. Quand je serai mort, ils se
disputeront ma chemise. Dieu veuille que je meure
nu.

La nuit, je le pose sur une chaise, près de mon lit.
Souvent, il se prend un pied dans un trou du cannage,
et bascule. Je le relève, je passe ses deux autres pieds
dans deux autres trous. Ainsi, il tient. Qnand je voyage,
je l'emporte, enveloppé d'une feuille de journal. S'il
avance, aujourd'hui, qu'importe. A zéro heure trente,
ou zéro heure quinze, je recommence ce livre pour la
troisième fois.

Je l'ai commencé pour la première fois en mil neuf

cent trente-neuf, en juillet, je crois, pendant les vacances, au bord de la mer. Le grand-père me disait qu'on allait avoir la guerre. Je le craignais aussi, mais n'y croyais pas. Si on vous affirmait que vous allez mourir bientôt, le croiriez-vous? Je travaillais dans le grenier de la villa du grand-père, sous la lucarne. Là, j'avais la paix. Lui, sa main bossue crispée autour d'un crayon, vérifiait les comptes, en bas, dans la salle à manger, disputait deux sous à sa bonne sur le prix d'une banane avariée, poussait les roues de son fauteuil, jusqu'à la fenêtre, soulevait d'un doigt tordu un coin du rideau, faisait la paix avec la bonne pour parler de la voisine, de l'épicier. Le soir, il se hissait d'une marche à l'autre sur ses deux béquilles, jusqu'à sa chambre du premier étage. La bonne l'éclairait, par-devant, avec une bougie.

Cette nuit, c'est aussi la flamme d'une bougie qui m'éclaire. La guerre nous a privés de tout, et de la lumière. Là-bas, le grand-père n'avait pas voulu faire installer l'électricité, par économie.

Un soir, de la béquille gauche il a manqué la cinquième marche. Il est tombé en arrière, en bas, sur les dalles du vestibule. N'importe qui se serait tué. Lui, il n'a rien eu. Il était noué, il était dur, incassable. A partir de ce soir-là, c'est moi qui l'ai monté jusqu'à sa chambre, sur mon dos. Je m'accroupissais devant son fauteuil. Il se levait tant bien que mal, tendant ses bras raides comme ceux de Guignol, s'écroulait en avant, sur mon dos. Je me relevais, je le tenais sous les fesses. Il ne pouvait pas se cramponner, à cause de ses mains noueuses. Il fallait que je le tienne bien. Je montais, derrière la bonne et sa bougie. Il n'était pas lourd. Je me renversais en arrière sur le lit. Il tombait sur les couvertures. C'était la bonne qui le déshabillait. Une vieille bonne. Il était tout tordu de rhumatismes. Il avait trop bu d'huile de foie de morue. Il avait commencé à gagner sa vie à douze ans, comme apprenti imprimeur. A cette époque, apprenti, c'était dur. D'abord faire les courses à travers tout Paris, nettoyer l'atelier. Et les engueulades, et les coups, et les farces des compagnons. Quand il ne restait plus la moindre besogne à faire, apprendre un peu, petit à petit, le métier.

Il était devenu patron, et s'était retiré des affaires son million gagné. Mais il pouvait se vanter d'avoir travaillé tous les jours et la moitié des nuits. Tousseux, mal nourri par habitude, quand il montait à son troisième il emportait un tabouret pour s'asseoir aux paliers. Il se soutenait avec de l'huile de foie de morue. Il en buvait tous les jours, été comme hiver. Il en a bu des barriques. Un médecin le lui a dit : ça lui a tellement fortifié les os qu'il lui en a poussé des supplémentaires, dans les articulations.

Il est mort. Personne ne l'a pleuré. On le traitait de vieil avare. Il avait eu tant de peine à gagner son argent, ça lui faisait mal de le voir partir, morceau par morceau. Il n'achetait pas d'autre fromage que du Port-Salut. Il le lavait à la brosse, sous le robinet, et, à table, défendait qu'on enlevât la croûte. C'était un fromage dont on ne perdait rien.

Il est mort. On s'est battu, depuis, dans le cimetière. Tout a été retourné par les bombes. Les vieux os et les morts neufs, avec la terre grasse, et les perles de couronnes semées comme des graines pour les petits oiseaux. Tout en l'air, brassé et labouré, et remélangé vingt fois. Les pierres tombales en gravillons.

Et les villas tout autour, tout le village, le casino, le phare cligne-l'œil, laminé tout ça, aplani, nivelé, les falaises écroulées dans la mer, et les galets de la plage envahis de ferraille, de casques rouillés, de bouts de bois, de têtes de morts, de fils de fer, de poutres, avec des tanks presque entiers et des bateaux sur le flanc, des canons tordus, des pantalons vides. Il ne reste rien du village, de la maison, ni de la lucarne du grenier. Il ne reste rien du grand-père. Il ne reste pas grand-chose du livre que j'avais commencé. Je l'ai recommencé il y a trois mois. En juin, pendant les vacances, à la campagne. Dans la chambre d'hôtel, cramponné à la petite table qui glissait de tous les côtés sur le parquet en bois synthétique. Un beau parquet, un peu fendu dans le milieu, et qui penchait d'un côté, si bien que la tête du lit était plus basse que le pied. Et la bonne grognait parce que je mouillais son beau parquet en me lavant les pieds dans le bidet. Pour que la bonne cessât de grogner, j'ai épongé le parquet avec la descente de lit. Alors la bonne a grogné pour la descente de lit. Les cabinets étaient souvent bouchés, mais on mangeait bien. De la viande à tous les repas. Bien manger, on ne pense qu'à ça depuis quatre ans. C'est notre souci. Je me cramponnais à la petite table. Je l'appuyais à la fenêtre, je la coinçais contre la table de nuit. Deux feuilles de papier, un livre, l'encrier, ma main ouverte : la table débordait. Ce n'était pas facile pour travailler. On s'est battu, autour de l'hôtel, et dedans. Les miliciens, les G. M. R., le maquis, les Allemands, les Américains, les F. F. I., et les Arabes. A la mitraillette, à la grenade, au couteau, au canon. L'hôtel a flambé. Les

Allemands ont fusillé le patron et les F. F. I. ont tondu sa femme. Un Nègre a violé la bonne.

Aujourd'hui, pour la troisième fois, je recommence ce livre. Il est maintenant deux heures trente. Ma bougie fume. C'est une bougie de guerre, jaunâtre, et qui sent le pétrole. Je me suis fait une tasse de vrai café, avec quelques grains conservés au fond d'une boîte. Je ne pouvais pas attendre plus longtemps pour recommencer. J'étais couché, je me suis relevé. Je ne pouvais pas attendre le jour. Autour de moi, c'était la nuit. La guerre n'est pas finie. Elle ne finit jamais. Parfois, elle s'arrête, pour reprendre souffle pendant que pousse la chair fraîche. C'est la bataille, la simple bataille entre la vie et la mort. La même pour les cailloux, les végétaux, les animaux et les hommes. Et la vie et la mort sont toutes deux victorieuses.

Entre la première version de ce livre et celle de l'hôtel du milieu de la France, la différence était petite. En cinq ans, je n'avais guère vieilli. Mais celle-ci, cette troisième, que j'ai voulu commencer sans attendre l'aube, celle-ci sera tout autre. L'histoire n'a pas changé. Je l'ai seulement déplacée dans le temps, j'ai modifié quelques circonstances. Mais l'histoire n'est qu'un prétexte. Ce qui compte, c'est ce que j'ai envie de vous dire, à travers les personnages. Et ce que je veux vous dire a bien changé depuis trois mois. Je suis mal parti. J'ai déjà menti beaucoup depuis la première ligne. Je n'ai pas tout dit. Je vais encore bien tourner autour de la vérité. Mais, avant le point final, je vous l'aurai sortie. Ma vérité.

Nous allons ensemble parcourir cette histoire. Je la connais depuis longtemps. Je sais où je vous emmène. Mais il se peut qu'en chemin je déraille. Ces personnages que j'ai regardés vivre pendant des années, et dont j'imagine qu'ils n'ont plus rien à me cacher, qui peut savoir ce qu'ils pensent, tout au fond, et quels caprices, quelles passions que je n'avais pas prévus ils attelleront tout à coup à notre voiture ? Ça ne fait rien, je suis seul à risquer la chute. Voici. Nous partons.

M. Chalant est appuyé du coude droit sur le buffet. Regardez-le. Ce n'est pas le personnage principal, mais il a son importance. Il est de ceux qui s'agitent quelques pas plus loin que le héros, composent derrière lui un décor vivant, lui adressent la parole, lui fournissent des occasions d'agir et de montrer son caractère.

Le buffet se trouve dans la salle à manger personnelle de M. Chalant, contre le mur du fond. Une longue table entourée de chaises occupe presque toute la pièce ; M. Chalant est père de sept enfants. Ce soir, en plus de sa famille, dîneront avec lui les trois pensionnaires qui n'ont pas quitté le Collège pendant les vacances de Pâques. Devant la fenêtre qui s'ouvre sur la cour du Collège, un rideau bleu marine est tiré. On tire le rideau dès le crépuscule, pour la défense passive. La pièce est éclairée par une faible ampoule, surmontée d'un abat-jour de porcelaine blanc, au ras du plafond. L'ampoule verse une lumière presque jaune. Dans les classes, les mêmes abat-jour sont installés, mais sur des ampoules plus fortes. C'est le budget municipal qui paie le courant consommé dans les classes, et la bourse de M. Chalant celui qui éclaire ses appartements. Pourtant, M. Chalant n'est pas avare. Ce n'est d'ailleurs pas lui qui s'occupe de ces détails. C'est sa femme. Depuis la guerre, leur pensionnat ne leur rapporte rien. Peut-être même leur coûte-t-il. Ils ont maintes fois l'envie de renvoyer tous leurs pensionnaires. Ils en ont conservé quelques-uns, pour rendre service aux familles.

M. Chalant est appuyé du coude droit sur le buffet. Il porte un costume gris clair, dont le pantalon fait des poches aux genoux. De son veston croisé, seul le bouton du bas est boutonné. M. Chalant est penché de côté sur son coude ; le bas de son veston remonte et le haut bâille sur son gilet marron, en tissu Jacquard semé de fleurettes jaunes. Il ne quitte son gilet qu'au mois d'août.

Il passe sa main gauche sur sa tête, d'arrière en avant, pour lisser la longue mèche qu'il se laisse pousser à la nuque, afin de cacher sa calvitie. Malgré ce geste souvent répété, toujours quelques fils blonds lui pendent dans le cou, comme des cheveux d'enfant.

Il attend que tout le monde soit assis. Il se redresse,

17

soupire, prend sur le buffet la corbeille à pain, fait le tour de la table, pose près de chaque assiette deux tranches grises, deux tranches de cinquante grammes. Chacun de ses enfants lui dit : « Merci papa », les pensionnaires lui disent : « Merci M'sieur », et Mme Chalant dit : « Merci, mon ami. » Les enfants sont entrés en courant dans un grand bruit de pieds et de rires. Maintenant, assis, silencieux, ils attendent. Ils ont faim. Ils jouaient dans la cour, sous la nuit tombante. Chinette, la toute petite, plonge son nez dans son assiette vide, et ses boucles blondes cachent son visage. M. Chalant, en passant, lui chatouille le cou du bout des doigts. Elle pousse un petit cri vif et se met à rire en secouant la tête. M. Chalant rit avec elle. Ils ont les mêmes yeux d'un bleu très clair, le même visage rond et rose, et le même bonheur à se trouver l'un près de l'autre, à s'aimer et à rire. Chinette, âgée de quatre ans, reçoit une seule tartine. Gustave, l'aîné des garçons, en reçoit trois. Il en mangerait bien le double.

M. Chalant soupire de nouveau, pose la corbeille et s'assied. Sans être gras, ni ventru, il est cependant rond des membres, bien enveloppé, douillet. Ses mains sont fines de peau, un peu dodues, les doigts pas très longs. Il déplie sa serviette. La salle à manger tout à l'heure triste sous la lumière pauvre, sans autres meubles que cette longue table couverte d'une toile cirée qui imite un tissu écossais, les douze chaises dépareillées, et le buffet sans caractère, aux portes sculptées de fruits à la machine, est maintenant réchauffée par toutes ces présences et par la soupière qui fume. C'est vraiment la salle à manger. Elle ne sert à rien d'autre. Elle ne vit qu'aux repas. Elle est au rez-de-chaussée, près de la grande cuisine du collège. Les autres appartements du principal se trouvent au premier étage. Là-haut, il possède, dans un salon, de vrais meubles, agréables à regarder, et qui ne servent à rien.

Mme Chalant se lève à son tour pour servir la soupe. Son ventre l'embarrasse. Elle tient la louche à bout de bras. Ses enfants la regardent sans gêne, habitués à la voir enceinte. Mais les deux jeunes pensionnaires, les jumeaux de dix ans, n'osent fixer leurs yeux sur sa ceinture. Ils tendent leur assiette en rougissant, tête basse. Ils sont vêtus pareillement d'une culotte grise et d'un chandail vert bouteille. Une rangée de boutons, azur pour l'un, et pour l'autre vermillon, barre verticalement leur tricot. Tout le monde, au collège, leur donne le nom de leur couleur. Besson rouge et Besson bleu.

Bruit de douze bouches qui mangent la soupe, dont dix bouches d'enfants qui ne sont pas discrètes. Gustave a fini le premier. Il en reprend. Il est maigre à cause de ses quinze ans. Il ressemble à sa mère. Il sera beau grâce à ses grands yeux noirs, ses cils courbés. On voit surtout, pour le moment, son gros nez, ses boutons, ses cheveux raides qui se dressent en touffe au sommet de sa tête, et cette ombre de moustache de vieille fille.

La cuisinière apporte un grand plat de pommes de terre en ragoût. Elle a relevé un coin de son tablier bleu, et l'a passé dans sa ceinture. Ainsi, la moitié de son tablier cache l'autre moitié. L'envers est plus propre, pour servir à table. Devant son fourneau, elle le rabat. Après les pommes de terre, il n'y a qu'un camembert maigre, transparent, qui pique la langue. Un seul camembert pour tous. Mais rien qu'à le sentir, on n'a plus faim. Et puis un peu de confiture de la répartition, liquide, coulante, où nage une purée de débris sombres.

— Mes pauvres petits, dit Mme Chalant, si ça continue, je me demande ce que je vais vous donner à manger...

Au même moment, dans les pays accablés de guerre, toutes les mères de famille se posent la même question. Sauf à la table des riches, qui n'ont jamais tant mangé. Ils achètent de la viande deux fois par jour, entassent le beurre dans des pots, renvoient leurs domestiques pour ne pas distraire une miette du poulet. La vaisselle sale s'empile dans la cuisine. La femme de ménage vient la laver le samedi, Elle demande huit francs de l'heure. C'est un scandale.

Les trois pensionnaires se lèvent, les deux jumeaux et Hito l'Indochinois. Ils se lèvent ensemble, souhaitent la bonne nuit au principal, à Mme Chalant, à tous les enfants, et quittent la salle à manger. Chinette leur court après pour se faire embrasser. Ils ont laissé près de leurs assiettes leurs serviettes pliées. Mme Chalant va vivement au buffet, en tire un gros pain d'épices caché. Sur le coin de la table, elle coupe une bonne tranche pour chacun de ses enfants. Ils mangent debout ce supplément, ils commencent à chahuter, se bousculent. Cinq garçons et deux filles seulement. Ne cherchez pas à les distinguer les uns des autres. Seul Gustave, le plus grand, se détache un peu du groupe, et Chinette, la toute petite. Ils forment un seul et multiple individu, têtes brunes, têtes blondes, têtes rondes, turbulentes, qui s'ébattent au-dessous du niveau de nos yeux. Nous voyons le dessus de leurs têtes, qui se mêlent, se dispersent, dans les cris et les rires. Ils se taisent en classe, à table, et quand ils dorment. Les grands caressent les petits ou les corrigent. Les petits viennent pleurer dans la jupe de leur mère. Jeux, caresses et coups doublent l'amour qu'ils se portent d'une camaraderie qui est leur sang commun.

A voir leurs dents blanches mordre les tranches rousses, Mme Chalant, prise de remords, coupe trois morceaux un peu plus minces, pour Hito et les Besson. Elle envoie Gustave les porter. Gustave part à cloche-pied. Malgré son ombre de moustache, il demeure plus près de l'enfance que de l'adolescence. Il n'est pas encore séparé du corps de ses frères. Il a un peu l'âge de Chinette en même temps que le sien.

Au milieu de la cour, il s'arrête brusquement de courir. Il réfléchit quelques secondes. Peut-être est-ce la nuit qui le fait succomber. Il mange la première tranche, puis la moitié de la seconde, partage la troisième en deux, et reprend sa course pour aller distribuer les parts réduites. Arrivé au dortoir, il regrettera de n'avoir pas tout mangé : les jumeaux ont tiré de leur caisse à provisions un pâté en croûte, et Hito grignote des biscuits de farine blanche. Le tiroir de sa table de nuit en est plein. Il les tient de Jeanin, le fils de l'épicier. Il lui fait ses devoirs de math.

M. Chalant a posé son béret basque sur sa tête. Il sort, traverse à son tour la cour, à pas lents. Les mains croisées dans le dos, il lève la tête vers le ciel. La masse noire des platanes s'enfonce parmi les étoiles. Un peuple de moineaux dort dans les feuilles. Un frisson de vent tiède arrive. Le platane noir parmi les étoiles frémit. Un oiseau s'éveille, s'ébroue, éveille ses voisins. Ils protestent à petits cris, se rendorment dans la masse noire ronde du platane enfoncée dans le ciel.

Depuis dix ans, M. Chalant est principal de ce collège. Depuis dix ans, tous les soirs, il fait sa ronde, en pantoufles, les mains au dos, le trousseau de clefs accroché à l'index. Les soirs de pluie, au lieu de traverser la cour, il longe les murs, sous le préau. Il monte l'escalier, parcourt les couloirs, jette un rayon de lampe et un coup d'œil à travers les portes vitrées, dans les classes vides. Il finit par le dortoir. Assuré que tout le monde est couché, il redescend enfin dans son appartement. Le Collège peut s'endormir, la conscience de son principal tranquille.

Hito entend le poids de son pas sur l'escalier de bois, et le tintement des clefs inutiles. Aucune porte n'est fermée à clef dans le grand bâtiment. M. Chalant pourtant agite son trousseau pendant toute sa ronde. Si quelque pensionnaire rôde à cette heure dans les couloirs, le voilà de loin prévenu. Il a le temps de s'enfuir et de se glisser tout vêtu dans son lit.

Hito fume une cigarette américaine. D'où la tient-il ? D'où tient-il ces objets confortables qui depuis des mois manquent a tout le monde ? Ces savonnettes onctueuses, cette eau de Cologne, ces souliers de cuir, ce pyjama neuf en soie naturelle gris-perle, ces lames Gillette, ce vrai savon à barbe, lui qui n'a presque pas de poils à raser ?

Dans le coffre-fort de M. Chalant, un petit coffre fixé au mur de son bureau, qui s'ouvre avec une simple clef, comme une malle, se trouve une liasse épaisse de billets de cinq mille francs. Cette liasse appartient à Hito, et M. Chalant a reçu l'instruction de lui en donner un tous les mois. Il arrive que Hito lui en demande deux, ou trois, lorsqu'il doit payer son chemisier, son tailleur ou son bottier. Cette liasse durera sûrement jusqu'à la fin de la guerre. Si la guerre devait tellement se prolonger qu'elle vînt à épuiser la liasse, au-dessous du dernier billet se trouve un chèque en blanc. Les parents de Hito sont des princes ou des commerçants, en Indochine. Leur fils ne souffrira de rien. Ils ont choisi pour le protéger la divinité la plus efficace.

Assis sur le bord de son lit, il fume sa cigarette, et souffle la fumée dans la figure des jumeaux debout devant lui, qui reniflent, éternuent et rient. Ils entendent le pas de M. Chalant et les clefs qui s'approchent. Ils courent à leurs lits, Hito s'enfonce dans le sien, éteint sa cigarette, la cache sous le traversin, ferme les yeux. « Hum hum ! » tousse M. Chalant, en ouvrant la porte. Il traverse tranquillement le dortoir. Les trois enfants dorment. Il tourne le bouton électrique. Voici dans le dortoir la nuit profonde. Il descend vers son appartement par l'autre escalier. Il n'a pas senti, il ne sent jamais l'odeur de la fumée.

M. Chalant n'aime pas punir. Il refuse les soucis. Il ne permet à personne de troubler sa tranquillité. Dès les premiers jours de son arrivée au collège de Milon, il y a dix ans, il a chargé M. Sibot, surveillant général, des soins de la discipline et des paperasses administratives. M. Sibot est admirablement au courant, et tout va bien. Lorsque M. Sibot a demandé le poste d'économe du Lycée de Valence,

M. Chalant est allé au chef-lieu, prétendûment pour appuyer sa demande. En réalité, pour empêcher qu'elle aboutît. Au retour, il lui donna les meilleurs espoirs. Lorsque M. Sibot apprit, quelques jours plus tard, que c'était un répétiteur de trente ans qui obtenait la place, il éprouva presque du remords d'avoir fait déranger pour rien son principal. Celui-ci lui a dit : « Après tout, vous êtes bien ici ? » C'est d'ailleurs vrai.

C'est Mme Chalant qui s'occupe du pensionnat. Petite, mince et brune, accablée par le poids de ce ventre presque toujours occupé, par ses accouchements, ses fausses couches accidentelles et leurs séquelles, elle semble souvent arriver au bout de ses forces. Mais son mari, souriant, ne veut pas voir sa fatigue. Elle-même parvient à l'oublier. Levée la première, elle finit la journée en robe de chambre. Elle n'a pas trouvé, pour s'habiller, quelques minutes. Elle ne sort que pour courir chez les fournisseurs, ou tenter d'obtenir du secrétaire de mairie un bon de haricots secs ou de poudre de lessive.

Milon-des-Tourdres, chef-lieu de canton, se trouve au nord-est du Ventoux, au centre d'une région demi-montagneuse, pauvre. Les restrictions s'y sont fait sentir très durement, très vite. Alors que la vallée du Rhône, à moins de cinquante kilomètres, dispose encore de trésors alimentaires, les paysans du Milonais manquent de beurre, d'huile, ne savent plus avec quoi nourrir leurs porcs. Sur les terres minces accrochées aux rochers ou aux marnes, habituellement dépourvues d'eau, une sécheresse exceptionnelle règne depuis deux ans. Trois hivers rigoureux ont tué une grande partie des arbres fruitiers

sans détruire les insectes. Les sauterelles, le dory-
phore, les chenilles s'acharnent sur les maigres
verdures épargnées par le soleil et par le gel. On
n'élève dans la région que des chèvres et des moutons montagnards, hauts sur pattes, pauvres en
viande. Chaque paysan parvenait jusque-là à faire
vivre sa famille sur sa petite propriété, d'une vie
de sobriété et de travail sans repos. Il n'y arrive
plus. Il ne mangeait jamais de viande de boucherie.
Les moutons étaient pour le chef-lieu. Les jours de
marché, il achetait une morue salée chez l'épicier,
pour le repas du dimanche. Maintenant, il ne mange
même plus ses lapins, ses poules ni leurs œufs. Il
les échange contre les chaussures, les vêtements, les
outils. A Milon, le beurre vaut mille francs le kilo.
Il vient de Normandie dans des valises. Le litre
d'huile est beaucoup plus cher.

Mme Chalant se trouve chaque jour devant des
problèmes difficiles à résoudre. Il ne se passe pas
de semaine qu'un de ses enfants n'ait saccagé ses
chaussures ou déchiré son vêtement. Le cordonnier
ne veut plus poser de semelles depuis que son fils
a échoué au bachot. Il prétend que M. Chalant l'aurait fait recevoir s'il s'en était donné la peine. On a
dû sacrifier les pneus de secours de la voiture qui
dort dans le garage. C'est le concierge qui les a taillés
en semelles. Bien entendu, il a aussi taillé pour lui.
Bientôt, il faudra attaquer une roue. Les doubles
rideaux du salon et des chambres sont devenus
robes et culottes, et les couvertures de réserve,
pardessus.

Pour nourrir sa famille et les pensionnaires, Mme
Chalant a dû se montrer encore plus ingénieuse.

25

Les élèves du cours d'agriculture ont transformé en potager la pelouse du parc du Collège, et le terrain de sports en champ de pommes de terre. Les petits de la classe enfantine ramassent les doryphores pendant les récréations, dans de vieilles boîtes à conserve, ou dans leurs seaux à faire des pâtés dans le sable. La maîtresse allume ensuite un feu de brindilles et de papier, et les enfants chantent une ronde autour du bûcher où elle sacrifie les insectes rouges. Bientôt, les aliments pour ce feu ont manqué. Chaque enfant a dû apporter un morceau de journal, une vieille lettre, un débris d'emballage. Certains parents ont protesté, parce qu'ils donnent leur papier et ne profitent pas des pommes de terre.

Une vache a langui quelque temps dans le vestiaire du terrain de sports. En trois semaines son lait a tari. Il n'y a pas de taureau dans la région. Au moment où Mme Chalant se résignait à la faire abattre pour la mettre au saloir, des pillards nocturnes, franchissant le toit du gymnase, l'ont tuée, dépecée, emportée. Ils ont laissé la tête, la peau, les mamelles et les tripes. Mme Chalant a acheté un chien de garde. Il a dévoré les deux canards qu'elle élevait avec les épluchures. Elle l'a revendu. Elle a essayé d'élever des poules. Elles n'ont jamais pondu. Jean Tarendol, qui s'y connaît, a déclaré qu'il leur faudrait un coq et du blé. Un coq, c'est facile, mais où trouver le blé ? On a mangé les poules.

Mme Chalant se débat au milieu de ces difficultés avec un courage dont elle n'a même pas conscience. Peut-être, si elle pouvait se reposer vingt-quatre heures, se rendrait-elle compte de la somme de travail et de soucis qui accablent ses jours. Mais les vacances elles-mêmes ne lui laissent nul répit : si les pensionnaires rentrent chez eux, ses sept enfants demeurent. Ils adorent leur mère, et lui demandent tout ce dont ils ont besoin avec autant de naturelle exigence que de jeunes animaux à la tétée.

M. Chalant sourit, heureux de voir qu'en fin de compte on fait face à tout, sans qu'il ait besoin d'intervenir. Il enseigne l'anglais aux élèves de première. Il se plaît à les conduire dans le monde passionné de Shakespeare. Il en sort frémissant d'horreur. Il lui faut de longues minutes pour débarrasser sa sensibilité trop vive de l'odeur du sang, et des plaintes des fantômes. Redevenu au temps présent, il trouve la vie plutôt gentille, et se sent le droit de répondre à sa femme qu'elle gémit pour des riens.

De l'autre côté de Paris, une faible lumière jaune pique l'aube. Une seule lumière dans tout Paris. Une bougie peut-être, ou une lampe à pétrole. Une vieille lampe achetée plus cher qu'un bijou. Un litre de pétrole obtenu par corruption ou échange. L'homme qui s'éclaire de cette lampe à l'autre bout de Paris voit ma fenêtre comme je vois la sienne et se demande qui je suis. Entre nous deux la ville dort sous un duvet de brume et de fumée. Tout à l'heure, ses clochers, la tête dorée des Invalides, le doigt léger de la Tour et toutes les cheminées en déchireront les derniers lambeaux. Au fond de l'horizon se dévoilera la Butte. Le Sacré-Cœur n'a pas poussé cette nuit un nouveau champignon. A gauche, la vraie croix de Montmartre, celle du Moulin. Au-dessous, c'est le troupeau des maisons, laid comme une foule. Les soirs de beau temps, le soleil les farde d'une fausse jeunesse rose, éclate dans quelques carreaux, disparaît. A six mille mètres, une escadre reçoit ses derniers rayons.

J'avais loué un appartement au septième étage, dans une rue haute, pour fuir le bruit des autos.

Mais les moteurs courent le ciel, maintenant, les carrefours grondent sur les toits. Un chacal d'aluminium monte en chandelle, glapissant. Des dragons à deux queues gardent en rond la Tour, hurlent sur nos têtes. Nos pauvres têtes.

Le silence va devenir souvenir d'enfance, luxe de milliardaire enfermé au cœur de vingt murs. Nos petits-neveux ne connaîtront même plus le calme des vacances. Les machines cultivatrices secoueront la campagne. Au sommet du Mont-Blanc un diffuseur décrira les beautés du paysage. Chaque vaguelette célera son sous-marin individuel, de police ou de plaisance. Les essaims d'avions bourdonneront à rase-gazon.

Mais aurons-nous des petits-neveux ? La mort se hâte, et nous courons à sa rencontre. La prochaine guerre se fera sans matériel ni soldats. Quelques laboratoires. Des touristes avec leurs valises. Le marché noir de la mort. Je pense qu'elle n'attendra pas longtemps. Quelques grands-pères ont échappé aux deux ou trois précédentes. Ils auront la satisfaction de disparaître dans la prochaine, avec leurs familles. Cette fois, tout le monde tombera du cocotier. Des grandes villes, il ne restera pas un grain de poussière. Le silence, le voilà.

Sous mes fenêtres, des jeunes filles jouent dans le stade. Je les aperçois, entre deux arbres, belles, vêtues de vives couleurs. De loin, on ne voit que leur jeunesse. En voici une qui s'étire, se renverse, touche le sol de ses mains. Son ventre est plat, ses seins font deux bosses à peine visibles. Ses cuisses dorées, ses bras dorés sont les piles du pont. Elle s'écroule, se roule dans l'herbe, rit. Elle est vivante, elle est jeune. Bientôt, elle trouvera un homme sur sa route, un homme devant qui s'ouvriront ces arches dorées. Ils s'aiment, ils sont au sommet du bonheur. Pour elle, il deviendra célèbre ou riche. Il va partir à la conquête du monde. Elle le trouve si grand, si homme. Pour lui, elle bravera sa famille, les bourgeois. Ils sont prêts à la gloire, à la honte, à la faim. Simplement, parce qu'il faut qu'il vienne déposer en elle ses petites graines. Pendant que la mort prépare ses armes, la vie multiplie ses chances.

Étendue dans l'herbe, les yeux clos, elle boit le soleil. Elle est herbe, elle est soleil, elle est champ. Elle pousse depuis seize ans, elle vit, on la soigne, elle joue, simplement, pour mûrir depuis seize ans son petit ventre plat.

Elle se tourne, elle s'étire, elle se lève. Elle va courir. Elle pense qu'elle a faim, qu'il fait bon, il faut qu'elle achète une combinaison, et bientôt il fera froid, je devrai mettre des bas, les bas sont chers, dans deux mois la rentrée, six ans d'études je serai pharmacienne, je n'ai plus de dentifrice. Tout ce qu'elle pense, même le soir venu quand on est las et que les pensées se font graves, ses projets, ses idées sur le monde, sur la paix, sur la pitié des malheureux, tout ça n'a pas d'importance. Ce qui compte, c'est son ventre. Il changera ses idées, ses projets, il la mènera tout droit vers le lieu où elle doit se coucher et s'ouvrir.

Une tige, des mains de feuilles ouvertes dans le vent, les racines qui fouillent la terre, et tout ce travail de la sève, pour aboutir à la fleur, pour que l'amour s'accomplisse dans le parfum et la couleur, sous le soleil.

L'histoire que j'ai commencé de vous raconter est une histoire d'amour. Vous y rencontrerez aussi la guerre, et des pays inventés que vous reconnaîtrez, et des personnages qui ressemblent à vos voisins, à vous-même. C'est une histoire vraie, faite de petits morceaux de vérité, pris çà et là, dans les souvenirs, dans l'imagination, dans votre cœur et dans le mien, petits morceaux de vérité, recueillis ou inventés, assemblés l'un à l'autre pour composer une fable aussi vraie que votre propre vie.

Dans le stade, les jeunes filles, vives, les jeunes filles en couleurs, leurs bras d'or dressés, leurs cuisses nues, foulent l'herbe, dansent, rient. Le vent, au-dessus d'elles, balance les branches. A chaque moteur qui passe, deux pigeons effrayés s'envolent, rejoignent les hirondelles, tournent, se posent de nouveau, cherchent les graines, chantent l'amour, continuent.

Maintenant, je vais faire mon travail, assembler les verbes et leurs familles d'articles, de pronoms et de substantifs. Le moins d'adjectifs possible. Et toujours trop d'adverbes. Ce n'est pas facile. Le vocabulaire est une horrible foule. Ces mots qui se présentent, toujours au premier rang, justement ceux qu'on ne veut pas. Et chacun tient par la main toute sa tribu de livides. Avec leur visage usé comme celui des filles qui ont trop servi. Celui qu'on cherche, précieux, juste, celui-là fuit. Travailler, écrire, biffer les phrases, déchirer les feuilles, recommencer dix fois le chapitre. Jusqu'au moment où l'histoire devient un peu transparente. S'arrêter quand on n'en peut plus. On n'en finirait jamais.

Si je réussis, si je ne vous laisse pas en route, vous verrez vivre à travers les mots ce garçon et cette fille que l'amour tourmente. Vous partagerez leur bonheur, leurs peines. Peut-être vous devinerez ce qui les attend. Vous ne pourrez rien faire pour leur épargner le malheur. Rien, ni vous ni moi ne pouvons rien changer à leur destin. Nous ne pouvons rien changer au nôtre.

Le garçon, le voici, c'est Jean Tarendol, tout seul au milieu de la page. Je vais le laisser seul devant vous, je me retire, je me tais.

Il marche, il siffle. Une valise, suspendue dans son dos, danse. Il marche, et sa petite image, double, marche dans vos yeux. Autour de lui, le paysage s'installe. En haut, le bleu du ciel, puis la montagne verte et noire, et le chemin blanc entre la montagne et la vallée du torrent. Dans le ciel, un nuage délicat, encore un peu teinté du rose de l'aurore, commence à s'écheveler et à se dissoudre.

Quand Jean atteindra le tournant du chemin que marque un amandier, le nuage n'existera plus. Dans le torrent, il y a moins d'eau que de cailloux. L'eau glisse, serpente, tombe en petites cascades, à petit bruit. Un murmure. Jean va plus vite qu'elle. Il s'est mis en route au début du jour. Il siffle, il chasse à grands coups de pied les cailloux déchaussés. La valise danse dans son dos. Il n'y a pas un seul poisson dans l'eau du torrent. Il sera sec à partir du mois de juin, jusqu'à l'automne. Du torrent, on voit la tête de Jean se découper sur le ciel. Ses épaules se confondent avec le sommet de la montagne. Sa tête danse sur la crête. Ses cheveux noirs bouclés brillent. Il est vêtu de vieux habits de son père. Il s'est mis en route au lever du soleil, pour aller prendre le train à la gare de Saint-Mirel. Le train le conduira à Milon. Il rentre au collège. Les vacances de Pâques sont finies.

Il a ligoté d'une corde en croix la valise qui ne ferme plus, il se l'est accrochée aux épaules par des courroies taillées dans des harnais hors d'usage. Il a déjà fait deux kilomètres. Quatre, encore, jusqu'à la gare. Ses yeux sont bleus, semés de paillettes d'or, son nez fin, droit, sa bouche grande, ses dents neuves. Pendant les vacances, il a aidé sa mère aux travaux des champs. L'air des montagnes a bronzé ses joues, et le soleil a brûlé surtout son nez et le repli des oreilles. Ce matin, il s'est vigoureusement frotté à l'eau froide. Il est propre, il est solide. Bien qu'il n'ait pas dix-huit ans, il est plus grand que le fut son père. Sa veste le gêne sous les bras. Sa mère a sorti l'ourlet des manches. Elles sont quand même trop courtes. Son pantalon de velours marron est râpé aux genoux. Pourtant son père, pour casser les cailloux, posait sous ses genoux un coussin en cuir de porc qu'il avait tanné lui-même. Mais à force de s'agenouiller, il a écrasé les côtes du velours. Dans la valise dansent deux chemises, des mouchoirs, quelques livres. La montagne danse le long du chemin. La veste est pratique pour un collégien. Quatre poches à soufflets, fermées par des boutons de métal marqués d'une tête de sanglier en relief. Les chemises dansent, se déplient, les mouchoirs se glissent entre les pages des livres, l'encre dans son flacon, au fond d'une chaussette, tempête. Un saucisson sec, à chaque pas, frappe le flanc de la valise. Un coup de pied dans un caillou. Le caillou saute un talus, plonge. La première chose que Jean s'offrira, quand il gagnera sa vie, ce sera un stylo. Il l'accrochera dans la poche de sa veste, la poche gauche du haut, et il fermera la patte par-dessus, pour ne pas le perdre. Les vacances sont finies, déjà. Il aime les vacances.

Tarendol.

Il aime aussi le collège. Il aime sa mère qu'il vient de quitter. Son père est mort. Il aime partir, il aime arriver. Les jours de soleil, surtout le matin, quand il a longuement dormi, quand il marche, joue, bien lavé d'air et d'eau, l'or de ses yeux grandit entre ses cils noirs. Les jours de pluie ou de fatigue, c'est le bleu qui gagne.

Le pouce de la main gauche accroché à la courroie qui porte sa valise, il marche d'un bon pas, et siffle pour scander sa marche. Il a poussé la porte, tourné la clef, mis la clef dans le trou du mur, et posé dessus le morceau de tuile. Sa mère était déjà partie. Elle se loue à la journée aux fermiers du voisinage, pour les travaux de la saison. Il siffle n'importe quoi, des airs mélangés, qu'il adapte à son pas. Il n'écoute même pas ce qu'il siffle. Pour occuper sa main droite, il a ramassé une branche morte. Elle s'est cassée au premier caillou frappé. Il a coupé un rameau vert qui tourne et siffle dans sa main. Il n'écoute pas non plus ce qu'il pense. Il siffle, il marche, il fait sauter la tête d'une graminée. Son cerveau tourne tout seul. Mille images qui se succèdent ; il reste un peu de neige, loin, là-bas, au sommet du Ventoux ; l'odeur d'une touffe de thym plantée dans un soupçon de terre, entre la marne et le rocher ; le visage de Fiston, certainement déjà arrivé au collège ; l'odeur de la salle d'étude ; écrire à sa mère dès son arrivée. Elle veut savoir qu'il a fait bon voyage. C'est un petit voyage, mais pour sa mère, c'est quand même un long voyage, parce qu'il tient son fils longtemps loin d'elle. Jean ne s'est jamais demandé quel était l'âge de sa mère. Il l'a toujours vue pareille, elle sera toujours ainsi, vêtue de noir, coiffée du mouchoir blanc, le nœud sous le menton.

Elle est grande, séchée d'efforts. Son âge est l'âge égal des femmes de la campagne, tôt vieillies, longtemps conservées par les travaux durs, loin de la jeunesse, et loin aussi du repos de la mort. Le mouchoir blanc cache ses cheveux gris et plats, et ses petites oreilles belles comme celles d'une jeune fille du monde. Ce qu'on voit de son visage, le front, les joues, les lèvres, tout a la même couleur de bois sec. La maigreur pince son nez courbé. Le soleil a séché sa bouche. Mais ses yeux noirs brillent, sains, parce qu'elle mange peu. Quand elle rentre de journée, il lui reste à s'occuper de sa chèvre, de ses lapins, des poules, des pigeons, du linge de Jean et du sien. Ses nuits sont brèves.

Elle a épousé André Tarendol à dix-neuf ans. Elle avait six mois de plus que lui. André, ouvrier boulanger, chantait en pétrissant la pâte, en enfournant le pain, en balayant les cendres du four avec la panouche. Il chantait quand il revenait de La Garde, la fournée cuite, pour passer avec sa femme les dernières heures du jour et un morceau de la nuit. Il avait la peau très blanche et presque pas de poils, sauf sur le dos des mains, où le feu du four les brûlait sans cesse, leur donnait de la force et les multipliait. Jean a les cheveux noirs bouclés de son père, son nez droit et ses yeux. Mais sa peau brune, il la tient de sa mère.

André Tarendol avait installé son ménage dans une maison maigre qu'il tenait de ses parents, au hameau de Courtaizeau, deux pièces l'une sur l'autre et un grenier pointu. Une vingtaine de pigeons nichaient dans le grenier et se nourrissaient aux champs. Un pré en pente attenait au Pigeonnier, un petit pré que la vallée du torrent rongeait. André avait adossé un appentis au mur de l'ouest, et acheté une chèvre.

Il partit pour la guerre le troisième jour du mois d'août 1914. Il revint avant la fin. Il débarqua à la gare de Saint-Mirel vers laquelle Jean se dirige ce matin. Le chemin a tourné vers l'ouest. Le petit nuage qui avait fondu dans le bleu se reforme, juste dans le dos de Jean, au-dessus de la montagne. Jean va prendre le même train qui a ramené son père de la guerre. Il y a des années que ce petit train ne servait plus. Des autocars le remplaçaient. L'herbe poussait entre les rails. La Compagnie avait loué à des paysans les maisonnettes des gardes-barrières. Mais depuis la nouvelle guerre, les autocars, faute d'essence, se sont arrêtés l'un après l'autre, et le vieux train a repris son service. Où a-t-il passé tout ce temps? Où avait-on garé ses vieux wagons éclairés au pétrole, et sa locomotive à grande cheminée? Jean va peut-être s'asseoir, sur la banquette de bois, juste à la place où s'assit son père le soir où il revint, un soir d'automne. Il pleuvait. Le seul employé, chef de gare et manœuvre, le père Foulon, regarda descendre du train ce soldat barbu, qui semblait fatigué, qui hésitait, qui regardait autour de lui, comme un étranger. Le soldat souleva ses musettes, son bidon qui clapotait, passa les courroies sur ses épaules. Tous les voyageurs, déjà, étaient sortis. Le père Foulon tenait leurs billets dans la main gauche. Le soldat venait aussi vers la sortie. Les soldats n'ont pas de billet. Leur titre de permission suffit. Mais dans les petites gares, personne ne le leur demande. On les connaît.

Quand il fut à deux pas de la lanterne, le père Foulon lui dit :

— Pas possible! C'est toi, André?

Le soldat le regarda, fit oui de la tête, puis sortit. Il pleuvait.

Il avança de quelques pas sur la place, et s'arrêta devant l'entrée de la Grande-Rue. La place était sombre, sauf quelques filets d'eau qui reflétaient une fente de lumière dans un volet. La pluie clapotait par terre, râpait les murs et les tuiles. Une gouttière chantait toujours la même note. La pluie tenait bien enfermés les habitants dans leurs maisons. Il était seul avec elle sur la place. Tout le monde le connaissait à Saint-Mirel. Et lui connaissait bien le bourg. Il avait commencé son apprentissage à la Boulangerie Moderne, à douze ans. Il avait dansé à toutes les fêtes. La pluie coulait dans son cou, trempait sa barbe. Les petits filets d'eau de la place coulaient vers la Grande-Rue, devenaient ruisseau au milieu de la rue, un ruisseau qui brillait sous la lampe électrique plantée dans le mur de la Poste, puis sous la fenêtre du café, puis devant la vitrine de l'épicerie. Cette épicerie était tenue par sa cousine, une vieille fille. Quand il était apprenti, de temps en temps, elle lui donnait des bonbons.

Le père Foulon, de la porte de la gare, le regardait. Le père Foulon se tenait juste sur la porte, pas trop en avant pour ne pas se mouiller. Il le vit courber la tête, tourner le dos à la rue, et revenir. Il s'écarta pour le laisser rentrer, et lui demanda à voix basse :

— Et alors, André ?

Il ne répondit pas. Il passa devant le guichet fermé, il passa devant la bascule, enjamba un cageot d'où sortaient quatre têtes de poules. Là, le vieux le vit bien éclairé. Il paraissait avoir quarante ans. Il sortit sur le quai, traversa la voie, et le vieux ne le vit plus.

Il descendit le talus, s'enfonça dans la nuit, du côté des champs. Il contourna le bourg en franchissant les clôtures. Il enjamba les haies, se glissa sous les fils barbelés. L'herbe le trempait jusqu'aux cuisses. La boue engluait ses molletières. Il n'y prêtait pas attention, il avait l'habitude.

Le jour de son départ, il pensait déjà au retour. Il avait imaginé sa joie, la course vers le Pigeonnier, les grands cris d'appel : « Françoise! Françoise! », Françoise dans ses bras, toute chaude. Elle qui pleurait, lui qui riait, la secouait, l'embrassait encore...

Il avait contourné Saint-Mirel et retrouvé la route. Il marchait dans la nuit, les pieds lourds. Le vent lui jetait au visage des feuilles mortes, des feuilles noires, glacées, lui plaquait la pluie sur le dos.

Il reconnaissait le chemin sans le voir, les carrefours avec les directions qui n'étaient pas la sienne, et celle qui le tirait vers sa maison. Il reconnaissait les arbres aux mêmes endroits, qui gémissaient à son passage. Le grand écoulement de l'eau sur les marnes l'innombrable chute de la pluie pétrie par le vent, soulevée, roulée, jetée contre le flanc lavé de la montagne, noyaient le bruit du torrent.

Il contourna aussi La Garde, par le sentier qui monte au Clos des Vieilles. Au Clos des Vieilles, il allait chercher les fagots de noisetier pour la chèvre. Il emportait toujours un casse-croûte. Une fois, il avait oublié le fromage. Il avait mangé son pain seul, grillé au bout d'un bâton dans la flamme d'un feu. La flamme du feu. L'odeur du pain. L'eau et les cailloux coulaient sur ses chevilles. Il passa près de la Bergerie de la Combe. En cette saison, elle est vide. Il ne pouvait pas s'arrêter. Il ne pouvait pas s'abriter.

Il avait hâte et peur d'arriver. C'était le vrai retour, dans la nuit, la pluie, la boue et le vent. La fin du voyage, après tant de pas dans les champs éventrés, sur les routes rompues, après tant d'étapes parmi les obus, sur les chemins de feu, de poussière et de boue, sur la terre sans herbe, avec les vivants qui suaient, les morts qui puaient, les blessés hurlants. Sous la pluie, dans la nuit et le vent, André Tarendol arriva chez lui.

Il franchit le petit pont. Courtaizeau était là. Quatre maisons basses plus noires que la nuit, et le toit pointu du Pigeonnier qu'il ne voyait pas, à l'autre bout du hameau. Un chien aboya. André reconnut la voix du berger des Rigaud. Il aboyait derrière la porte de la grange. Il signalait le pas qui venait d'arriver au village. A cette heure, les chiens savent que tout repose dans les maisons fermées. Les hommes, les femmes et les bêtes qu'ils connaissent dorment. Dehors, les chiens ne doivent entendre que les bruits de la pluie et du vent, et les cheminements furtifs des bêtes qu' n'entrent jamais dans les maisons et que l'aube chassera. Les chiens du hameau entendirent le pas insolite et aboyèrent. Un mouton bêla. André s'arrêta. Des fils d'eau coulaient des manches de sa capote et de ses doigts. Le poids de la nuit et des souvenirs pliait ses épaules. Il revint lentement au petit pont, descendit vers le torrent. Ses pieds glissaient sur la marne détrempée. Il tomba, le visage dans la terre, se releva, tomba de nouveau, s'écorcha les mains. Le torrent contournait les terres basses du village. André remonta vers son pré, franchit le mur, se trouva devant sa maison. Là, derrière la porte, solide contre le vent et la nuit, dans la pièce chaude peut-être éclairée par les dernières braises du feu, Françoise, sa femme, dormait. Elle devait rêver à lui. Elle l'imaginait très loin. Il montait à l'assaut dans le soleil et la gloire des clairons. Elle avait dû souvent trembler pour lui. En même temps, elle devait être fière de lui, de sa médaille. Qui peut connaître la vérité de la guerre, de ceux qui ne l'ont pas subie?

Il ouvrit les bras, il essaya de rappeler à lui l'image de joie du retour, il respira pour crier le nom de Françoise. Qu'elle accoure, qu'elle vienne se jeter dans ses bras. Mais il ne put pas crier, la porte restait fermée entre les vivants et lui. Les épaules basses, les pieds lourds, il s'en fut vers l'appentis, se courba pour entrer dans la chaleur de l'étable. La chèvre se leva, des lapins lui partirent dans les jambes. Il referma la porte, se mit à genoux pour défaire ses courroies, parce que le toit était trop bas pour sa taille, s'allongea, la tête sur ses musettes. Ce fut là que Françoise, brusquement éveillée par l'angoisse, une lampe-tempête à la main, le trouva endormi. L'eau qui s'égouttait de lui dans la litière fumait.

Jean vient de traverser La Garde. Le chemin, devenu route, longe à la sortie du village le cimetière appuyé en pente douce contre la montagne. Les morts et la terre qu'ils habitent glissent sur la pente. Un mur les retient, les empêche d'atteindre la route. Ils pèsent sur le mur, avec patience. Le mur est vieux. Le poids des morts lui fait un ventre qui surplombe déjà le fossé. Des giroflées poussent entre les pierres du mur. Une croix penchée offre par-dessus le mur un Christ en bois qui a perdu ses jambes, et dont un bras, arraché de l'épaule, pend au bout de la main traversée par le clou. La terre et ses morts emplissent bien le cimetière, jusqu'à la cime du mur, à la hauteur des yeux des passants. Les herbes folles cachent les débris des couronnes et les pierres dressées comme des bornes, qui penchent, à gauche, à droite, et certaines sont tombées. C'est un endroit bien abrité. Les vieux du village viennent souvent y prendre le soleil. Ils s'appuient contre le ventre du mur, ils bavardent sans se presser. Une phrase par-ci, par-là. Et de l'autre côté du mur, dans la terre, les morts patients les attendent. Le dimanche, les jeunes qui restent jouent aux boules sur la route. Le vent, parfois, agite le bras du Christ. C'est un cimetière familier, qui n'effraie personne. Jean le connaît bien, à force de passer le long de son mur, sur la route. Son père est enterré là. Il se souvient mal de lui. Il regrette qu'il soit mort, mais il n'éprouve aucune tristesse quand il passe à côté de lui. Ce cimetière n'est pas triste. Il est de la même couleur que la montagne, et aussi simple qu'elle. Son père est là, comme cette herbe, avec cette herbe et ce rocher, et ce plant de vigne folle qui jette ses rameaux en rond autour d'elle. Cette herbe est à sa place, et ce rocher, et son père aussi.

A son retour de la guerre, André avait essayé de reprendre son métier de boulanger. Il dut y renoncer à cause des plaques rouges qu'il portait au bas-ventre et aux aisselles, de larges brûlures d'ypérite, inguérissables, qui le faisaient crier à l'approche du feu.

L'agent voyer de Saint-Mirel lui procura une place de cantonnier. Il sarcla les herbes dans les fossés, répandit du goudron sur la route nationale. Le long de patientes journées, à genoux, les yeux protégés par le grillage des lunettes, il cassa les galets du torrent, assemblés en mètres au bord de la chaussée.

Il réfléchissait pendant ses journées de solitude, au bord des chemins. Il essayait de comprendre la guerre et la paix. Il se demandait ce qu'il avait fait, ce que les autres hommes comme lui, jeunes, et qui connaissaient bien leur travail, et ne demandaient rien que travailler et vivre, ce que ces hommes avaient bien pu faire pour mériter d'être jetés dans cette horreur. Il croyait que s'il avait fréquenté plus longtemps l'école, il y aurait peut-être appris les causes de ce qui advient. Les années passèrent. Il n'oubliait pas. Ses brûlures ne lui permettaient pas d'oublier. Il ne chantait plus. Il rentrait à la maison tout courbé, grognant. Il se plaignait sans raison, tremblait pour manger sa soupe. L'hiver, il toussait. Ce qui l'accablait plus que la souffrance, c'était une sorte de honte. Quand il transpirait, ses brûlures cuisaient. La douleur lui rappelait les souvenirs de la guerre, et il avait honte de ce qu'il avait fait, de ce qu'il avait vu, honte pour lui, pour les hommes qui l'entouraient, pour ceux d'en face. Il n'aurait pas pu le dire, parce qu'il ne savait employer que les mots de sa vie très simple et ceux de son métier, mais il sentait bien que cette guerre était un crime démesuré et que tous ceux qui l'avaient voulue, qui l'avaient faite, qui l'avaient subie, étaient coupables. Les morts étaient coupables d'être morts dans cette boue, il était coupable d'avoir souffert, de souffrir encore. Et quand il voyait tout près de lui agenouillé fleurir les fleurettes, il sentait plus encore la honte d'être un homme qui avait été plongé dans cette guerre. Il se disait bien qu'il n'était peut-être pas possible de l'éviter. Lui, avec son peu d'idées, il ne voyait pas comment on aurait pu l'éviter, mais il avait honte de l'avoir subie, honte pour les hommes.

Françoise le soignait comme un enfant. Elle avait commencé de travailler dans les fermes et son visage se séchait. Quand Jean naquit, neuf ans après le retour de son père, celui-ci, qui avait trente-six ans, offrait l'aspect d'un vieillard, et sa mère avait tout à fait perdu sa jeunesse. André Tarendol trouva dans la naissance de son fils une raison de plus de gémir. Qu'est-ce qu'il va devenir? Qu'est-ce qu'on pourra faire de lui? Il parlait tout seul devant son tas de cailloux. Il s'arrêtait parfois, se redressait, hochait la tête, puis recommençait de battre le silex à coups de fer précis. A dix-huit ans, il avait été le meilleur ouvrier de la région. Il aurait pu devenir patron, installer sa femme dans une boulangerie de Saint-Mirel, faire de Jean un homme qui chante en enfournant le pain. Il n'était plus qu'un tâcheron misérable, devant un avenir plat comme la route.

Françoise emportait le bébé dans ses bras, le posait au bord du champ, sous un arbre. Il gazouillait, il riait aux feuilles, hurlait parce qu'une sauterelle lui frappait la joue de ses ressorts. Sa mère accourait, lui donnait le sein, l'endormait. Quand il s'éveillait, le ciel, les nuages et les branches jouaient dans ses yeux. Il attrapait une herbe, la mangeait, s'étranglait, crachait un peu de lait caillé, pleurait, recommençait à rire.

Sa mère lui apprit ses lettres, et à sept ans il alla tout seul à l'école de La Garde. Dans un petit panier, il emportait du pain et du fromage, un morceau d'omelette, pour le repas de midi. Et son père se mit à rêver de le pousser dans les études, d'en faire un homme instruit, bien au-dessus de lui, à l'abri. Jean écrivait mal, tachait ses cahiers, ne finissait pas ses devoirs. Son maître écrivait aux parents : « Intelligent, mais distrait. Regarde voler les mouches ». Par contre, il se plongeait avec passion dans les livres que sa mère lui rapportait de la foire de Saint-Mirel, achetés d'occasion. Des albums d'illustrés, des récits d'aventures. Il les relisait vingt fois, se battait à côté de leurs héros. Il quittait les jeux des garçons pour retrouver ses compagnons imprimés, négligeait ses devoirs. Quand il échoua au certificat d'études, à cause de ses fautes d'orthographe, et parce qu'il ne savait pas ses départements, son père était mort depuis deux ans. André était resté alité tout un hiver. Il toussait. Il transpirait sans cesse. Françoise continuait à travailler au-dehors. Dans son lit, il ne risquait rien. La vieille mère Espieu, la voisine, venait de temps en temps voir s'il avait besoin de quelque chose et entretenir le feu. Il était couché dans le lit de la pièce du bas, dans le coin à gauche, à l'opposé de l'escalier. Juste devant lui se dressait la vieille horloge, noire des fumées de trois générations. Son balancier de cuivre, décoré jusqu'au cadran de fleurs multicolores, brillait, passait, repassait, brillait derrière la vitre. Un peu plus à droite, c'était la fenêtre, puis la cheminée, et le pétrin. La table devant la cheminée, en face de la porte. Jean arrivait de l'école, embrassait la joue moite de son père, se hâtait de monter dans sa chambre pour retrouver ses livres et oublier le malade. La nuit, André se poussait contre le mur pour faire place à sa femme. Il maigrissait, il toussait de plus en plus. Un jour, il se leva pour faire ses besoins, tomba et resta près d'une heure étendu avant que la mère Espieu vînt le voir. Elle ne put pas le relever toute seule. Elle était trop vieille. Elle courut, elle tenait ses jupes, elle soufflait, elle ne pouvait pas courir bien vite, elle courut chercher le fils Rigaud qui débitait un chêne près du pont. Elle mit sa main sur son cœur, reprit sa respiration : « Casimir, viens vite, l'André s'est tombé. »

Toute la nuit il toussa et gémit. Le médecin venu à motocyclette fit une piqûre, donna un flacon qu'il avait apporté, avertit Françoise que ça ne durerait plus longtemps. Il avait une barbe grise et de bons yeux. Il avait déjà vu s'en aller de la même façon beaucoup d'anciens soldats. Jean est reparti avec lui sur la moto. Il restera quelques jours chez la cousine de Saint-Mirel. Il sait bien pourquoi sa mère l'éloigne. Son père va mourir. C'est la première fois qu'il monte sur une moto. Il pense à ce qui va se passer dans la maison. Son père. Les larmes lui montent aux yeux. Son nez pique. Quand il retournera à l'école, son père sera mort. Les garçons n'oseront peut-être pas lui parler tout de suite. Il aura un crêpe autour du bras. Il sera grave. Il ne pourra pas jouer. La moto pétarade. Il a froid aux oreilles et aux mains. Il saute à chaque trou. Le manteau est tendu sur le grand dos du docteur. La couture, au milieu, verticale. Le dos lui cache le devant du chemin. De chaque côté, les arbres et les rochers défilent. Ils traversent La Garde. Un garçon de sa classe lui crie quelque chose et court derrière la moto. Il ne répond pas. Son père va mourir, il ne doit pas rire, il ne doit pas être fier d'être sur la moto. Il lâche une main pour s'essuyer les yeux avec sa manche. Sur la route, maintenant, la moto file à toute allure. C'est quand même un beau voyage. Il a froid aussi aux pieds. Quand il arrivera chez la cousine, elle l'embrassera et il pourra pleurer.

45

André s'est mis en colère, a fait sortir Françoise. Il ne veut pas d'elle pour aller sur le seau. Elle écoute derrière la porte. Elle l'entend tomber. Elle se précipite, le recouche. Il souffle. Il ne la remercie pas. Il regarde le plafond, fixement. Elle ne dit rien. Elle comprend ce qu'il pense. C'est le plus bas de la déchéance, l'humiliation d'avoir besoin des femmes pour ça. Il tousse. Il a duré encore huit jours avant de mourir. Il ne faut pas croire qu'après une vie de tourments on puisse sûrement compter sur une mort paisible. Ceux qui s'en vont après avoir usé toutes leurs forces le long d'un grand nombre d'années, ceux-là, en général, s'effacent sans résistance dans la mort. Mais, pour la plupart des hommes, la mort est la dernière bataille d'une vie de luttes. Ils se battent contre elle comme ils se sont battus jusqu'à elle, avec les mêmes habitudes. Comme ils ont vécu, ils meurent. André va mourir dans la peur, assailli par ces souvenirs que le délire rend vivants. La veille, il a vomi du sang sur ses draps. Françoise et la mère Espieu l'ont changé. Il a dormi, puis parlé un peu le matin, puis s'est rendormi, l'après-midi. Le soir, il a gémi, sans se réveiller. Françoise ne sait plus si c'est du sommeil ou de l'accablement. La mère Espieu fait chauffer du café sur des braises. Françoise, appuyée à la table, la tête dans ses bras, dort. Espieu a téléphoné au docteur, de la cabine de La Garde. Le docteur a dit qu'il ne viendrait pas aujourd'hui. Il court la montagne sur sa moto. Il a bien à faire avec les gens qu'il essaie de guérir. Pour André, il ne peut plus rien. Enfin, il viendra quand même, demain matin.

Il est plus de minuit, pas encore une heure. La mère Espieu boit son café, souffle sur la tasse. Il est trop chaud. Une lampe à huile pend au coin de la cheminée. Une petite flamme jaune. La lampe à pétrole aurait donné trop de lumière. André ouvre les yeux. Françoise dort. La mère Espieu, tassée sur sa chaise, ses vieilles mains sur ses cuisses, devant la braise, somnole. André ne la voit pas. Il ne voit pas Françoise. Devant lui, c'est un pied qui sort de la terre. Un pied chaussé. C'est dommage, un brodequin tout neuf. Mais qu'est-ce qu'il en ferait? L'autre est enterré. Celui-là sort de la paroi de la tranchée depuis le bombardement. Il voit briller un clou dans le petit jour. Il le voit briller parce qu'il n'a plus sa raison. Dans la réalité, les clous du brodequin étaient rouillés. Il voit briller quelque chose, le balancier de l'horloge. C'est le clou, c'est le pied qui se balance. Il crie : « Le pied! » Ça veut dire : « En avant! » Il faut grimper, sauter hors de la tranchée. Le pied reste. Lui, il faut qu'il saute, il saute. L'air crache du fer de partout, crache et siffle et ronfle, et tonne de partout. Il veut se jeter à terre. Il sait que s'il se jette à terre, dès qu'il sera étendu, par terre il est sauvé de la mitraille et de la mort, sauvé, là par terre. C'est pourtant simple. Mais il ne peut pas. Il est raide droit dans la mort qui hurle, droit comme un arbre. Il voit venir l'obus, et puis un autre et encore d'autres. Tous vers lui foncent à toute vitesse. Et lui recule aussi vite qu'eux, tout droit sans bouger. Il recule à la vitesse de l'obus qui est là devant sa poitrine, pointu, qui brille, se balance devant lui. S'il bouge, l'obus va éclater, s'il s'arrête, l'obus va éclater, s'il tombe, l'obus va éclater. Et tout à coup, voilà qu'il a peur de tomber parce qu'il sent qu'il va tomber en arrière. Il hurle, il tombe. C'est pire que le vide, toute la terre a basculé et plus il tombe, plus la terre s'éloigne de lui. Jamais, jamais plus il ne pourra se retenir à la terre, et à mesure qu'il tombe il recommence sans cesse de tomber. L'angoisse est si horrible qu'elle lui rend sa connaissance. Il sent le drap sous ses mains. Il se sent peser dans le lit de tout le long de son dos et de ses cuisses. « Je suis bien, je ne tombe pas, je suis malade, mais je ne tombe pas. Dieu, que je suis bien de ne pas tomber. » Il voit le balancier. Quelqu'un est assis sur la chaise près du feu. Qui est-ce ? Il a le casque et la capote. Que fait-il dans ce trou ? C'est lui qui crie. Oui, c'est lui qui crie depuis ce matin. Il est tombé le premier, les mains sur son ventre. A gauche aussi, et devant et derrière, les blessés crient, les morts puent, et les vivants fouillent la terre de leur nez. Ils gémissent tous derrière lui. Celui qui le tient par les épaules lui demande : « Toi, tu y vois, André ? Tu nous mènes bien, André ? » Il les emmène. Il porte du feu sous les bras et dans le bas du ventre, et de temps en temps il gueule parce que ça le mord. Et celui qui le tient par les épaules lui dit : « André, nous laisse pas, André. » Et tous les autres gémissent. Il se tiennent tous par les épaules parce qu'ils ont les yeux brûlés. Il les emmène, il suit la petite lampe au bout du boyau, qui brille et se balance. Derrière lui, ils ont les yeux brûlés, les yeux saignants, rouges dans la nuit, gros comme des poings, les yeux qui saignent sur leurs figures. Tous derrière lui se tiennent par l'épaule, pleurent du sang, gémissent la lumière, mille, dix mille, en chenille dans la tranchée, tous les brûlés de l'ypérite, leurs yeux brûlés, leurs blessures brûlées, et aussi leur ventre ouvert par le fer, leurs tripes brûlées, leurs yeux sortis, leurs yeux qui saignent, du sang partout sur

48

leurs ventres et leurs bras et leurs jambes, leurs yeux brûlés levés vers le soleil qui se balance, tous derrière lui, la main sur l'épaule, et lui tout seul pour tous, lui rien que ses yeux ouverts, rien que ses yeux qui voient. Qui voient, qui voient... Ah! qui ne voient plus.

Françoise était si fatiguée qu'elle n'a pas entendu André mourir. Il n'a pas fait de bruit. Ce grand délire, ces cris et ces souvenirs, il les a bien gardés pour lui, à ce dernier moment, comme il les avait gardés jusque-là. C'est la mère Espieu qui s'en est aperçue. Elle s'endormait. Elle a failli tomber dans la braise. Elle s'est secouée. Elle s'est levée pour se réveiller un peu. Elle a vu qu'André avait les yeux ouverts. Elle s'est approchée. Elle pensait qu'il avait fini de dormir. Elle a vu qu'il venait justement de commencer.

La porte du cimetière de La Garde est étroite.
Quand les hommes de la famille et les voisins, vêtus
du costume noir qui fut celui de leurs noces, la moustache en pleurs sur leur bouche, le front grave suant
du soleil, de l'effort et de la pensée qu'ils donnent au
mort, s'approchent de la porte avec le cercueil dans
les bras, ceux qui le tiennent par les côtés doivent
lâcher prise et s'effacer. Et même si c'est un vieux
desséché qu'ils conduisent à son trou, ceux qui le
portent par la tête et par les pieds s'étonnent qu'il
pèse tout à coup si lourd au moment de franchir la
porte.

Les hommes qui ont dressé le mur et ménagé la
porte auraient pu la laisser ouverte vers le ciel, comme
celle d'un champ. Peut-être pour qu'elle ressemblât
tout à fait à l'entrée d'une demeure, ils l'ont close en
haut, d'une pierre. Sur la face de cette pierre tournée
vers la route, ils ont gravé quelques mots, une prière
et un conseil. Des écailles de mousse jaune, des plantes
grasses aux feuilles roses comme des doigts de poupée,
poussent sur la pierre, sans terre et sans eau, se nourrissent des rayons du soleil et de l'haleine du temps.

Elles ont bouché quelques lettres, elles en simulent d'autres, elles ajoutent des queues et des apostrophes. Elles n'empêchent point, pour cela, chaque passant de lire les mots gravés. Ce sont des mots simples. Jean, ce matin, en passant, a jeté un coup d'œil sur la pierre. Son regard a glissé, trop vite pour voir, trop vite pour lire. Mais dans sa mémoire s'est dessinée la phrase que ses yeux n'ont pas lue :

Passans, priez pour nous, et pensez à vous.

Quand ce livre sera terminé, posée ma plume, tournée par vous la dernière page, le cimetière sera toujours là, chauffant au soleil son ventre plein de morts. Passants, nous serons loin déjà. Nous aurons oublié de prier pour eux. Nous aurons oublié, bien plus encore, de penser à nous.

Les morts ne peuvent plus penser, mais devenus terre, feuilles, nuages, devenus sources et pâturages, ils continuent de fournir leur chair à la bataille. Qui, de la vie ou de la mort, l'emportera, le dernier jour ? Dans l'écume de la tempête pulvérisée, les infimes du plancton s'accouplent. La charrue retourne la terre ; au sein de la motte qui fume, des champignons invisibles étranglent au garrot des vers plus petits qu'eux et s'en nourrissent. Vous êtes la vague et le soc et la terre, le champignon et le ver, et un peu plus que tout cela, puisque vous vous demandez pourquoi. *Priez pour nous...* Ah! c'est pour les vivants qu'il faut prier, pour ceux qui ne connaissent pas la réponse...

Jean n'a pas atteint l'âge où l'on pense. Il regarde, il lit, il écoute, il ne se pose pas de questions. C'est la grâce de la jeunesse.

Les mains serrées sur la barre, il regarde défiler le paysage. Il est resté debout, sur la plate-forme extérieure du wagon. Ses cheveux bouclés brillent, frissonnent dans le vent. La peau de son visage est bien emplie d'une chair bien ferme. Ses yeux sont clairs comme l'eau qui sourd à la lumière. Il est mince, ses os solides enveloppés de muscles longs et lisses. Ses épaules sont trop larges pour sa veste, et quand il plie le coude, le poignet de sa manche remonte au milieu de son avant-bras. Il a une pièce au derrière.

Une femme est montée à Saint-Mirel en même temps que lui. Il ne la connaît pas. Elle n'est pas du pays. Elle s'est assise sur la dernière banquette tournée vers la plate-forme. Elle est blonde, un peu grasse, les cheveux lisses coiffés en chignon bas sur la nuque. Elle porte une robe de velours vert. Une ceinture de la même étoffe serre sa taille un peu forte. Pas de bas, les jambes roses, les chevilles pleines. Aux pieds des chaussures de sport à bonne semelle. Elle doit avoir un peu plus de trente ans. Elle n'est pas élégante, mais soignée. C'est une de ces rares femmes qui apprécient la qualité de leur corps, savent toute la joie qu'elles peuvent lui demander, s'occupent à l'entretenir, et attachent peu d'importance aux vêtements dont elles le couvrent. Elles savent qu'il n'est vraiment à l'aise que débarrassé de ces défroques.

Elle est tournée vers la plate-forme. Elle a regardé Jean une fois, deux fois. Elle ne le quitte plus des yeux. Lui regarde défiler le paysage. Elle le regarde, ouvre son sac, tire une glace, se regarde aussi, referme le sac, regarde Jean de nouveau. Elle pose le dos de son index le long de sa bouche et, doucement, se caresse les lèvres. Son ongle brille. Elle s'appuie contre le dossier, cherche son aise d'un mouvement rond des épaules. Une aile de fumée blanche entre par la fenêtre, tourbillonne et s'évanouit.

Jean, au rythme du train, donne de petits coups de pied dans un des barreaux de la grille qui ferme la plate-forme. Il porte les chaussures de cantonnier de son père, en cuir naturel, dur, inusable. Il regarde les monts gris et verts, le défilé des fleurs sur le talus, et la fuite des petits oiseaux. Elle ferme les yeux, un peu, pour mieux le voir. Elle est légèrement myope. Elle le voit de trois quarts. Elle touche du regard son front droit, la peau de fruit de ses joues. Elle devine le jeu souple du corps sous l'écorce des vêtements, la poitrine large et plate, les longs fuseaux de muscles le long des membres, la taille fine, les hanches effacées, le ventre fleuri... Elle frissonne, ferme les yeux, les ouvre de nouveau ; il s'est mis à siffler, il avance les lèvres, ridicule, innocent. Elle rit. Il se tourne vers elle, la regarde. Mais elle a refermé les yeux. Elle rit pour elle seule. Les yeux fermés elle le voit peut-être mieux, elle le voit comme elle veut.

La locomotive halète, crachote, perd la vapeur par tous ses boulons et, dans les descentes, dépasse le trente à l'heure en tremblant d'émoi. Sa haute cheminée semble avoir perdu une girouette.

La voie serpente au fond des vallées, se glisse dans l'étranglement d'une gorge, rejoint la route, la coupe au nez d'une mule, perce une colline, s'enfonce vers l'est entre les oliviers, les chênes, les pins et les petits champs de vignes accrochés aux pentes. Une odeur de thym et de résine parfume la fumée du train. Au sommet des plus rudes escarpements, de grandes murailles ruinées se dressent vers le ciel. Parfois, leur ombre s'étend jusqu'au train, jette sur les voyageurs une fraîcheur soudaine. La dame en vert se mouche, avec un tout petit bruit, range son mouchoir dans son sac, se lève. Elle va descendre du train, sortir du livre, à la prochaine gare, dans deux minutes. Elle n'a pas de bagage. Nous ne la reverrons plus. Un homme l'attend.

Le train repart. Les vallées se resserrent. Les ruines féodales sont plus haut perchées et plus nombreuses.

Des barons brutaux ont habité ces châteaux, il y a des siècles. Ils se sont entretués pendant les guerres de religion. Jean connaît l'histoire de cette lutte, qui a marqué, dans la région, la fin de la domination des seigneurs. Aucun des survivants ne s'est plus trouvé assez riche pour relever les tours brûlées ou démantelées. Les villages qui vivaient à l'ombre des châteaux ont agonisé. Les murs s'éboulent. Les toits tombent dans les caves. Les villageois sont descendus dans les vallées, ont transmis à leurs fils les haines traditionnelles, transposées peu à peu du plan religieux au plan politique. Les protestants défendent les idées avancées. Les catholiques sont conservateurs. L'armistice de mil neuf cent quarante a compliqué ces positions. La haine de l'Allemand a uni protestants et catholiques. Des curés ont pris le maquis, des pasteurs ont abandonné leur nombreuse famille pour les rejoindre dans les anciens refuges des hérétiques. Ils y ont retrouvé des officiers, des révolutionnaires espagnols, des juifs. Ils ont recruté les jeunes paysans, prié le ciel pour la revanche. Le ciel grondant leur envoie des armes. Après des siècles de paix, le pays des barons frémit de nouveau de l'écho des mousqueteries. Blotties dans leurs lits, derrière leurs portes barricadées, les filles tremblent et jouissent de peur.

Jean Tarendol, lui, éprouve d'instinct l'horreur de la mort et du sang. Il s'émerveille de la vie. Il se penche sur les animaux minuscules, il pose sur le flanc des chevaux une main qui les fait frissonner d'amitié. Le chat du Pigeonnier, la queue verticale, le suit comme un chien à travers le village. La vieille poule noire s'accroupit, écarte les ailes, sanglote quand il s'approche. Il a eu dix-sept ans au mois d'octobre. C'est à quinze ans qu'il a découvert les poètes. Les math, qui furent jusque-là son fort, lui sont désormais pénibles. Ses compositions françaises, bouillonnantes de lyrisme ingénu, ont étonné le vieux père Guillaume son professeur. Il a passé son premier bachot grâce à une bonne note en français, malgré son problème faux. Il est sûr, maintenant, de réussir à la deuxième partie. Il veut devenir architecte, bâtir. Il travaillera le jour, étudiera la nuit. L'avenir lui paraît simple. Il n'a pas encore mis les pieds dans le monde.

Le petit train, essoufflé, s'arrête. Milon. Terminus. Là commencent les vraies montagnes. Jean empoigne sa valise, saute les marches du wagon.

Milon-les-Tourdres compte un peu moins de cinq mille habitants. Le bourg moyenâgeux entasse ses maisons couleur de rocher sur une colline, au nord, autour d'un donjon carré transformé en chapelle. Le quartier neuf étend à ses pieds, vers le sud, ses villas aux toits rouges, entourées de jardins. La plus grande et plus laide est la sous-préfecture. Huit

55

acacias la séparent de la rue et, au printemps, rendent le sous-préfet et ses fonctionnaires distraits. Le Gardant noue autour de la ville sa ceinture de cailloux blancs. Les orages de montagnes l'emplissent parfois d'un courant boueux qui transporte des meules de paille et des cochons crevés. A la limite des deux quartiers, une rue étroite coupe en biais le flanc de la colline. C'est la rue des Écoles, mal chaussée, serrée entre des maisons basses. Les façades, par les trous de leur crépi, montrent leurs os. Le soleil a mangé la couleur des tuiles. Les jours de pluie, les toits inégaux jettent dans la rue des herses d'eau. Les gros pavés n'ont jamais été remis de niveau depuis qu'il furent plantés là, peut-être deux ou trois siècles. Au bout des maisons, vision lointaine de la montagne Gardegrosse. Vers le milieu de la rue, à gauche en montant, une lourde porte cochère de chêne sombre s'ouvre dans un mur gris. Des barreaux entrecroisés, doublés d'un grillage, ferment les fenêtres du rez-de-chaussée. Ce n'est pas une prison mais un ancien couvent, aujourd'hui le Collège. A côté de lui se dressent le bâtiment étroit, perpendiculaire à la rue, du Gymnase municipal, puis l'École primaire supérieure de jeunes filles, bâtie juste avant l'autre guerre. Ses fenêtres sont plus grandes que celles du Collège, et ses murs reblanchis tous les étés.

Le collège, le Gymnase, L'École supérieure, ce bloc de bâtiments appuyés les uns sur les autres, ramassés dans la main de la fatalité, voilà le lieu de notre drame. Le reste de la rue se perd dans la brume de l'inattention. Nous n'avons pas besoin d'un grand décor. Le Gymnase dresse son toit pointu entre garçons et filles. Derrière sa façade sans fenêtres, coupée à mi-hauteur par une verrière passée au bleu de la défense passive, moisissent les prisonniers politiques. Ils couchent dans la sciure. Leur barbe pousse, leurs yeux se creusent. Ils se grattent. De chaque côté de leur tanière de douleur, des adolescents, que la vie enflamme, rient.

Le Collège en carré autour de sa cour. Les quatre
murs gris dressés autour de la cour. Pourquoi M.
Chalant n'a-t-il jamais pris l'envie de les faire peindre
en rose ou en crème? Sans doute les trouve-t-il très
convenables, tels qu'ils sont. Très gais. Les enfants
entrent par la grande porte cochère, franchissent la
voûte, et se trouvent pris entre ces quatre murs.
A la fin des récréations, les murs les happent. Ils
entrent en longues files par les petits trous noirs
des portes, s'entassent derrière les fenêtres sans volets,
font semblant d'écouter les professeurs tristes. Les
maîtres de temps en temps regardent leur montre.

Exactement au milieu de la cour s'accroupissent
les cabinets, sous leur petit toit de tuiles rouges.
Huit portes à mi-hauteur, et deux portes complètes,
qui ferment à clef, pour le personnel. Il est midi.
Dans la cour déserte, l'eau des cabinets chante doucement. Les deux platanes sont parvenus à dresser
leurs branches plus haut que les murs, jusqu'à l'air
libre. L'acacia y a renoncé. Il est trop vieux. Il n'a
plus de force. Son énorme tronc est troué de galeries
où voyagent les insectes. Par ses racines creuses, les

rats, la nuit, montent jusqu'à ses branches manger les oiseaux endormis. Les feuilles lui poussent encore, à chaque printemps, mais il les perd avant la fin de l'été. Le concierge guette ses défaillances, rogne ses membres morts et, souvent, triche, coupe dans le vif, pour son feu.

La rumeur du réfectoire répond au chuintement des chasses d'eau. Mme Chalant n'a gardé que six pensionnaires. Tudort, bien entendu, n'est pas encore rentré. Aux demi-pensionnaires elle ne donne qu'une soupe. Ils apportent le reste, chacun dans un petit récipient. Trente casseroles, gamelles, marmites diverses qui réchauffent depuis onze heures sur le fourneau et exaspèrent Félicie, la cuisinière. Elle les secoue, les déplace, les entrechoque. Elle dit vingt fois qu'elle va tout jeter par la fenêtre. C'est plus un métier de cuisinière. D'ailleurs, il faudra bientôt renoncer au fourneau, faute de charbon. Il restera juste un peu de gaz pour la soupe. Ils mangeront froid. Bien fait!

— Et du saucisson, demande Fiston, tu en as apporté?

Il est assis face à la fenêtre. La fenêtre se reflète dans les verres de ses lunettes et sur son crâne qui luit. Il s'est fait raser les cheveux hier.

— Mange ta soupe, dit Jean. Tu as toujours peur que la terre te manque.

C'est vrai qu'il a toujours faim. Même en pleine abondance il ne serait pas arrivé à se rassasier. Maintenant, il cherche un peu partout des nourritures. Il possède des réserves de vieux croûtons. Il les casse en menus morceaux. Pendant les cours, il les suce, les ramollit entre sa langue et son palais, jusqu'à ce qu'ils deviennent une bouillie vaguement sucrée dans laquelle roulent des paillettes de son. Il dit :

— C'est que du vrai saucisson, aujourd'hui, c'est rare. Tu en as apporté ?

Quand il sort de chez le coiffeur, il luit comme une boule de jardin. Il se fait raser le crâne et les joues. Peu à peu, les cheveux et sa barbe précoce lui poussent de partout. Il prend l'apparence d'un hérisson blond. Au demi-centimètre, il retourne chez le coiffeur.

— Écoute, dit Jean, si tu m'en parles encore, je le mangerai tout seul.

— Je t'en parle pas, dit Fiston. Je voulais simplement savoir si tu en as apporté.

Il a six mois de moins que Tarendol. De temps en temps il essuie ses lunettes au pan de sa blouse, pendant que ses yeux clignotent. Il n'est pas gras, mais à la forme de son visage et à la couleur de sa peau on devine qu'il le deviendra. A quarante ans il sera ventru et asthmatique.

— C'est de la soupe au riz, dit Hito. Regardez, c'est de la soupe au riz.

Il remue lentement sa cuillère dans son assiette. Quelques grains blancs montent à la surface du bouillon bleuâtre, avec des débris végétaux. Hito sourit. Ces grains blancs lui rappellent des plats de riz fumant, des sacs de riz, des montagnes de riz. Il sourit puis se met à rire sans ouvrir la bouche, les yeux fermés. Il glousse. Les jumeaux rient de le voir rire.

— Tcht ! tcht ! tcht ! fait M. Sibot.

Les jumeaux piquent du nez dans leur assiette. M. Sibot, les mains au dos, se promène à pas lents entre les deux rangées de tables, de la porte au mur et du mur à la porte. Il fait « tcht! tcht! tcht! » quand quelqu'un parle trop fort.

Les cinq pensionnaires mangent à la même table. Tudort rentrera sans doute cette nuit, soûl. Les demi-pensionnaires occupent trois autres tables.

— Chinois, dit Fiston, tu vas pas bouffer tous ces biscuits! Donne-m'en un. Comme ils sont petits! T'en as pas un autre?

— Je te connais, dit Jean, si je te donne ce saucisson maintenant, demain il t'en restera pas une miette.

— Demain, dit Fiston, qui sait si on ne sera pas morts.

M. Sibot frappe dans ses mains. Les pieds de trente chaises repoussées raclent le sol, les gamelles s'entrechoquent. Les plus jeunes, les enfants, retiennent derrière leurs lèvres serrées le cri qu'ils vont jeter dès qu'ils auront franchi la porte. Les plus grands sont les derniers à sortir, sérieux.

M. Sibot va déjeuner. En passant, il serre la main de M. Maronnet, le répétiteur dont c'est le tour de surveiller la récréation. M. Maronnet est grand et maigre. Le strabisme dont il est affligé lui vaut le surnom de Divergent. Il baisse la main vers M. Sibot, trapu, qui lui vient à l'épaule. Il sourit, parce que M. Sibot est son supérieur. Mais il a plutôt envie le de mordre. Son sourire découvre une dent en acier, et accentue l'écartement de ses yeux. M. Sibot le trouve vraiment hideux et se demande lequel des deux yeux le regarde, et ce que peut bien regarder l'autre. M. Sibot s'en va, Divergent s'appuie à une colonne du préau, tire de la poche de sa gabardine un journal grand comme un mouchoir. Il le commence à la première ligne, il l'a déjà lu ce matin, c'est vite lu. Il relit le communiqué, la validité du ticket DZ, les vols de vélo, le maréchal Pétain a reçu les maires et un électricien qui lui a remis un poste de T. S. F. en forme de francisque. Puis la rubrique du terrorisme, les noms de l'imprimeur et du gérant responsables. Il ne reste plus qu'à recommencer.

Les externes surveillés arrivent, la cour s'anime peu à peu. Besson rouge et Besson bleu ont collé une oreille chacun d'un côté de l'acacia et frappent le tronc à grands coups de pied, pour entendre les bruits bizarres à l'intérieur.

Par trois ou quatre, les grands discutent du dernier problème, de la compo de philo, ou de la version latine. Ils discutent en marchant, tournent autour des cabinets, tous dans le même sens.

La partie de balle au chasseur, avec des reculs, des crochets, des courses brusques, obéit elle aussi au même courant.

Pour conduire leur vélo au garage, les externes passent à droite des cabinets. Ce soir, en s'en allant, ils passeront de l'autre côté, fermeront le cercle. Les moineaux eux-mêmes, d'un bord du toit aux branches d'un platane, et des branches à la gouttière, volent au sommet du même tourbillon. Toute la vie du Collège, visiblement ou secrètement, tourne dans un sens fixé par quelque loi cosmique autour du noyau central où chantent les chasses d'eau.

Bien planté au milieu du courant, un groupe de boutonneux stationne à proximité de la porte ouverte, guette les filles qui se rendent à l'École Supérieure. Une d'elles, parfois, tourne la tête vers la cour, et pouffe. Tout le groupe des boutonneux, alors, ricane et se trémousse.

M. Chalant a fini de déjeuner. De la porte de la salle à manger, il regarde avec satisfaction s'agiter le petits univers dont il est le maître apparent. Il bâille. Ces nourritures sans beurre ne donnent pas satisfaction à la muqueuse gastrique. Chinette se faufile entre ses jambes, s'enfuit dans la cour. Fiston l'attrape au passage, la soulève, l'embrasse sur les deux joues.

— Oh! ma Chinette, comme tu sens bon! Tu sens les fraises. Tu en as mangé à midi?

Elle fait « oui » de la tête, grave, la bouche pincée. Elle se tortille pour se dégager, reprend pied à terre, court. Dans sa petite main, elle serre quelques miettes qu'elle va offrir aux fourmis de l'acacia.

M. Puiseux, le second répétiteur, arrive, le ventre en avant. Il frappe les dalles de l'entrée d'une canne en bambou grosse comme un poignet d'enfant. Sa barbe rousse cache son nœud de cravate un peu sale. Ses doigts sont gros et velus. Il porte une lourde chevalière à l'auriculaire gauche, sur un semis de taches de rousseur. Ses chaussures brillent, bien cirées, son nez aussi, rouge.

Divergent lui adresse de loin une grimace de mépris, tire une épingle du revers de sa gabardine, et commence à se curer les dents. Ils se détestent. Lorsque le service les réunit dans la cour, ils se placent automatiquement aux extrémités d'un même diamètre et, marchent du même pas à la même allure, de façon à se trouver toujours l'un à l'autre caché par l'écran des cabinets, Ils ne s'adressent jamais la parole, se passent les consignes au moyen de notes écrites, que M. Puiseux fait suivre d'une signature opulente. Les collégiens l'ont surnommé, simplement, Barbe. Il ne manque pas une occasion de jouer quelque tour à son collègue. Quand celui-ci se trouve pris, il bégaie de fureur, son œil gauche tourne tout seul, il serre les poings, rumine quelque vengeance terrible. Cela se termine par une visite au pharmacien, qui lui donne une poudre pour calmer ses maux d'estomac, pendant que la joie arrondit le ventre de Barbe.

Un groupe de grands s'est tout à coup aggloméré devant la porte du garage. Les têtes se penchent. Un externe vient d'apporter un paquet de tracts gaullistes, des feuilles tirées à la pierre humide. Elles se recroquevillent et sentent mauvais. Vingt lignes d'encre violette invitent les collégiens à rejoindre dans le maquis les forces de la résistance. Quelques-uns s'éloignent d'un air indifférent ; doucement d'abord, puis plus vite. Surtout ne pas être mêlés, de près ou de loin, à des histoires pareilles. La plupart des autres se sentent flattés qu'un réfractaire ait risqué la mort pour s'adresser, par ce tract, spécialement à eux, élèves du collège. Dans leur mémoire chantent des échos de *Marseillaise*, des images se lèvent, surgies des vers du père Hugo : « Je veux de la poudre et des balles... »

Les deux frères Deligny, fils du boulanger de la place Carnot, qui portent la chemise bleue des jeunesses de Doriot, arrachent le paquet de tracts des mains de Fougeras et lacèrent les feuilles.

— C'est encore ce sale youpin de Weil qui a rédigé ça, crie l'aîné. Vous allez pourtant pas vous laisser entraîner par ce Juif !

— Les Juifs te valent bien, vendu!

— Salaud! On le sait que ton père fait du pain blanc pour les Boches!

Bagarre. Barbe empoigne sa canne par le milieu et fonce.

Le concierge surgit de sa loge. Pâle, tordu, la casquette sur l'oreille, les yeux vagues, il passe devant le principal, chancelle, se rattrape à une colonne.

— Vous êtes encore ivre, monsieur Servient! constate paisiblement M. Chalant. Je me demande comment vous faites.

L'homme lui jette un regard noir de haine, marmonne entre ses dents quelques mots mal mâchés, se suspend à la chaîne de la cloche. La sonnerie fait taire les cris des jeux et des disputes. Les garçons se groupent de chaque côté de la porte qui conduit aux deux salles d'étude. Les petits à gauche, à droite les grands depuis la troisième. Barbe, essoufflé, fait un signe avec sa canne. L'escalier de bois résonne sous le choc des semelles. Les salles d'études se partagent l'ancien réfectoire du couvent, coupé en deux par une simple cloison de bois. Les chaires des répétiteurs se font face, aux deux extrémités de l'ancien réfectoire. Aussi fatalement que les pierres tombent au fond de l'eau, les mauvais élèves gagnent le fond des classes, loin de l'œil du maître. Ainsi les durs de la première et de la deuxième étude, respectivement installés aux dernières tables de chaque salle, sont-ils séparés les uns des autres par la seule cloison. Ils y ont percé des trous, par lesquels ils se passent des messages et de menus objets.

M. Chalant a promis à Divergent de faire réparer la cloison. Après la guerre. « Pour le moment, mon

65

pauvre ami, je n'ai pas de crédits à consacrer à l'obturation de ces minuscules orifices. Vous n'avez qu'à surveiller un peu mieux vos élèves. »

Barbe, à l'étude d'une heure et demie, somnole volontiers. Au moindre chuchotement, il ouvre un œil, dit avec un sourire :

— Monsieur Untel, vous aurez deux heures! et referme la paupière, bien assis sur sa chaise, la tête droite, correct.

Divergent, les deux yeux aux aguets dans des directions différentes, épie les murmures, les gestes, ne voit rien, punit les innocents, déchaîne des tumultes.

Riquet, de quatrième, a dressé devant lui un rempart de livres. Il ouvre son cahier de brouillon, déchire une page, la coupe en huit, gratte doucement la cloison et passe un premier billet. Il a écrit :

— Qu'est-ce que tu fais?

Richardeau, une main à la cloison, l'autre sous sa blouse, reçoit le billet, le lit, répond :

— Je bande.

— C'est pas vrai, écrit Riquet, sceptique.

— Comme un manche de pelle, affirme Richardeau.

— Fais voir.

Barbe dort. Richardeau, sans bruit, se lève, écarte sa blouse. Deux têtes se tournent. Richardeau pousse sa vigueur à travers la cloison. Riquet ouvre la bouche d'admiration, saisit le membre à pleine main.

Barbe lève une paupière, frappe du bout des doigts sur sa chaire.

— Richardeau, asseyez-vous

— M'sieur, j'peux pas!...

Et à voix basse :

— Lâche-moi, bon Dieu!

Toute l'étude se retourne, sans oser rire, Barbe s'éveille tout à fait.

— Richardeau, voulez-vous vous asseoir!

— M'sieur, j'peux pas!... Tu vas me lâcher!

Barbe se lève, repousse sa chaise. Richardeau empiégé fait un effort, se délivre, croise sa blouse, se retourne. En dix pas, le répétiteur a traversé la classe. Richardeau a repris place à son banc. Le pion le regarde, regarde le trou dans la cloison.

— Qu'est-ce que vous passiez encore par ce trou?

— Mon stylo, m'sieur, dit Richardeau.

Tête basse, il montre ses mains noires. Riquet, avant de le lâcher, a vidé un encrier sur son phallus.

Fiston se penche vers Tarendol.

— Les fraises du jardin sont mûres, dit-il. Ils en ont mangé à midi à la table du patron. On y va, ce soir ?

Chaque fois qu'un fermier du village tue un porc, c'est Françoise qui pétrit les saucisses. Elle porte aux mains cette chaleur rare qui fait pénétrer subtilement les épices dans les petits cubes de gras et dans la viande rose hachée. Mais si vos mains sont trop chaudes, les saucisses, au lieu de sécher, tournent. En paiement, elle emporte sa part du chapelet. Elle la garde pour Jean.

Fiston mâche longuement sa dernière tranche. Les yeux au plafond, sa pensée concentrée dans sa bouche, il s'efforce de prendre conscience de toute sa langue, pour savourer les moindres parcelles du plaisir. Chaque papille goûte, happe, reçoit une chaleur de poivre, une douceur de graisse, enrobe de salive un grain de chair qui s'épanouit. Fiston s'est couché habillé, les draps au menton. Arrive toujours le moment où l'on atteint le bout de la joie. Il faut avaler. Il ne restera qu'un peu de tiédeur dans la bouche, quelques débris entre les dents, le regret.

Le dortoir, au deuxième étage, ouvre dix fenêtres sur la rue, autant sur la cour. Les lits occupés se font face, trois et trois, à l'extrémité sud. Des autres lits ne demeurent que les squelettes de métal.

Les jumeaux ont enfilé leur longue chemise de nuit de coton blanc, bordée de bleu pour Pierre et de rose pour Paul. Accroupis entre leurs deux lits, ils jacassent, comptent leurs billes et leurs images.

— Si vous êtes pas couchés quand j'aurai compté trois, la raclée! crie Tarendol...

Ils agitent leurs bras. Ils font semblant d'avoir peur. Ils rangent leurs trésors dans leur table de nuit, se hâtent, se glissent dans les draps.

Par-dessus la ruelle, ils se chuchotent des riens, éclatent de rire ensemble. Ils se cachent sous les couvertures pour faire moins de bruit. Ils se soulèvent pour s'embrasser, se recouchent, bâillent, s'endorment en même temps, tournés l'un vers l'autre.

— Hum! hum! fait M. Chalant.

Il pousse la porte. Jean s'est couché, vite, sans se dévêtir.

Le principal s'arrête entre les lits.

— M. Tudort n'est pas encore rentré?

Il le sait bien. Il le voit bien.

— Non m'sieur!

— Eh bien tâchez d'être sages.

— Oui m'sieur!

Il agite ses clefs, il s'en va. Il grogne un peu. S'il n'avait tenu qu'à lui, il se serait depuis longtemps débarrassé de Tudort, que trois lycées ont déjà renvoyé. Mais Tudort est fils de boucher. Il paie sa pension en viande. Mᵐᵉ Chalant tient à ses gigots. Le principal a trouvé le moyen de le rendre à peu près discipliné en le nommant surveillant-adjoint. C'est lui, qui en théorie, fait régner l'ordre au dortoir. En fait, la crainte de voir arriver un vrai pion suffit à maintenir les six pensionnaires, dont le surveillant, dans une tranquillité apparente.

— Allez ! dit Jean.

Il rejette ses couvertures. Fiston l'imite. Ils chaussent leurs pantoufles.

— Hito, si le patron remonte, tu lui diras qu'on est aux cabinets.

Hito souffle un jet de fumée, hoche la tête. En sortant, Jean éteint.

Par l'escalier de bois et les couloirs tordus, les deux garçons gagnent les classes du premier étage.

La vie bruyante du jour a quitté le Collège, redevenu, pour la durée des heures sombres, un vieillard de ciment et de pierres. Dans l'ombre des classes vides qui se souviennent avec le soir d'avoir été cellules, s'allongent les ombres des hommes de bure. L'écho des prières a pénétré les murs, s'est pétrifié dans leur silence. Prières angoissées des heures de solitude où reviennent les images du siècle et les tourments de la chair. La page d'un livre ouvert sur une table tourne seule. Fantôme tourbillon noir au remous d'un couloir, le pan obscur d'un fantôme de robe devant le pas vivant des deux garçons redevient un morceau de nuit. Derrière une plinthe, une souris grignote, grignote. Un banc s'étire et craque. L'odeur froide de l'encre et de la craie tombe épaisse au ras du sol d'où montent les balancements furtifs des souvenirs d'encens. Jean et Fiston tournent à gauche, à droite, à gauche, arrivent dans le bâtiment nord du couvent, parallèle au toit du Gymnase. Ils entrent dans la classe de chimie. Le vieux plancher cède et gémit. L'armoire vitrée s'incline d'un degré.

Les éprouvettes cliquettent. Un morceau de phosphore dans l'huile au fond d'un flacon luit comme un œil de chat.

Jean ouvre la fenêtre. La gouttière du Gymnase passe juste au-dessous. Le vent du Sud souffle depuis le coucher du soleil, très haut. Il pousse de lourds nuages qui cachent des peuples d'étoiles, et renvoient à la terre sa moiteur d'endormie. Les deux garçons ont pris pied dans la gouttière. Des débris craquent sous leurs pas : bouts de crayons, papiers en boules, plumes rouillées, feuilles sèches. Une main au mur encore chaud, le toit abrupt à leur droite, ils gagnent l'extrémité du bâtiment.

— Attention, souffle Fiston, voilà le bout.

Il se couche sur le ventre, se suspend à la gargouille, cherche des pieds le tonneau défoncé placé là pour recueillir l'eau précieuse aux légumes.

— Tu es sûr qu'il est vide ?

— Tu penses, depuis qu'il pleut pas !...

Un instant plus tard, ils foulent la terre meuble du jardin. C'est la première fois qu'ils y entrent par le ciel. Ils ne retrouvent pas tout de suite le carré de fraisiers, ils piétinent les tendres laitues, couchent une rangée de petits pois. Ils sont heureux d'un bonheur de pirates.

Fiston, le nez palpitant, tête basse, fonce à travers un rempart de haricots en branches.

— Les voilà !...

Accroupis, ils tâtent les feuilles rêches, les petits cailloux, les tiges rampantes, ferment leurs doigts sur le globe granuleux d'une fraise. Ils arrachent les plus grosses, celles qui paraissent tendres. Enrobées de terre, elles crissent sous la dent, pas toutes mûres,

71

acides ou douces, encore tièdes et déjà fraîches comme la rosée. Fiston crache :

— Merde ! C'est un escargot.

Jean rit, empli du parfum des fraises. Par la bouche, par le nez, leur goût le pénètre et l'imprègne. Il se relève, et s'étend dans un carré de terre fraîchement travaillé. De sa nuque, de ses reins et de ses cuisses il pèse sur la terre tendre, s'y enfonce. Fiston l'appelle à mi-voix.

— Où es-tu ?

— Viens, il fait bon...

Le festin fini, la nuit reste pleine de son odeur. Fiston couché trouve un dernier pépin au bout de sa langue et le croque. Les deux adolescents sentent monter dans leur corps le printemps de la terre. Ils se taisent, regardent le ciel déchiré de nuages et de pans d'étoiles, écoutent les bruits de la ville qui s'endort. Le boulanger de la place Carnot ferme son rideau de fer. Loin, les trois chiens-loups de la Villa Verte aboient au pas d'un passant. Le vent haut envoie vers le sol des remous aveugles qui s'écrasent sur les arbres et froissent un papier oublié. Un petit enfant qui pleurait se tait.

Tarendol enfonce ses mains dans l'humus, sent les innombrables grains de la chair de la terre, les dents des cailloux, et les racines poilues grouiller contre sa peau. Il arrache une poignée de terre, la serre dans sa paume, la devine aussi vaste que le ciel, la jette aux étoiles, monte avec elle, vogue, roule, grain de poussière sans bornes, roule, éclate dans sa poitrine les forêts d'étoiles, les fleuves de Dieu, l'univers.

— Ça sent les frites, dit Fiston.

— Oh! toi! dit Jean.

— Ça vient du bistrot du père Louis. On y va?

72

— Non, dit Jean, c'est trop cher.

Il s'étire. Il est temps de rentrer. Ils regagnent leur chemin d'escapade, la gargouille, le toit, la fenêtre. Au moment d'entrer dans le mur du Collège, ils s'arrêtent : une lumière vient de jaillir de l'autre côté du toit du Gymnase. Elle en découpe l'arête vive, affole un papillon ébloui.

— C'est une fenêtre qui s'allume chez les filles.

— Dis donc, et la défense passive !

— On siffle ?

— Ta gueule !...

Ils ne bougent plus. Ils pensent la même chose. Ils disent ensemble :

— On va voir ?

Ils quittent leurs pantoufles. Jean tâte la pente des tuiles, se couche contre elles.

— Grimpe sur mes épaules, dit-il.

Les pieds chauds de son copain dans les mains, il le hisse à bout de bras.

— Salaud, depuis quand tu t'es lavé les pieds ?

Fiston s'allonge, mais ses bras étendus n'atteignent pas la cime du toit. Il essaie de grimper en s'accrochant des doigts et des orteils. Il se retourne un ongle. Il rue. « Tu me chatouilles ! » Il renonce.

— Attends, j'essaie, dit Jean.

Il quitte sa blouse et sa chemise, serre sa ceinture. Il se coupe les ongles avec les dents. Fiston le pousse aussi haut qu'il peut. La peau collée contre les tuiles, Jean cherche du bout des doigts et des orteils les moindres points d'appui. Il monte lentement, gagne un demi-mètre. Il voit la lame de lumière à portée de la main, allonge un bras vers la crête, perd l'équilibre, tombe sur Fiston.

Le nez en l'air, ils regardent tous les deux la lumière haute.

— C'est dommage, soupire Jean.

— Attends, dit Fiston. J'ai une idée.

Il disparaît par la fenêtre, revient triomphant. Il apporte deux chaises.

— On aurait dû y penser plus tôt !...

Ils en couchent une contre le toit, calent l'autre sur la première. Fiston grimpe le long des chaises, Tarendol le long de Fiston. Accroché à la cime du toit, il tend la main à son ami. Ils s'installent, prennent appui sur leurs coudes. Ils plongent leurs regards vers la source de lumière.

C'est une fenêtre ouverte au second étage, juste en face d'eux. Rien ne la porte dans la nuit, elle vogue, entraînée par sa seule lumière, île rayonnante suspendue dans le gouffre du noir. Flottent le pied d'un lit de bois sombre, dont le montant se termine en volute qui luit, la moitié d'une couverture blanche, une armoire de campagne sculptée de fleurs et de fruits, une table de toilette, et sur une chaise une fille courbée, vêtue de bleu.

Elle est penchée vers ses chaussures. Elle les ôte et se redresse. Elle secoue ses cheveux blonds bouclés sur ses épaules. Son visage est trop loin pour qu'ils en voient les traits. C'est un visage éclairé par cette seule lumière au milieu de la nuit de printemps.

— Elle a trop chaud, souffle Fiston. C'est pour ça qu'elle a pas tiré ses rideaux.

— Tais-toi, murmure Tarendol.

Il crispe ses doigts sur le toit. Il ne sent ni le toit ni ses doigts. Ses yeux le portent.

Elle a confiance dans le rempart de tuiles dressé

74

devant sa fenêtre, Elle va et vient, ouvre, tranquille, l'armoire, y prend une serviette blanche. Elle délivre trois boutons et par-dessus sa tête, les bras en anses, retire sa robe.

— Mince! dit Fiston.

A pleines mains elle tord ses cheveux et les noue d'un ruban. Elle vide l'eau d'un pot ventru dans la cuvette et se lave le visage et les bras.

La serviette dépliée se promène sur sa peau, tombe sur la chaise. La jeune fille s'en va derrière le mur. La lampe du plafond s'éteint. Une lumière douce demeure.

Elle reparaît dans l'île de clarté apaisée, pose sur le bois du lit une longue chemise. Elle fait glisser de ses épaules son dernier vêtement de jour.

Le cœur de Jean bat dans sa gorge et dans ses oreilles.

Elle tend les bras vers le lit. La lumière caresse la pointe d'un sein adolescent, cerne la courbe de la hanche et la longue fuite des jambes, dessine sur le plancher sombre les fleurs claires des pieds.

Un pas. Elle est partie. La lumière s'éteint. La nuit se ferme. Sous le toit, un prisonnier tousse.

*

Un peu avant l'heure du couvre-feu, une chanson naquit en bas de la rue des Écoles. Tudort rentrait. Il s'arrêta à la borne-fontaine et but un grand coup. Il reprit son chemin et sa chanson gaillarde. Il braillait. Un silence, un juron : une chute.

Jean ne dormait pas. L'image demeurait dans ses yeux comme celle du soleil. Cela lui était arrivé. A lui. Il avait vu une fille nue.

75

Tudort frappait à la fenêtre du concierge. Le concierge n'entendit pas. Il refusait d'entendre. C'était pareil chaque fois. Il espérait que toute la rue protesterait un jour contre ce scandale et forcerait M. Chalant à chasser Tudort. Il lui en voulait de se soûler sans jamais encourir de sanction, alors que lui-même, au moindre pas de travers, se faisait attraper par M. Sibot ou le principal.

Une fille nue, toute nue devant ses yeux. Il enfonçait ses poings dans ses yeux, il raidissait ses muscles, il voudrait crier de joie. Et quel homme, quel poète, en a jamais vu d'aussi belle ?

— Je vais casser tes carreaux, sale pipelet, embusqué, ivrogne, crémier ! Tu vas ouvrir ?

Tudort est un gaillard d'un mètre quatre-vingt-cinq de haut. Il joue pilier dans l'équipe de rugby. Le président du club tient un café, et c'est chez lui que Tudort se soûle. Alors que le concierge a tant de peine à trouver de quoi.

Jean se retourna et s'assit dans son lit. Il étendit ses bras devant lui, les mains ouvertes. Elle était si présente dans ses yeux qu'il lui semblait pouvoir poser ses mains sur elle. Il se recoucha en gémissant de bonheur.

Le concierge, à son tour, criait derrière sa fenêtre. M. Chalant devait enfoncer ses doigts dans ses oreilles. Enfin la porte claqua, ébranla les murs. Tudort reprit sa chanson dans l'escalier, broncha, roula sur les marches de bois, jura, continua son ascension à quatre pattes, s'étala à l'entrée du dortoir et ne bougea plus.

Fiston et Tarendol l'ont couché. Fiston a décroché un panneau, ouvert une fenêtre. Une lointaine voix de radio chante un air d'opéra.

« Encore une bêleuse », soupire Fiston, et s'endort. Tarendol se fond peu à peu dans son souvenir, devient lumière et nuit. Un moustique entre en chantant, tourbillonne, bourdonne, dessine dans l'obscurité des arabesques pointues, perce le bruit de la respiration des six garçons qui reposent.

Dans son lit de bois, la jeune fille dort aussi. Elle ignore que la joie et les tourments l'ont guettée ce soir du haut du toit. M. Chalant dort, sa mèche éparse sur l'oreiller. Chinette, un doigt dans sa bouche. Blotti sous le cœur de Mme Chalant, un petit être pour qui n'existent encore ni le jour ni la nuit se retourne dans son nid de chair chaude.

Je pourrais vous dire s'il sera fille ou garçon. Mais il faut que Mme Chalant l'ignore jusqu'au jour de la naissance. Nous ignorons nous-mêmes quel est son état de vie. Il bouge, il tourne, grenouille dans le sang et l'eau, les poings sous le menton. Que se passe-t-il dans son corps, dans sa tête, derrière ses yeux clos ?

Il est tard, j'ai veillé pour finir ce chapitre. La ville dort sous le vent. Millions d'hommes et de femmes et d'enfants allongés dans leurs odeurs aigres. Dans les boîtes à champagne, quelques femmes dansent en pensant à des billets de mille. Des soldats ivres cherchent à le devenir davantage. Ceux qui se trémoussent, ceux qui s'embrassent, ceux qui font l'amour, ceux qui dorment, en quoi sont-ils plus vivants que ce fœtus batracien ? Qu'attendent-ils ? Le jour de quelle impossible naissance ?

Le vent jette sur la ville un manteau de tourmente. Que cherches-tu, vieux vent de la nuit, vieux hurleur aux cheveux d'eau qui te tords sur les toits de la ville, vieux vent venu avec les ténèbres des océans fouillés jusqu'aux refuges des monstres, vent rageur, enragé, jamais las de colère ? Que veux-tu, vent qui déshabille le pauvre, mauvais vent secoué à mes volets de fer, vent perdu, comme moi hors de toute demeure ?

Tu roules ton désespoir d'être le vent, toujours le vent sans attache. Je cherche une certitude. Ces deux enfants vont trouver l'amour. Ce garçon au cœur blanc, cette fille dans sa tiédeur. Le bonheur de l'amour est plus difficile à garder que le vent dans les doigts.

Françoise avait obéi au vœu d'André. Elle avait mis Jean au collège malgré les conseils de l'instituteur. Depuis plus de six ans, elle s'est privée de cette joie qui lui restait : la présence de son fils. Jean a obtenu une bourse. Le plus difficile est de l'habiller et de payer les livres. Elle y parvient. Chaque jour des vacances, elle lui parle de son père vivant, tel qu'il était jeune, quand il aimait chanter. Peu à peu les souvenirs de l'homme malade qu'il a connu s'effacent et dans son cœur se dessine l'image de l'homme que sa mère a aimé, du père tel qu'il l'aimerait. Bien différent peut-être de ce qu'il fut. Bien plus beau.

M. Château se gratte le front. Son feutre vert qu'il ne quitte jamais glisse cabossé vers l'arrière de son crâne nu. Ses doigts enduits de craie dessinent une plage blanche sur son front.

Il fait pivoter sa chaise, la pose devant le tableau, s'assied et dit :

— Réfléchissons.

Il se pince le nez, se pince les lèvres, passe le dos de sa main sur sa barbe de trois jours. Son nez devient blanc, sa moustache jaune devient grise.

Sur le tableau sont inscrites les données d'un problème de physique.

— Réfléchissons.

Ses élèves, il leur tourne le dos, ont perdu depuis longtemps le souci de l'écouter.

— Ce problème, voyez-vous, messieurs, n'est pas aussi compliqué que vous pourriez le croire.

Tudort rédige pour le journal local, *l'Écho*, l'annonce du prochain match de rugby.

M. Château se lève, empoigne son chapeau, le plante sur son front. Il a trouvé. Il efface les chiffres tracés sur le tableau.

— Messieurs, voyez-vous, il ne faut pas s'obstiner dans les difficultés. Nous allons simplifier.

Sa main blanche s'est dessinée sur son chapeau vert. Il ricane « Ah! Ah! », met le torchon dans sa poche.

— Nous allons négliger cette dilatation dont on nous parle, et la modification du diamètre de la conduite qui en découle.

Il essuie ses mains à son gilet. A son gilet manquent deux boutons, depuis toujours. Il prend un nouveau morceau de craie, parle en écrivant à grande vitesse.

— Et ce léger changement de densité de l'eau, dans la réalité, ça ne compte pas. Simplifions.

Il chante presque. Il est content.

— De cette façon, le volume d'eau débité reste le même, ainsi que la quantité d'électricité produite par la turbine. Et notre problème, messieurs, se résout par une simple série d'équations.

Il se tourne triomphant vers la classe. Il espère que ses élèves partagent sa satisfaction. Aucun ne le regarde. Un groupe d'externes studieux discute à voix haute, cherchant la vraie solution. Fiston, avec son voisin, joue aux échecs miniatures. Jean, le visage dans ses mains, rêve. C'est par cette fenêtre que cette nuit il est sorti...

M. Château se penche vers la première table. Il est toujours déçu de n'y trouver personne. Quand un nouveau, par ignorance ou par zèle, parfois y prend place, le vieux professeur, ravi, installe sa chaise en face de lui, lui donne de longues explications, le regarde sous le nez, contemple chaque trait de son visage, termine en lui demandant :

— Comment vous appelez-vous ?

Quel que soit son nom, le garçon fuyant l'haleine

qui filtre entre ses dents vertes change de place au cours suivant et laisse la première table déserte, une fois de plus.

— Jean, on y retourne, ce soir? demande Fiston, de loin.

Tarendol s'éveille.

— Quoi?

— Ce soir, on y retourne?

— Bien sûr.

Il hoche la tête. Depuis l'aube il n'attend que le retour de la nuit.

— Où c'est que vous retournez? demande Tudort, intéressé.

— Hier soir... commence Fiston.

— Ça te regarde pas, coupe Jean.

— La ferme! On travaille! crie un externe.

M. Château regarde les uns, regarde les autres, essaie de comprendre. Il se sent seul, absolument en dehors des préoccupations de cette douzaine de garçons qu'il voudrait voir tournés vers lui, attentifs à ses paroles. Le dépit fait monter en lui, tout à coup, une colère terrible, une de ces rages par lesquelles il ramène de temps en temps le silence dans sa classe terrifiée.

Il hurle :

— C'est bientôt fini?

Les garçons se figent sur place. Ils le connaissent. Le premier qui bouge va trinquer. Lacolin, doucement, pousse le jeu d'échecs derrière le dos de Tudort. Imprudence. M. Château l'a vu. Il tend un bras qui tremble de fureur.

— Vous, là ; vous, le grand, sortez! Sortez tout de suite!

Lacolin ramasse ses livres.

82

— Voulez-vous sortir! Voulez-vous fiche le camp!

Sa voix s'étrangle. Il saisit sur la table un ballon de verre et le jette à terre, piétine. Lacolin abandonne tout, court vers la porte. Une éprouvette, un trépied volent, le poursuivent.

La porte claquée, M. Château reprend souffle. Il regarde ses élèves, silencieux, immobiles comme des morts. Pas un regard tourné vers lui. Il porte sa chaise sur l'estrade, s'assied. Il tire le torchon de sa poche et s'essuie le front.

— Ce n'est rien, messieurs, dit-il à voix basse, ce n'est rien...

— Chinette, va me chercher M. Tudort...

— Monsieur Tudort, je vous demande un service.

Mme Chalant s'assied sur une vieille chaise de bois culottée de graisse et de fumée. Cette chaise devait déjà rôder dans la cuisine quand les moines du couvent mijotaient leur brouet. Aujourd'hui elle danse sous la main de Félicie, qui la bouscule et l'insulte comme un chien familier.

— Toujours dans mes jambes, cette saleté! Je finirai par la brûler. Ça sert plus qu'à vous encombrer...

Et elle s'assied dessus, ban, de tout son poids, pour éplucher les carottes.

Mme Chalant lève la tête vers le grand garçon. Elle sourit. Dès qu'elle s'adresse à quelqu'un, dès qu'elle regarde quelqu'un, elle sourit. Même aux visages de mauvaise humeur des fonctionnaires du ravitaillement, ceux qui refusent toujours ce qu'on leur demande, et semblent haïr en particulier chaque demandeur. Mme Chalant aime tout le monde, et s'étonne du mal, de la guerre, des vols, pense que ce sont des accidents, et que tout cela finira bien un jour, demain peut-être, parce que les hommes ne sont pas si mauvais, au fond. Cette simplicité de son cœur, ses cheveux noirs en désordre autour de son visage mince, ses yeux brillants, ses dents très blanches, lui conservent un air de jeunesse, presque d'enfance, malgré la fatigue et les taches de la grossesse qui lui jaunissent les tempes. Tous autres soucis que le bien-être de ses pensionnaires et de ses enfants, parmi lesquels elle comprend son mari, et la pitié qu'elle porte aux victimes de la folie momentanée du monde, lui sont incompréhensibles. Ces aspirations vagues, ces tourments romanesques qui font les épouses incomprises, et les jettent à la lecture des romans, puis à l'adultère, ne trouvent en elle aucune place. Peut-être parce qu'elle n'a pas le temps. Elle s'estime heureuse. Elle l'est. Elle explique :

— Monsieur Tudort, vous savez, notre jardin, j'avais des fraises qui commençaient à mûrir, des voyous sont venus cette nuit, je me demande par où ils sont passés, et ils ont tout mangé, et ils ont saccagé mes petits pois.

Félicie dit :

— Ça ne m'étonne pas, le monde est pourri. Et vous croyez qu'avec ces quatre pommes de terre que vous m'avez données, y en aura assez ?

Mme Chalant soupire, pose ses mains sur son ventre. Elle espère que ce sera une fille. Elle a déjà tant de garçons.

— Félicie, ne faites pas les morceaux si petits, ça mange trop d'huile.

— Ils ont du culot, dit Tudort.

Debout, quatre-vingt-dix kilos, devant Mme Chalant frêle et douce un instant au repos sur la vieille chaise, il se demande ce qu'elle lui veut, il se demande si les pommes de terre sautées seront pour tout le monde ou la table du principal.

— Voilà, monsieur Tudort, je voudrais que vous restiez quelque temps au jardin ce soir, oh! pas long-temps, ils ne doivent pas venir au milieu de la nuit, tant que vous n'aurez pas trop sommeil, ça doit être des gamins qui escaladent le mur de la rue du Quatre-Septembre.

Félicie jette un plat de tranches blanches dans la poêle. Les pommes de terre crépitent et fument. Félicie empoigne la queue de la poêle et la secoue. Tudort hume. C'est de l'huile de navette.

— Vous leur ferez peur et ils ne reviendront plus. Tenez, monsieur Tudort, vous êtes grand, attrapez la clef du jardin, là-haut, accrochée, non, pas celle-là, à droite, non, à droite, la plus grande. Merci, monsieur Tudort.

Encore une scène dans la nuit. Ce ne sera pas la dernière. Le jour, l'activité sociale absorbe les hommes, perdus dans une agitation d'abeilles, occupés à ajouter leurs mots inutiles à la rumeur de la ruche. Le soir venu, la fatigue les couche. Ils passent de la trépidation verticale à un repos assommé. La plupart conservent dans le sommeil les préoccupations de leurs heures d'énervement. Ils rêvent de leur épicier, du patron, ogres, le rhume de leur enfant devient tremblement de terre, et si quelque fleur s'épanouit dans un coin de leur rêve, ils ignorent qu'ils la doivent au sourire d'une fille rencontrée dans le métro. Ils ne l'ont même pas vu. Leurs yeux sont des lieux publics, tout y passe, court, la beauté ne s'y arrête.

Quelques hommes profitent pour vivre à leur tour du silence laissé libre par les hommes couchés, et les enfants qui n'ont pas peur du noir vivent, dans les rues mystérieuses des petites villes, en attendant l'appel coléreux de leur mère, des aventures grandes comme la nuit sans obstacles. « Je pars pour Név-York, je pars en avion. » Il étend les bras en ailes, bourdonne, racle des pieds, démarre, passe dans la lumière d'un bec de gaz, disparaît. Lindbergh.

Ces collégiens que nous commençons à connaître, croyez bien que le soir venu ils cessent tout à fait de penser à l'Histoire de France et à la Cosmographie. Ils sont descendus dans le jardin au crépuscule. Les trois grands. Fiston a expliqué à Tudort qui étaient les voyous.

— Vous êtes vaches d'avoir tout bouffé. Vous auriez pu m'en laisser quelques-unes.

On frappe la porte à coups de poings. Tarendol va ouvrir. C'est M. Chalant.

— Pourquoi vous êtes-vous enfermés, mes enfants?

— C'est pour leur couper la retraite, m'sieur. On est venu tous les trois, on a pensé qu'on serait pas de trop.

M. Chalant se baisse, ramasse une poignée de terre, la brise entre ses mains.

— Bien sûr, mais il faut d'abord aller coucher les jumeaux. Ils dorment sur leur table, à l'étude. Comme c'est sec! Je me demande quand nous aurons enfin la pluie.

— Ce sera bientôt, je crois, dit Jean. L'orage vient.

On l'entend gronder vaguement, et de temps en temps, un éclair, mauve d'être si lointain, teinte une moitié de ciel.

— S'il pleut, rentrez, dit M. Chalant. Je vais vous envoyer Gustave.

Mais Gustave n'est pas venu, il a mal à la tête, il n'a pas encore digéré la choucroute de midi. C'est de la choucroute mise en tonneau par Félicie, moitié choux, moitié rutabagas.

— Regarde, dit Fiston.

A une branche du poirier, dans la pénombre,

est appuyée une échelle à laquelle manquent quelques barreaux. Elle est courte, peut-être vermoulue.

— Elle a pas l'air bien solide, mais pour ce qu'on veut en faire, elle suffira, tu crois pas?

— Qu'est-ce que vous voulez en faire? demande Tudort.

— Ça te regarde pas, dit Jean.

Tarendol et Fiston sont allés coucher les enfants, et sont redescendus au jardin. Ils ont cherché longtemps Tudort dans la nuit maintenant tout à fait venue. Ils l'ont trouvé endormi sur les fraisiers.

Ils gagnent la gouttière, couchent l'échelle sur le toit, elle est un peu courte, quand même plus pratique que les chaises. Ils atteignent sans difficultés la haute cime du Gymnase.

Nulle lumière ne perce la nuit devant eux. L'orage qui s'approche gronde plus fort. Ses éclairs se succèdent presque sans arrêt, mauves, orangés, blancs.

— Il fait chaud, dit Fiston.

Jean, les yeux ouverts comme des portes vers la fenêtre obscure, essaie de percer la nuit, de voir à travers les ténèbres. Tout le jour, tout le jour, il a caressé dans sa mémoire, tout le jour, le souvenir baigné de lumière, l'image invraisemblable. « Peut-être elle dort déjà. Elle est peut-être partie. Peut-être je ne la reverrai jamais, ni ce soir ni jamais. »

Déjà si on lui proposait de choisir entre une semaine passée près de sa mère et cinq minutes sur ce toit, cinq minutes comme la veille, sans hésiter il sacrifierait les vacances. Il est pourtant le meilleur des fils — c'est une formule —, mais là, devant lui, c'est la légende qui s'ouvre, et sa jeunesse le pousse vers son avenir, vers sa tâche d'homme.

— J'ai une crampe, dit Fiston. Si elle nous fait encore poireauter, je m'en vais.

Tout à coup la fenêtre jaillit devant eux. Ils clignent des yeux. La jeune fille referme la porte, pose une serviette de cuir sur le pied du lit, lève les mains vers les rideaux. Elle va les tirer, non elle ne les tire pas. Elle se penche au-dehors. Elle est vêtue de la même robe bleue que la veille. Les deux garçons se laissent doucement glisser, suspendus par les doigts, les yeux au ras de la crête. Les mains sur la pierre d'appui, elle respire longuement, tournée vers l'orage. Elle a les épaules larges, droites. Ses cheveux coulent sur ses épaules, et la lumière glisse de l'or entre leurs boucles. Depuis que la fenêtre s'est éclairée, Jean sourit.

Un éclair illumine les murs, le tonnerre éclate, se brise contre les montagnes, roule longuement dans les nues ses masses broyées.

La jeune fille s'est rejetée en arrière. Elle a peur du tonnerre, elle va pousser les vitres, fermer les rideaux, non elle ne les pousse pas, elle a trop chaud. Elle tire un livre de sa serviette, et deux cahiers. Elle pose à terre la cuvette et le pot ventru, s'assied devant la petite table. Elle leur tourne le dos, la tête appuyée sur sa main gauche, les doigts enfoncés dans ses cheveux.

— Il est beau, le cinéma?

La voix monte de la gouttière.

— C'est cette vache de Tudort, souffle Tarendol.

— Grimpe à l'échelle..., dit Fiston.

Il s'écarte pour lui faire place. D'énormes rares gouttes commencent à s'écraser sur les tuiles. Une odeur de terre cuite monte dans la nuit, de chaque goutte écrasée.

— C'est rien que ça? dit Tudort. Moi, je croyais que c'était leur dortoir.

— Merde on se mouille, dit Fiston.

— On va lui rendre visite? propose Tudort.

— Tu es fou?

— C'est pas difficile, avec l'échelle. On la descend de l'autre côté du toit, puis on la dresse contre le mur.

Tarendol a perdu son sourire.

— Non, on n'y va pas. Fous-nous la paix.

— Vous êtes des gamins. Restez là si vous voulez, moi j'y vais.

Il se laisse glisser à bout de bras, cherche avec les pieds le premier barreau de l'échelle pour l'accrocher et la tirer à lui. Jean se hisse au sommet du toit, s'assied. Il regrette d'être en sandales. Des deux talons à la fois, il frappe Tudort à la tête. Il voit ses mains lâcher prise. Il se laisse tomber en même temps que lui. Ils arrivent dans la gouttière avec un bruit d'avalanche. Tudort reçoit les deux pieds de Jean dans la poitrine. Mais le rugby l'a endurci. Il se relève et frappe. Au bruit de la chute, la lumière s'est éteinte.

A cheval au sommet du toit, Fiston, les yeux écarquillés, ahuri, entend un coup, un cri, quelqu'un qui tombe. Il appelle :

— Jean, mon petit vieux, ça va?

— Ça va, dit Jean.

Il se relève. Il a du sang plein la bouche. Sa lèvre supérieure enfle comme un abcès. Il se jette sur Tudort. La pluie les fouette. La gouttière étroite entrave leurs pieds. Le mur, le toit, limitent leurs gestes. Ils tombent, l'un à l'autre empoignés. Ils se relèvent encore, tombent de nouveau. Le tonnerre craque. Ils se sont lâchés. Ils se voient aux éclairs. Après chaque illumination, la nuit s'épaissit plus noire. Chacun sait à peu près la place où l'autre se dresse, et frappe dedans. Tudort est plus lourd, et pèse de tout son poids sur ses coups. Mais l'obscurité et l'éblouissement des éclairs le rendent maladroit. Il saisit Tarendol à bras-le-corps.

— Salaud, je te tiens.

Il le serre, l'écrase, le couche sur le toit, lui frappe le visage à coups de tête. La nuque de Tarendol sonne contre les tuiles.

— Jean, crie Fiston, Jean, ça va?

— Ta gueule, dit Tudort.

Jean se sent comme sous une armoire tombée, une armoire pleine de plomb. Il frappe des deux poings le dos de l'armoire. Ses coups faiblissent, il étouffe. Le sang et la pluie lui coulent dans les yeux. Ses yeux et sa tête fulgurent d'éclairs rouges. La tête énorme lui broie le visage, les bras lui font craquer les côtes. Il perd le souffle, il perd la pensée Il est perdu.

Au bord de l'abîme, il pousse un cri de fureur, se raidit comme une pierre, saisit à deux mains crispées, plantées, les oreilles de Tudort, et tire en arrière, arrache. Tudort hurle, lâche prise. Jean replie le bras droit, tire, tire l'autre oreille et du tranchant de la main, du reste de ses forces, à toute volée, frappe Tudort au cou. Le grand garçon chancelle. La tête en avant, Jean se laisse tomber dans son ventre. Tudort rebondit contre le mur. Un éclair. D'un coup de bûcheron, Jean écrase le menton vu. Tudort tourne, tombe sur le toit. Une tuile tombe en morceaux parmi les prisonniers entassés dans la sciure. Ils ont entendu tout le bruit. Ils croient qu'un secours arrive. Peut-être la fin de la guerre, la révolte. Le tonnerre ébranle les murs. Tous éveillés, ils crient de joie, se précipitent, cognent la porte, pèsent, poussent, hurlent. La sentinelle menace, appelle à la garde, tire en l'air. Une grappe de balles traçantes éclate en éclairs dans la nue. La pluie d'orage à grand fracas noie la rue des Écoles. Un groupe de miliciens accourt, tire à travers la porte. Un résistant qui surveille lance une fusée en grappe rouge. Le maquis alerté attaque la ville par trois côtés. La garnison verte fait donner les chars. Le canon balaie les trois routes.

Jean assis sur la fenêtre reprend vie. Il n'ose pas toucher son visage. Ses genoux tremblent. Fiston redescendu lui demande : « Jean, comment ça va ? Jean réponds-moi. » Jean n'entend que le bruit de sa nuque contre le toit.

On frappe aux carreaux, la fenêtre s'ouvre.

— Vous êtes là, mes enfants ? Que se passe-t-il ? Répondez. Mon Dieu quelle pluie !

C'est la voix de M. Chalant.

— Monsieur, dit Fiston, c'est les voyous. On les a mis en fuite, mais ils étaient une belle troupe. Ils nous ont bien arrangés !

M. Chalant allume sa lampe. La lumière rasante éclaire les perles de pluie, éclaire Tudort étendu sur le ventre, un pied tordu accroché aux tuiles, le nez dans l'eau.

— Oh ! oh ! Mon Dieu ! dit M. Chalant. Mon Dieu, si j'avais su...

Péniblement, avec des haltes, Fiston et le principal ont remonté Tudort au dortoir. Jean, hébété, suivait en reniflant. Des pieds d'eau marquent les marches de l'escalier.

Hito, éveillé, de ses doigts agiles lave et panse les plaies de Tarendol. Il a une pharmacie de voyage. Il a toujours tout ce qu'il faut. Il sourit, cligne de l'œil, demande :

— C'est les voyous?

M. Chalant se penche avec une grande inquiétude sur le lit de Tudort. Il mesure sa responsabilité. Il suppute les embêtements. Il maudit les fraises. Il accumule les reproches qu'il va adresser à sa femme. C'est elle qui a eu cette idée. Toute sa mèche lui pend dans le cou. Il est trempé, il frissonne. Il a perdu son béret dans la gouttière.

— Mais que lui ont-ils fait? Où l'ont-ils frappé? Pourquoi ne bouge-t-il plus?

Le garçon étendu ne donne d'autre signe de vie qu'un faible souffle. Un filet rouge coule de son nez pincé. Ses oreilles sont écorchées, ses lèvres fendues. Ses cheveux collés du sang de Tarendol et de la pluie s'égouttent sur le traversin.

— Mon Dieu! Mon Dieu! si j'avais su! répète M. Chalant. Je vais téléphoner au docteur.

— Je crois qu'il faudrait, dit Fiston inquiet.

M. Chalant sort du dortoir. Ses pas descendent l'escalier de bois.

Tudort gémit. Jean s'arrache aux soins de Hito, accourt près du lit. Il guette le réveil du blessé. Tudort ouvre les yeux, gémit de nouveau. Jean se penche vers lui :

— Tu vas jurer que tu diras rien, tu entends? Et que tu t'occuperas plus de cette fille. Ou je t'assomme!

Tudort ne comprend pas bien. Peut-être il n'entend pas encore.

— Tu m'entends ? Tu diras rien, et tu t'occuperas plus de cette fille !

Il cherche une arme, saisit le vase de nuit, lourde faïence, le brandit.

— Jure, ou je te casse la tête !

Hito regarde la scène avec une grimace d'intérêt. Fiston tire de sa poche un croûton mouillé, Tudort fait « oui » et referme les yeux.

Fiston se précipite vers le bureau du principal, crie déjà dans l'escalier : « M'sieur c'est pas la peine, le docteur. Il va mieux, c'était rien... »

Les jumeaux ne se sont pas réveillés.

La première lueur du jour éveille le merle. Les rats regagnent leurs sombres demeures, les caves perdues du couvent, dont nul ne connaît plus l'entrée, et qui s'étendent par-dessous la ville en boyaux humides, s'enfoncent dans la terre, très loin, très profond, peut-être jusqu'à l'enfer. Les fourmis, de jour, les fourmis de nuit, jamais ne cessent, toujours fourmillent. Les cloportes se cachent sous les écorces, jusqu'à ce soir, en boule, la tête à l'abri de l'anus. Dans les têtes des hommes, les rêves replient leurs armées de fantômes au refuge sans espace de l'inconscient.

Le merle siffle dans ses doigts, jette hors de ses lits le peuple des moineaux. Les moineaux en mitraille jaillissent du couvert des platanes, s'abattent sur le toit que rougit le soleil levant. Une brassée de rayons entre par la fenêtre ouverte du dortoir; accroche au mur d'en face une tache d'or qui grandit. L'orage est loin.

Jean s'est battu toute la nuit contre une armée de monstres. Piétiné, frappé, mordu, traîné, précipité. Il émerge en fusée du cauchemar au souvenir de sa victoire, il s'éveille. Le soleil! La gloire et la joie le soulèvent.

La douleur le rabat sur les draps. Une masse de plomb roule dans sa tête, son lit tangue, le plafond chavire.

Il ferme les yeux et, lentement, essaie de gonfler à bloc sa poitrine. Ses côtes craquent.

La souffrance lui rappelle son mérite. Il a défendu sa fée contre le dragon. Il est le chevalier meurtri par la victoire. Deux plaques de taffetas rose lui montent des sourcils aux cheveux, une autre lui couvre le nez.

Demeurer tranquille. Garder son triomphe à l'intérieur.

— Tudort, tu dors, vieille vache, ou t'es mort? crie Fiston.

Tudort grogne, se soulève sur un coude. Il regarde Tarendol et ricane comme il peut, la bouche en travers.

— Salaud, tu m'as eu, mais je t'ai bien amoché!

Il a refusé les pansements de Hito. Des croûtes zèbrent ses oreilles, coupent en deux sa lèvre supérieure. Son œil droit est bleu et presque fermé. Une meurtrissure mauve farde la pointe de son menton.

Tarendol lève avec précaution une main.

— Je t'ai eu, et je t'aurai encore si tu recommences. Tu pouvais pas nous fiche la paix?

Tudort bâille.

— Aïe!

Il passe ses doigts sur sa mâchoire, se recouche.

— Je m'en fous, de votre poulette, mais vous êtes rien tartes!

97

— Je peux entrer? crie derrière la porte la voix de Mme Chalant.

— Voui, madame! dit Fiston, debout en chemise sur son lit.

Il se laisse tomber, rabat les couvertures.

— Oh! mes pauvres enfants! Oh! Oh! Comme ils vous ont arrangés!

Tudort et Jean prennent des mines de grands blessés.

Elle n'est pas montée hier soir. Elle n'en pouvait plus de fatigue. Elle se réjouit dans son cœur de la migraine de Gustave. Pendant que ces grands-là se battaient, il était occupé à vomir sa choucroute.

— Ne bougez pas, ne bougez pas, mes pauvres petits. Ils étaient donc bien forts?

— Oh madame, dit Fiston, ils étaient au moins dix, avec des matraques!

Il essuie ses lunettes à son drap, les pose sur son nez, raconte la bataille avec de grands gestes.

— ... alors ceux qui restaient sont partis en emportant leurs blessés.

— Vous avez de la chance, vous, monsieur Fiston, ils ne vous ont pas frappé.

Elle pose sa main sur le front de Tudort qui ferme les yeux de plaisir.

— Moi, dit Fiston interdit... Oh! moi, madame, je n'ai rien sur la figure, mais c'est le corps!

Il palpe à travers les couvertures son ventre, ses cuisses, et grimace.

Hito revient du lavabo astiqué, peigné, poncé. Les jumeaux, ahuris, essaient de comprendre. Ils se sont approchés à petits pas, le bas de leur chemise au ras de leurs pieds nus, ils ont écouté Fiston, ils se sont placés chacun au pied du lit d'un des blessés. Ils les regardent avec des yeux pleins d'émerveillement et d'un reste de sommeil. Leurs cheveux noirs, raides, se hérissent en mèches embrouillées, dans tous les sens.

— Voulez-vous aller vous laver, les mioches! dit Tudort.

La cloche du réveil sonne.

— Restez couchés, dit Mme Chalant. Vous resterez au dortoir tant que vous n'aurez pas repris une figure convenable. M. Chalant s'en arrangera avec vos professeurs. Vous n'aurez qu'à en profiter pour repasser vos cours. J'ai reçu hier un beau poulet, je vais vous le faire cuire. Vous l'avez bien mérité. Reposez-vous bien, mes enfants.

Elle s'était assise sur le bord du lit de Tudort. Elle se lève en s'appuyant des deux mains. Que ce ventre est lourd, mon Dieu. Elle sourit encore, et s'en va.

Fiston jaillit hors de ses couvertures, danse, saute, broie les ressorts de son lit. Il chante :

— Un poulet, un beau poulet! Nous l'avons bien mérité!

— Ça vaut bien ça, dit Tudort. C'était une belle bagarre.

— Tes oreilles, dit Jean, j'en aurais fait des beignets.

Jean, reçu à la première partie du baccalauréat.
s'était cru ce jour-là sur le seuil de la porte du monde
grande ouverte. Il pensait à son père, à la joie que son
père aurait éprouvée, au pied de vigne folle qui poussait sur sa tombe, et pour qui le baccalauréat n'avait
aucune importance. Françoise elle aussi évoqua la
joie qu'eût éprouvée André. Mais ni elle ni Jean ne
prononcèrent ce jour-là le nom du disparu. Et chacun
des deux savait quel regret l'autre portait au fond de
son cœur. Ils se partagèrent en secret la fierté du mort.
André abandonnait ses pierres, quittait ses lunettes
de fer, se redressait, recommençait à vivre.

— Toi, dit Tarendol, y a pas de raison que tu restes
au dortoir. D'abord il faut que tu saches qui elle est.
A dix heures, on a cours d'italien avec les premières.
Mets-toi à côté de Vibert. Sa sœur va à l'E. P. S. De-
mande-lui de demander à sa sœur, sans avoir l'air
de rien.

— Mais le poulet ? dit Fiston.

— Tu monteras le manger avec nous.

— Bon. On y retourne, ce soir ?

— Non, dit Tarendol, ni ce soir, ni demain, ni les
autres soirs.

Il regarde Fiston dans les yeux. Fiston détourne la
tête et ne dit rien. Tudort lit un roman policier.

Le professeur d'italien, M. Lapierre, est délicat de
la poitrine. Fiston s'assied entre Vibert et Missac.
M. Lapierre entre, vêtu de noir, coiffé d'un chapeau
melon. Ses joues sont si creuses qu'il a dû, faute de
place, avaler ses dents. Une artère serpente de chaque
côté de son front. Il est très grand et très maigre. Il se
plie lentement vers sa table, souffle sur le coin, prend
son chapeau par les bords, à deux mains, et le pose sur

cet espace purifié. Ses doigts sans chair se recourbent en copeaux.

Un élève habitué porte sa chaise près de la fenêtre, ouvre celle-ci. M. Lapierre s'assied, se renverse en arrière, dans l'air du dehors, aussi loin que possible des respirations.

Il regarde avec haine ces dix garçons lance-microbes, ces objets vernis de bacilles, ces murs d'où le guettent des milliards de germes de mort accrochés. Il devine dans l'air, tourbillonnant, jouant au souffle des poitrines, des armées de vibrions blindés. Tout ici est ligué contre lui. Il doit se défendre, veiller sans défaillance, chaque seconde penser à la menace. Pour ménager ses forces, il fait son cours à voix basse, en guettant de ses yeux mi-clos le moindre signe d'inattention. Il ne veut pas répéter. Il économise sa vie. Il punit par instinct de conservation.

Il lui arrive pourtant d'oublier toute prudence. Il commence à dire deux vers du Dante, pour faire sonner aux oreilles de ces brutes le carillon de la beauté. Ils en entendront peut-être un écho. Deux vers. Ils les caresse. Il se les redit pour sa propre joie. La suite roule hors de sa bouche. Il se lève, les yeux éblouis, il marche, suit dans la classe la fanfare d'or qui sort de lui à grands éclats roulants. Il s'arrête épuisé au bout de la tirade, il regarde autour de lui, il s'étonne d'être encore là et non point perdu dans les flammes du soleil. Il frissonne, tousse, se penche, crache dans la gouttière.

Fiston a profité d'une de ses crises lyriques pour faire passer un billet à Vibert.

Demande à ta sœur si elle connaît une fille de l'E. P. S.

qui doit avoir seize ans, avec des cheveux blonds et une robe bleue. Elle doit être pensionnaire. Comment elle s'appelle.

Missac, fils du charcutier, ressemble à un porc. Dans son visage de saindoux, sous ses cheveux rouges, ses petits yeux sont toujours à l'affût de ce qui se passe, avides des secrets des autres. Il veut tout savoir. Il halète dans l'attente des confidences. Tout le nourrit, les plus énormes mensonges et les demi-phrases qu'il complète. Il a lu le billet en même temps que Fiston l'écrivait. Il souffle :

— C'est Zouzou Bréchet.

— C'est pas vrai, dit Vibert, derrière sa main. Zouzou est châtain. Et elle va plus à l'école.

— Pourtant, je l'ai rencontrée hier, elle avait une robe bleue.

— Missac, vous aurez deux heures, dit M. Lapierre.

Le lendemain, Vibert a donné ces renseignements : « Il y a deux grandes pensionnaires à l'E. P. S. Mais elles sont brunes toutes les deux, et elles portent la robe d'uniforme, grise et blanche. Les autres pensionnaires, c'est des gamines de rien du tout. »

Il apporte aussi une lettre de sa sœur pour Fiston. Elle écrit :

Cher Monsieur,

Mon frère me parle souvent de vous. Je suis sûre que j'aurais du plaisir à bavarder avec un garçon de votre intelligence. Tous les jours à quatre heures, je passe par la

Tuilerie pourr entrer à la maison. Si un jour vous pouvez sortir, faites-moi signe quand je passerai devant la porte. Je vous attendrai sous le hangar de la Tuilerie. Croyez, cher Monsieur, à mes sentiments distingués.

— Mince! dit Fiston.

Les hirondelles jouent dans le vent. Jean a lu dans un journal que des restaurants d'Afrique du Nord servent sous le nom d'ortolans des hirondelles prises au filet au moment de leur migration. Manger ces éclairs de plumes, pourquoi pas manger le vent lui-même?

Elles font face au vent, suspendues palpitantes en un point de l'espace, se laissent emporter, ailes raidies, virent tout à coup, et glissent vertigineusement, avions en piqué. Un moucheron est la victime.

C'est jeudi. Jean, à la fenêtre du dortoir, regarde jouer les hirondelles, et tous les chiens qui passent dans la rue viennent lever la patte contre la borne sé-culaire plantée de travers au pied de l'escalier de la vieille maison, en face. A la cime de la rue, Jean voit les dernières maisons s'accrocher au flanc de la colline puis la colline les dépasser, et la montagne Garde-grosse dépasser la colline, et le bleu du ciel par-dessus. Le clocher marque deux heures au cadran ensoleillé de son horloge, et deux heures dix à celui que l'ombre couvre. Jean se demande quelle heure peuvent bien indiquer les deux cadrans qu'il ne voit pas. Cela lui est égal, il n'y pense plus. Il est accoudé à la fenêtre, les bras croisés. Le grain de la pierre fouillée par les pluies lui entre dans les coudes à travers l'étoffe mince de sa veste. Il sait que s'il ouvre n'importe lequel de ses livres, au bout de quelques minutes il se relèvera, impatient. Il ne peut plus travailler. Sur les pages danse l'image de la fille dans la nuit.

La porte de l'École supérieure s'ouvre, un ruban de filles en sort, tourne à gauche sur le trottoir. Les premières s'arrêtent au coin haut de la rue. Derrière les plus grandes, sort une jeune fille vêtue de bleu. Jean se redresse. Elle a posé sur ses cheveux blonds un chapeau de paille blanche aux bords relevés. Elle dit un mot, le ruban de robes grises tourne au coin de la rue, disparaît. Elle tourne derrière lui.

— Fiston! Fiston! crie Jean, je l'ai vue! C'est elle, la surveillante! Elle vient de sortir, elle emmène les pensionnaires à la promenade! Elles ont tourné à gauche dans la rue des Herbes, elles vont sûrement à la Fontaine des Trois Dauphins... Viens, on y va...

Fiston étendu sur son lit se soulève, bâille.

— Tu es rasoir. Tu crois que tu ferais pas mieux de te reposer, de dormir un peu?

— Dormir!

Jean lève les bras au plafond.

— Dormir!

Il est prêt à ne plus dormir, ni manger, ni vivre, tant qu'il ne l'aura pas rejointe.

— Et les jumeaux, qu'est-ce qu'on va en faire? demande Fiston. Tudort est à l'entraînement et Hito au ciné...

— On les emmène. Où sont-ils?

Fiston ouvre une fenêtre de la cour, crie :

— Eh, les gosses, venez vous habiller, on va en promenade.

La petite troupe vêtue de robes grises à cols blancs monte lentement les lacets de la route, au flanc de la colline. Joues rondes, joues pâles, regards enfantins, cernes sous les yeux brillants, les plus petites vont devant et jacassent, les plus grandes, derrière, parlent à voix basse. Peut-être ce qu'elles se disent n'est-il plus assez innocent pour que les feuilles, les oiseaux, les cailloux du chemin, et l'air tiède puissent en connaître le secret.

Cette voie qu'elles ont prise ne mène nulle part. Elle dessert quelques vergers d'oliviers tordus, et se perd, en haut de la colline, dans une lande de lavande et de thym. Les lapins sauvages creusent leurs terriers dans les talus, entre les aloès dont les gamins ornent les feuilles charnues d'inscriptions au canif. La colline et la montagne l'abritent des vents, le soleil la chauffe du matin au soir. Des bancs sont plantés sous les tilleuls qui la bordent, adossés à des haies de cyprès ou d'ifs taillés en arbres de Noël. Le soir venu, des couples silencieux s'étreignent sur ses bancs sous le grand regard de la lune, mais le jour s'y reposent des vieillards qui n'ont plus d'autre souci que de vivre encore un peu, des jeunes gens accrochés au reste d'un poumon, des vieilles filles que personne n'a aimées. Silencieux, ces fragiles, les uns près des autres assis, chacun d'eux enfermé dans sa propre misère, boivent la lumière avec une avidité de dernier espoir.

Arrivées à mi-hauteur de la colline, les filles ont pris à droite un sentier étroit. On n'y peut passer qu'un derrière l'autre. Le ruban s'étire, les conversations se rompent. Les premières se mettent à courir.

La fontaine coule au fond d'un vallon planté d'immenses platanes. Un baron, dont les os ont depuis mille années enrichi le gras de la terre et fleuri et mûri aux arbres du pays, fit graver dans le rocher, au-dessus de la source qui jaillit du flanc de la colline, ses armoiries aux Trois Dauphins. Le blason est verdi, fendu, le nom du baron perdu, mais l'eau éternelle chante sous la cathédrale des platanes. Leurs quatre rangées de colonnes énormes s'enfoncent dans un tapis d'herbes et de feuilles mortes, leurs branches se mêlent en une voûte si haute que la voix des oiseaux en parvient assourdie. Le ruisseau traverse tout droit le vallon, et termine trois pas plus loin sa vie d'enfant pur. Les jardins potagers le happent, puis un lavoir public, et l'égout.

Les garçons sont déjà là. Ils ont pris un raccourci. Fiston a dit :

— Laisse-moi faire. J'en connais une, la fille du pharmacien de Sainte-Euphémie, Julie Chardonnet. Je vais lui demander des nouvelles de son chien, et je saurai bien le reste.

Jean s'est couché derrière un buisson d'aubépines. sur la rive du vallon opposée au débouché du sentier. Il a vu arriver sous les platanes, en même temps que la dernière pensionnaire, la robe bleue. Fiston, debout près de la fontaine, serre déjà la main de Julie Chardonnet, une maigrichotte qui doit avoir treize ou quatorze ans. Deux tresses brunes brinqueballent dans son dos. Les jumeaux, avec des cris de joie, décapitent une fourmilière.

La vue du garçon à la tête ronde hérissée de poils d'or a glacé le tapage des filles. Elles s'agglutinent par petits groupes, chuchotent, se poussent du coude, jettent vers lui des regards en coin, rougissent, pouffent de se sentir rougir, rougissent plus encore, A l'autre bout du vallon, deux amants, dérangés, furtifs, se reboutonnent et s'en vont.

Fiston revient déjà, gaulant, d'une baguette cueillie près du ruisseau, les jambes nues des jumeaux. Les filles retrouvent leur aise, jettent leurs chapeaux qui se posent en fleurs claires sur l'herbe, et se mettent à jouer en criant.

— Alors? demande Jean.

— C'est la fille de la directrice, la mère Margherite, dit Fiston. Elle remplace la surveillante aux promenades du jeudi. Jusqu'à présent, elle était dans un lycée d'Avignon. C'est pour ça qu'on la connaissait pas. Elle s'appelle Marie.

Il parle debout près du buisson d'aubépines, sans baisser la tête.

— Merci, dit Jean. Tu es un as. Rentre avec les gosses. Moi je reste.

— Te montre pas, dit Fiston. Tu leur ferais peur. Tu as l'air de Mandrin.

Marie. Dans son village, plusieurs femmes portent ce nom. Des paysannes vêtues de noir, coiffées du mouchoir blanc, tordues, raccourcies par le travail. Des femmes simples qui lui sourient de bon cœur quand elles le rencontrent, et lui disent :

— Bonjour, Jean!

Marie. Elle si jeune et si blonde. Assise dans l'herbe, elle lit. Jean couché à plat ventre la regarde à travers les épines fleuries. Elle ferme son livre, le pose, pose son chapeau sur le livre, s'appuie les deux mains en arrière, le visage levé vers le ciel des platanes. Ses cheveux, éteints par la pénombre, coulent, rejoignent la cime de l'herbe, se teintent de reflets d'or vert. Elle se laisse doucement vaincre par ce grand silence végétal brodé d'un sourd concert d'oiseaux, de la chanson douce de l'eau, et des cris des fillettes éparpillées. Elle se couche sur le tapis d'herbe. L'armée des graminées dresse autour d'elle ses lances gardiennes.

Jean caché attend la fin de leurs jeux et se relève quand la dernière a disparu dans le sentier. Il traverse à son tour le vallon, rejoint la route, mais au lieu de descendre vers Milon, il gagne la haute lande au bout de la promenade. Si quelqu'un lui parle, il ne répondra pas. Il voudrait gagner la plus haute cime, le lieu où ne se trouve plus personne, que sa joie et lui. Sa joie est autour de lui en cuirasse de cristal. Les mains dans les poches de sa veste, les coudes pointés en arrière, son pantalon trop court battant ses chevilles, il marche au-dessus de la terre il franchit les gouffres, traverse les incendies. Et parce qu'il est au-dessus du monde il le voit, il l'entend comme il ne l'a jamais vu, jamais entendu. Le décor plat qui traversait ses yeux se gonfle de relief et de couleurs. Tous les bruits pénètrent ensemble en sa tête et il distingue chacun d'eux. Il voit, il entend le cri des premières cigales dans les oliviers les plus chauds, le vol de la pie, le bourdonnement de la ville, un arbre à la cime du Rocher de l'Aiguille comme une verrue au bout d'un doigt, la toux d'un malade perdu qui croit encore à la vie, la tache verte d'un pré sur la joue grise de Gardegrosse, et le sourd

battement au rythme de ses pas, le fort, le magnifique
tambour de son cœur triomphant. Il sait que le vol
de la pie était prévu depuis l'éternité, il sait que
la pluie et le vent mettront cent mille ans à doubler
la profondeur de la crevasse qui fend le Rocher de
l'Aiguille, il sait qu'il aime, il sait qu'il vit, il mange
le lion, il embrasse la laitière et la vache et le pot au
lait, il rit les rêves de Perrette, il rit le lait répandu,
il rit le ciel et le miel et la terre empoignée, il aime,
il vit, il lève les bras au ciel, il s'étire, il craque, il
rit, le ciel entre ses mains est blanc de chaleur autour
du soleil.

Je ne sais pas quel âge lui donner. C'est difficile. Elle est née ainsi, avec ses lunettes de fer, son visage maigre, ses poils gris au menton, et ses longues mains dures. Elle était ainsi dans son berceau, elle a seulement changé de taille, et sa robe grise plate a grandi avec elle. Elle n'a jamais été ni bébé ni enfant, qui pleure sans raison et rit de même. Elle est née sévère comme la sécheresse. Elle est ainsi. Ni les élèves ni les professeurs de l'École supérieure de Jeunes filles ne pourraient imaginer qu'elle a porté un jour des jupes roses de fillette, ou un lange de laine autour de membres menus.

Elle était professeur dans une école de Paris. Lorsqu'elle a été nommée directrice en province, à quelques kilomètres de son pays natal, son mari, M. Margherite, a estimé que cette nomination constituait pour lui, autant que pour elle, un aboutissement. Il a obtenu sa retraite proportionnelle de fonctionnaire du Crédit municipal, et gagné Milon en même temps que sa femme, emportant une collection unique de bronzes d'art. Il a acheté ces pièces rares une à une dans les ventes de gages, pour des sommes dérisoires.

Elles ont empli un fourgon de cinq tonnes. L'appartement mis à la disposition de la directrice de l'E. P. S, était vaste et nu, mais il n'a pas suffi à recevoir les chefs-d'œuvre. M. Margherite en a installé quatre au parloir, un Petit Ramoneur, un Archer Vainqueur. un Discobole et une Bacchante. Dans le bureau même de sa femme, il a disposé, sur une sellette aux pieds en col de cigogne, la pièce maîtresse de sa collection, une Pleureuse mil neuf cent, stylisée et tordue en forme de fleur d'iris.

Jean a dû attendre encore plus d'une semaine avant de redescendre en classe. Son nez a repris un volume normal. Son front est marqué de deux balafres roses qui pâlissent chaque jour. Il a guetté Marie des fenêtres du dortoir et lorsqu'il s'est trouvé en état de ne plus attirer la curiosité par la seule apparence de son visage, il a suivi la jeune fille dans les rues de la petite ville, il s'est approché d'elle dans les files d'attente, il l'a frôlée dans les magasins. Maintenant il connaît ses traits, et la couleur de ses yeux. Chaque fois qu'il la regarde, il reçoit un choc dans la poitrine. Il lui suffit d'apercevoir une robe qui ressemble à la sienne, un chapeau blanc, d'entendre prononcer le nom de Marie pour que la même joie angoissée le bouleverse.

Mme Margherite n'est pas si laide, se dit-il, elle n'est pas si sévère, elle est la mère de Marie. Pendant ses heures de guet, il a souvent vu M. Margherite descendre la rue pour se rendre au café Garnier. Il y va pour l'apéritif, il y retourne après le déjeuner, il y passe l'après-midi à jouer au bridge. Il porte un chapeau gris à larges bords, une petite barbe

blanche pointue, des guêtres beiges et un ventre en
brioche suspendu devant lui comme une besace.
Il est plus âgé que sa femme, mais elle est plus
vieille que lui.

Jean emprunte à Hito une enveloppe et une feuille
de papier à lettre mauve. Il écrit à Marie.
Il lui dit :

*...Vous ne savez pas qui je suis, vous ne savez pas
que j'existe, moi je vous connais... Marie, je ne sais
pas comment vous dire, j'ai envie d'emplir cette page
rien qu'avec votre nom...*

Il lui parle de ses yeux de ciel, de ses cheveux d'or,
de son sourire pareil au soleil. Il cite des vers de
Musset. Il lui dit qu'elle est plus belle que l'aube et
que la moisson, et que la lumière des étoiles est triste
à côté de celle de ses yeux. Il lui dit qu'il voit son
visage partout, dans ses livres et ses cahiers, sur les
murs, dans les prés, avec les oiseaux qui volent, et
qu'il voudrait ne jamais dormir pour penser à elle
plus longtemps. Et il termine : « Marie, je vous aime.
Je m'appelle Jean Tarendol. »

Jean donna sa lettre à Fiston.
— Donne-la à Vibert, tu le connais mieux que
moi, sa sœur pourra la faire passer à Marie.
Fiston donna la lettre à Vibert, qui la donna à
sa sœur, qui la rendit à son frère qui la rendit à
Fiston :
— Ma sœur a dit qu'elle passerait la lettre si
c'était toi qui la lui portais. Ou bien elle la passera

pas. Elle a dit qu'elle t'attendrait ce soir à quatre heures à la Tuilerie.

— Elle est enragée, ta sœur, dit Fiston. Mais elle est trop moche.

— Et toi, tu t'es pas regardé? dit Vibert. Débrouille-toi, moi je m'en fous.

— Tu me fais suer avec tes lettres, a dit Fiston furieux à Tarendol. Si tu crois que je vais m'envoyer la Sophie pour tes beaux yeux...

Ils rient tous les deux. Elle se nomme Jacqueline, mais Sophie lui va mieux. Elle est grande, avec des cheveux crépus. Ses jambes sont comme des triques. Au concert de la Vaillante, où M. Chalant a emmené ses pensionnaires, parce qu'ils étaient invités gratis, elle a joué du violoncelle, toute seule sur la scène.

Tarendol se calme. Il dit :

— Voilà, je croyais avoir un copain, et j'en ai pas. C'est toujours comme ça quand on croit qu'on peut compter sur quelqu'un...

Fiston le regarde. Il dit :

— Écoute. J'irai, ce soir. Mais, après, il faudra que tu trouves une autre combine.

Il monte lentement le sentier qui conduit au hangar de la Tuilerie. Il monte lentement parce que Sophie est laide mais aussi parce qu'il est innocent. Il a presque dix-sept ans, Tarendol a six mois de plus. Et tous ces garçons de leur âge qui, dans la cour, parlent des filles en disant « les poules », ont besoin de beaucoup de mots pour cacher leur ignorance.

Fiston, mon vieux, il faut y aller. Il va falloir parler à cette fille. C'est une épreuve. Elle t'attend sous le hangar, assise sur une pile de briques. Tout autour poussent des orties.

Il l'a vue, il s'arrête, il tâte la lettre dans sa poche, il soupire, il repart.

Elle l'a vu aussi. Elle se lève. Elle tapote sa jupe. Il s'approche, il se racle le gosier. Les voilà l'un devant l'autre. Elle sourit. Elle lui tend une grande main.

— Bonsoir, monsieur Fiston.

— Bonsoir, Mademoiselle.

Il ne fait pas très clair, sous ce hangar. Sans quoi elle verrait combien il a chaud aux oreilles.

— Vous n'êtes pas gentil de n'être pas venu avant. Sans la lettre de votre ami, vous ne seriez peut-être jamais venu ?

— Oh! j'en avais bien envie, mais c'est pas toujours facile de sortir quand on est pensionnaire...

Elle rit.

— C'est des blagues, mais ça fait rien. Je ne vous en veux pas, puisque vous êtes là...

Elle a dit ça bien gentiment. Il la regarde. Elle n'est peut-être pas si bête. Il se sent plus à l'aise et, tout de même, flatté. Elle s'assied de nouveau sur le tas de briques. Elle pose sa main à plat et fait un signe de la tête pour qu'il s'asseye à côté d'elle. Et c'est elle qui parle. Elle dit qu'elle s'ennuie, qu'elle est seule, que les filles sont des dindes et les garçons qu'elle connaît bêtes comme leurs pieds. Son frère lui a parlé de lui, il lui a dit qu'il était un as, elle voudrait le voir souvent, si ça ne l'ennuie pas.

Déjà, il a l'impression que ça ne l'ennuiera pas tellement. Il parle à son tour. Ils parlent des gens qu'il connaissent, les professeurs de l'École et du

Collège, ils se racontent des histoires, ils ont la même façon de rire des ridicules.

Elle dit :

— Maintenant, il faut que je parte. Vous voyez que je ne vous ai pas mangé. Je vous reverrai demain ?

— Demain, entendu. Ici.

Ils se lèvent, tout à coup silencieux. Il se dit qu'il faut qu'il l'embrasse, sans quoi, de quoi aurait-il l'air ? Il s'approche, elle le regarde, il ne sait pas ce qu'elle pense, vite il la prend, il la serre, il pose ses lèvres sur les siennes, il l'entend haleter un peu, elle a fermé les yeux, les bras raides allongés le long de son corps, il la lâche, se tourne, s'en va en courant, sans dire un mot

Il n'a pas fait vingt mètres qu'elle l'appelle :

— Fifi !

Il avait oublié de lui donner la lettre.

Jean, de nouveau, guette à la fenêtre. Tous les jours, entre une heure et deux heures, il monte au dortoir avec Fiston et Tudort. Barbe s'est habitué à ne plus les voir à l'étude. Jean, le buste dans la rue, guette l'apparition de Marie. Elle n'a pas répondu à sa lettre. Jacqueline lui a demandé, elle a dit qu'elle ne répondrait pas. Jean est ravagé d'angoisse. Il lui a écrit de nouveau pour lui demander pardon de son audace, il a déchiré la lettre, il ne sait plus que faire.

Elle m'en veut, elle me déteste, elle se moque de moi, elle l'a déchirée sans la lire, elle l'a lue et elle a ri, elle a peur, elle est vexée, elle s'en fiche...

Il guette. Il connaît maintenant les habitudes de la rue comme si elle était sa maison. L'Auvergnat, marchand d'antiquailles, la porte de sa remise-boutique grande ouverte, fait cuire des pommes de terre à l'eau sur un réchaud posé sur le marbre d'une coiffeuse. Decauville, le facteur, rentre harassé de sa tournée du matin. M. Lhoste le coiffeur, à une heure et demie juste, sort pour une courte promenade avec son fils et sa fille, tous les trois bruns, les cheveux collés en raie au milieu, et le nez crochu.

Le quatrième jour, la porte de l'école s'ouvre et Marie sort. Jean crispe ses mains sur la pierre de la fenêtre, il ouvre la bouche, il voudrait l'appeler, il se tait.

Immobile sur le trottoir, elle regarde à droite, à gauche, lève les yeux comme pour s'assurer qu'il fait beau, se décide, descend la rue. Elle va passer devant le collège, sous les yeux de Jean. A quelques pas de la porte, elle ralentit. Il en est sûr, elle ralentit. Et quand elle passe devant, elle tourne la tête, vite, elle regarde dans la cour. Puis elle se hâte. Elle court presque, elle est au bout de la rue.

Jean bondit vers Fiston, lui arrache des mains son livre qu'il jette à travers le dortoir, saute de lit en lit, tombe sur son copain, le bourre de coups de poings, crie : « Elle a regardé! Elle a regardé!... »

Il roule à terre avec Fiston, se relève et sort en courant.

— Alors, celui-là, dit Tudort, il est bien malade!

« *Vous avez regardé! Je vous guettais. Mon cœur était dur comme les pavés où vous posiez vos pieds. En passant devant la porte de notre vieux bahut, vous avez tourné la tête et regardé. C'était moi que vous cherchiez. Ce geste m'a rendu la vie...* »

Il lui dit qu'il l'aime, qu'il l'aime, qu'il l'aime, et qu'il voudrait le lui répéter toute sa vie, même si elle ne doit jamais lui répondre. Il lui parle du coucher du soleil sur le Gardant, quand tout le ciel et les montagnes sont enflammés de pourpre, et il lui dit que toute cette passion, tout ce feu, il les porte en lui, « et c'est vous que j'aime, Marie, ma Marie... »

Maintenant, Fiston et Jacqueline Vibert se tutoient. A la troisième rencontre, il a commencé à lui donner des coups de poings, et à l'appeler Sophie. Il ne l'a plus embrassée. Quand il la quitte, elle ferme à moitié ses yeux un peu myopes pour le voir plus longtemps, plus loin. Elle cesse de rire.

Jean a écrit quatre nouvelles lettres. Elle ne répond pas. Sophie ne sait pas ce qu'elle pense. Elle dit « Merci » quand elle reçoit la lettre, et rien de plus, sans donner signe d'intérêt ou d'ennui. Jean décide de la rencontrer, de lui parler. Il aurait bien voulu, avant, recevoir d'elle ne fût-ce qu'un mot qui lui permît d'espérer, qui lui donnât du courage.

Quand il écrit, il a le temps de réfléchir et de se reprendre, il est seul avec les mots, il peut imaginer qu'elle est heureuse d'entendre ce qu'il lui écrit. Quand elle sera là vraiment, en face de moi, et que je tremblerai d'amour, et que j'aurai tellement envie de poser mes mains sur elle, pour savoir enfin sa chaleur dans mes paumes, pour donner vie à son image, quand je ne saurai que dire tant j'aurai peur et joie, peut-être au premier geste, au premier essai d'une phrase, elle va rire ou se fâcher.

Où la voir, comment la rencontrer ?

Fiston propose :

— Jeudi, on les suit à la promenade. Je vais dire bonjour à Julie Chardonnet. Je m'arrange pour passer près de Marie. Je lui souffle : « Jean est là, à tel endroit, il vous attend. » Si elle vient pas, j'y retourne et je lui dis : « Si vous ne venez pas, il se tue. »

Jean se dit : « Je me mettrai à genoux devant elle, dans l'herbe et dans les fleurs. Je lui prendrai les mains et je lui dirai : " C'est moi, Jean. C'est moi qui vous ai écrit ces lettres. Si elles vous ont fâchée, je vous demande pardon. Mais ce que je vous ai écrit, je suis prêt à vous le dire jusqu'au dernier jour de ma vie ". »

Le jeudi à la file derrière les autres jours de la semaine arrive. Jean l'a attendu, espéré, redouté.

De mercredi à jeudi, une nuit pleine de sommeil, malgré l'attente, malgré l'espoir et l'inquiétude.

Jeudi. Quelle sera aujourd'hui la couleur du soleil ? De quel or fin va-t-il émerveiller les heures de ce jour ? Jean s'éveille à l'aube. Il écoute, s'assied dans son lit. Il se penche vers le lit de Fiston et le secoue.

— Fiston, mon vieux, écoute, écoute ! Il pleut !...

— Quoi ?

— Il pleut !...

Fiston, réveillé, se redresse, écoute.

— C'est rien, dit-il, pluie du matin n'arrête pas le pèlerin.

Et il se recouche.

Il pleut, pas de promenade. Jean cache son visage dans son traversin. Il imagine la rencontre qui n'aura pas lieu. Tout va bien. Marie l'aime, il l'embrasse sur les lèvres. Après... Après il ne sait pas ce qu'il fera. Il recommence tout.

La pluie, le vent, l'éclaircie, la pluie. A midi, il fait beau.

— Elles iront ! Elles iront ! crie Fiston. Va te coiffer.

Avec tes cheveux frisés, tu as l'air d'un marchand de paniers.

Jean monte quatre à quatre les marches de l'escalier du dortoir, accroche à l'espagnolette sa glace ronde, se regarde, prend peur. Pourquoi l'aimerait-elle? Ce visage ordinaire, ce bouton sur la tempe gauche, cet autre qui va fleurir au bout du menton, ces cheveux de sauvage...

Il se plonge la tête dans l'eau et ratisse ses mèches bouclées qui refusent de se laisser aplatir. Il fouille dans la table de nuit de Hito, trouve un tube de cosmétique, se plaque une serviette de toilette sur le crâne, la noue aux quatre coins.

Fiston le rejoint, la bouche pleine.

— Pourquoi t'es pas venu manger?

— Tu parles, comme j'ai envie de manger!

Un grand voile, tout à coup, obscurcit les fenêtres. Les deux garçons courent voir le temps. Un énorme nuage chargé d'explosif écrase le soleil, roule, vers le Nord, à la poursuite d'un coin de ciel bleu, crache le feu et la mitraille. La grêle crépite sur les verrières du préau. Les grains blancs dansent sur les rebords des fenêtres, rebondissent, roulent sur le plancher du dortoir.

— Elles iront pas, soupire Fiston.

Il s'assied découragé sur le bord de son lit. Jean arrache sa serviette.

Fiston hume. Il dit :

— C'est dommage, tu sentais bon.

La grêle s'arrête. Un rayon de soleil viole un accroc du nuage, illumine d'énormes gouttes que le vent emporte en biais par-dessus les toits. La porte de l'École supérieure s'ouvre. Le serpent de filles, sous les écailles ondulantes des parapluies, se glisse dans la rue et la descend. Un parapluie tout seul, derrière : Marie.

— On aurait dû y penser, dit Fiston, elles vont au cinéma. Allons-y...

— J'ai pas le sou, dit Jean.

— J'en ai, dit Fiston.

Le jeudi après-midi, M. Juillet, propriétaire du Grand Cinéma, donne une séance à prix réduits pour les enfants. Il s'est procuré, pour ces représentations, un stock de films depuis longtemps retirés de tous les circuits, drames muets sonorisés après coup, dont les héroïnes portent des robes qui datent de vingt ans, documentaires galeux, courts métrages comiques avec tarte à la crème, dessins animés de Félix le Chat. Il repasse les mêmes à peu près toutes les six semaines. Les enfants de la ville les connaissent par cœur. Ils interpellent les acteurs, les préviennent de la catastrophe, leur crient des conseils et se moquent d'eux. Bientôt, sûrement, peut-être la prochaine fois, les acteurs leur répondront.

Mme Juillet repose sa poitrine sur la caisse et la couvre en partie. Elle est coiffée, été comme hiver, d'un chapeau noir à larges bords, surmonté d'un bouquet multicolore, épanoui en fusée. Elle délivre les billets, et M. Juillet les contrôle à l'entrée. M. Juillet porte son veston sur son bras. Il ne le met que par grand froid, mais ne s'en sépare jamais, à cause de son portefeuille, de sa pipe, de sa blague à tabac et des allumettes, qui sont dans les poches. Petit et maigre, l'œil triste derrière des lunettes à monture de fer, coiffé d'une casquette grise, il est enfoncé dans son pantalon que ses bretelles lui tirent jusqu'aux omoplates. A quinze heures, il se transforme de contrôleur en opérateur, monte dans la cabine et met en marche l'appareil de projection. Mme Juillet perçoit l'argent des retardataires sans leur délivrer de billet. C'est pour sa petite caisse personnelle, pour s'acheter des bas.

— Entre le premier, dit Jean. Installe-toi et garde-moi une place derrière Marie, si tu peux.

— Pourquoi tu viens pas tout de suite?

— J'aime mieux pas. C'est comme ça.

C'est comme ça, il ne sait pas pourquoi. Il voudrait lui parler, tout lui dire et lui demander, et en même temps il redoute le moment qu'il souhaite. Ce matin, en même temps qu'il maudissait la pluie, il était presque soulagé de l'entendre. Maintenant, au moment d'entrer, il hésite. A travers le mur lui parvient la clameur — rires, sifflets, cris, injures — qui salue le documentaire sur la récolte des citrons à Cannes, ou les champs de tulipes de Hollande.

Il se décide, il entre. Non, ce sont les sports d'hiver. Les champs de neige diffusent dans la salle une clarté grise. Il y a peu de monde : deux douzaines de gamins sur les bancs de bois des secondes ; après un désert de quelques rangs, les robes de l'E. P. S. alignées en premières ; et disséminées parmi les réservées, les familles bourgeoises. Papa et maman ont accompagné le petit garçon au cinéma. Ou l'y ont traîné. Il préférerait jouer au maquis sur la place Gambetta, se coucher derrière les vieilles autos sans roues abandonnées sous les marronniers et faire — trrra-rra-rrra-rra-rra — le bruit de la mitraillette. Mais papa maman aiment le cinéma.

Jean aperçoit un bras qui se lève. Il gagne — pardon, monsieur, pardon madame — le siège que Fiston lui a réservé, s'assied. Fiston lui dit dans l'oreille : « C'est elle, juste devant toi... »

Sur l'écran, la pampa succède à la mer de glace. Des cavaliers s'enfuient, laissant derrière eux un ranch incendié. Ils emportent une fille blonde qui perd son chapeau cloche, et dont les longs cheveux s'épandent sur le flanc du cheval. Un héros à sombrero saute sur son mustang et s'élance à la poursuite des bandits. Il les rejoint, au moment où d'un revers de main ils essuient leur moustache, dans un saloon où ils se sont arrêtés pour boire du whisky dans des verres à bière. Une terrible bataille s'engage. Les gosses des secondes trépignent.

— Tue-le!

— Attention derrière toi!

— Cogne dessus, vas-y!

Ils s'agitent, se lèvent, grimpent sur les bancs, donnent des coups de poing dans le vide, poussent des clameurs, bouchent de leurs ombres chinoises tout le bas de l'écran. Les Premières doivent à leur tour se lever pour assister à la fin de la bagarre. Les Réservés crient : « Assis! Assis! » sans se faire entendre. Les petits garçons grimpent sur les dossiers, les papas et les mamans, en protestant, se hissent aussi. Les revolvers tonnent, les garçons hurlent, les filles crient, les bourgeois n'osent, les chaises grincent, les murs résonnent, le plafond tremble, l'épicière, avec un cri terrible, s'effondre au milieu des débris de son siège, juste au moment où le héros, secouant une meute d'ennemis qui s'aplatissent parmi les tables renversées, voit le traître moustachu s'enfuir, la belle évanouie dans ses bras.

« La suite à la semaine prochaine », dit l'écran en

lettres tremblantes. Mais les habitués de la salle savent bien qu'ils ne verront jamais la suite. M. Juillet ne la possède pas.

C'est l'entracte. Lumière. Les gens sérieux se calment et se rasseyent. Les garçons des secondes entament une partie de billes devant l'écran. Jean n'a rien regardé d'autre que le petit chapeau de Marie. Pas plus que lui elle ne s'est levée. Il s'est penché vers elle, jusqu'à toucher de son front les boucles qui roulent sur ses épaules. Parfois il avançait ses mains ouvertes, prêt à les poser sur les épaules sombres devant lui dans l'obscurité grise. Ce serait si facile. Un geste est plus facile qu'une phrase. Rien ne le sépare d'elle, pas même la lumière. Puis il se reculait, fermait ses poings, fermait ses yeux, murmurait : « Marie, Marie » tout bas pour qu'elle ne l'entendît pas, imaginait qu'elle l'entendait quand même, qu'elle se retournait, et quand il rouvrait les yeux elle n'avait pas entendu, pas bougé.

Entracte, lumière. Jean se lève. Il veut voir d'elle autre chose que son dos. Appuyé au mur, à quelques pas d'elle, il bavarde avec Fiston, il la regarde de profil. Hito est là aussi, il est venu avec les jumeaux. Il vient les rejoindre, offre des cigarettes. Jean ne sait pas très bien fumer. La fumée lui monte dans le nez et les yeux. Il tousse, il pleure d'un œil. A travers la larme et la fumée, il regarde Marie. Elle a posé sur ses genoux son petit sac à main, une pochette de cuir usée. Elle l'ouvre. Elle tire un papier mauve. Jean se redresse, jette sa cigarette..

Sa lettre, c'est sa lettre! Elle la lit, la relit, la plie, en tire une autre. Elle les lit toutes, les remet dans son sac, soupire.

— Viens, dit Jean à Fiston.

Il l'entraîne au bar. C'est une planche posée sur des tréteaux, dans une pièce adjacente. Mme Juillet, sans quitter son chapeau, ceinte d'un tablier blanc devant sa robe rose, sert des jus de fruit tièdes, et des sodas saccharinés.

Jean s'installe à un coin de la table, tire de sa poche un crayon et un carnet dont il déchire une feuille, puis une autre. Il écrit :

« *Marie, vous êtes un ange du ciel. J'étais dans l'ombre derrière vous, si près de vous, tout contre vous, sans oser vous dire que j'étais là, moi qui me sens assez courageux pour me battre contre les montagnes s'il le fallait pour vous gagner. J'étais là dans l'ombre toute rayonnante de votre présence, au milieu de ces fous qui ne savaient pas qu'il n'y a que vous au monde et que le reste n'a pas d'importance. Marie j'étais là et je vous aime, et je n'ai pas pu vous le dire, et je veux vous le dire, et je veux, je veux savoir si vous m'aimez aussi, vous qui ne me connaissez pas. Je ne peux plus rester là, je crierais, je vous prendrais, je vous emporterais... Je m'en vais. Je vous attendrai dimanche entre deux heures et trois heures au bois du Garde Vert. Je vous attendrai. Vous viendrez, je sais que vous viendrez. Vous ne pouvez pas ne pas venir, le jour ne peut pas ne pas se lever. Je vous aime à la folie. Jean.* »

Il a donné son billet à Fiston.

— Passe-le-lui.

— Mais comment ?

— Débrouille-toi, tu n'es pas un gamin !

Il est parti en courant sous la pluie.

M. Juillet ne reprend la séance qu'après avoir vendu
ses sucettes. Il les vend cinq francs. Il faut qu'il en
vende vingt. Elles sont pur sucre, d'avant guerre. Mais
il les a conservées à côté de son savon. Elles en ont
pris le goût. Sa boîte à confiserie accrochée sur son
ventre, son veston passé dans ses bretelles, il va d'un
rang à l'autre, propose sa marchandise. Les enfants
frappent des pieds. Ils ont hâte de voir le film comique.
Les parents ne se décident qu'après avoir fini leurs
conversations. On achète les sucettes quand on a
échangé toutes les nouvelles de la famille avec la
voisine. On suce un peu, on crache dans l'ombre. Au
milieu, elles sont meilleures. On s'y habitue.

A dix minutes de la ville, vers l'ouest, vers la vallée plus large et la plus grande lumière, le bois du Garde Vert dresse ses pins autour d'une maison abandonnée. Construite au début du siècle, elle n'a jamais été occupée, et personne ne sait à qui elle appartient, sauf peut-être un notaire qui se tait. Peu à peu, les arbres se sont rapprochés d'elle, les branches ont écaillé son toit, le vent a ouvert les volets, les champignons ont mangé la porte, les petits animaux logent dans les cheminées et les placards.

Jusqu'à la guerre, elle a servi de relais aux chemineaux qui gagnaient la montagne à la même époque que les grands troupeaux et en redescendaient aux premiers froids. Mais aucun d'entre eux n'y couchait plus d'une nuit. Après l'armistice, un groupe de réfractaires s'y est installé. Moins d'une semaine plus tard, un message de Londres leur donnait l'ordre de l'évacuer. Quand les Allemands envahirent la zone sud, ils firent commencer des travaux pour rendre la bâtisse habitable et y loger des blessés. Les travaux furent interrompus un matin, jamais repris.

Une allée bordée de rosiers part de la route et serpente vers le cœur du bois. Le portail qui en défendait l'accès pourrit dans le fossé. Entre qui veut.

Assis dans l'herbe, près du portail, Jean attend Marie. Il n'a point de montre, mais il connaît la marche du soleil. Il a écrit « Je vous attendrai jusqu'à trois heures. » Il est quatre heures. Il attendra jusqu'à la nuit.

Sur la route blanche de lumière, Marie débouche tout à coup, délivrée par le tournant. Jean se lève, se jette en arrière à l'abri des premiers arbres. Il la regarde venir, bleue sur la route. Elle tient à la main son petit chapeau blanc. Tête basse, elle se hâte. Elle marche à pas rapides, court quelques mètres, recommence à marcher. Elle ne regarde ni devant ni autour d'elle. Elle ne regarde que la route sous ses pieds, la route qui la mène vers celui qui l'appelle. Elle court. Elle ne sait pas vers qui, vers quoi elle court, mais elle se hâte. Il l'appelle depuis des semaines. Elle ne le connaît pas. Angoissée, impatiente, le front rouge, elle voudrait arriver déjà au bout des quelques pas qui restent. Elle a résisté deux heures, mais elle est venue. Elle court. Elle vient sans savoir qui elle va trouver, sans savoir ce qu'elle va dire, faire. Il fallait qu'elle vînt, peut-être pour dire qu'elle ne viendra pas, et qu'il doit cesser de l'appeler ainsi, avec de tels cris, parce qu'elle veut dormir la nuit, vivre le jour, ne plus entendre ces mots qui la bouleversent.

En partant, il a jeté sa veste sur son lit. Il est vêtu de son pantalon de coutil que serre une ceinture de cuir, et d'une chemise kaki avec des poches, les manches coupées à hauteur des coudes.

Elle arrive dans l'ombre des arbres, lève la tête. Elle s'arrête. Il est debout devant elle. Un rayon de soleil descend sur lui. Ses cheveux brillent comme du bois taillé. Des étoiles brillent dans ses yeux. Il tend ses deux bras vers elle. Il dit doucement : « Marie »... Le plus long doigt de sa main droite est taché d'encre bleue. Elle regarde cette tache, ces mains, ce visage qui l'attendent. Elle se calme. Elle est encore essoufflée, mais elle n'a plus peur. Maintenant, elle est là.

Sans savoir pourquoi, simplement parce qu'il tend les mains, elle lève à son tour la sienne et la pose sur une de celles qui se tendent. Ils se regardent. Ils ne savent que dire, ni l'un ni l'autre. Elle attend qu'il parle, et lui, tous les mots, tous les gestes auxquels il avait pensé, il ne pense même plus à les retrouver.

Il dit : « Comme vous avez chaud! » Elle dit : « C'est que j'ai couru... » Ils se sourient après ces mots comme des gens qui se connaissent. Parce qu'ils se connaissent, elle doit bien se tenir, elle veut retirer sa main, mais il la tient. Il la tient par la main, et la conduit dans l'allée que bordent les rosiers.

Les rosiers n'ont plus été taillés depuis la mort du Garde Vert. Les vigoureux ont étouffé les faibles, jeté leurs lianes à l'assaut des arbres, entremêlé leurs bras en fourrés inextricables fleuris de toutes les sortes de roses. Rongée par leur exubérance, l'allée s'est réduite en chemin barré parfois d'un pont de griffes et de fleurs. Jean et Marie se courbent, passent sous la voûte qui accroche leurs cheveux. Il ne lâche pas sa main.

Le monde des hommes derrière eux s'est fermé. Ils sont seuls avec les abeilles, les guêpes aiguës, les bourdons bleus, avec les lézards, les oiseaux et les insectes cuirassés. Leur passage brasse les parfums des lourdes roses roses qui n'en finissent plus de s'ouvrir jusqu'au dernier pétale, des roses de velours au cœur sombre, des roses blanches jeunes filles, des roses de sang, de chair, de neige, roses de feuilles d'or.

Jean dit doucement : « Marie, vous êtes là... » Dans un buisson deux bouvreuils se bousculent, s'envolent, sèment des pétales au vent de leurs ailes. Une chenille verte, somptueuse, hérissée de mille soies d'or, portant deux cornes de jade en tête, un épi de cristal sur chaque anneau et un éperon de rubis en dernier panache, chemine en travers de l'allée. Reine solitaire en manteau de sacre, majestueusement ignorante de sa splendeur, elle rampe vers l'arbre, vers la branche où elle s'endormira au bout d'un fil pendue, pour se réveiller oiseau.

Marie la voit, s'arrête. « Oh! regardez!... » dit-elle. Jean répond : « Je ne regarde que vous ». Marie lève les yeux vers lui, puis baisse la tête. Ils repartent.

Ils arrivent au bout du chemin. Sous leurs pieds, un tapis d'aiguilles remplace le gravier. Au-dessus de leurs têtes, les pins parasols ouvrent très haut leurs branches horizontales. Le soleil, filtré par eux de sa brutalité, tombe vers le sol en lumière claire qui permet d'ouvrir grands les yeux. Un chaud parfum de résine se mélange à ses rayons diffus. Dans un jet de soleil danse un ballet de moucherons. On entend, loin, le chant des cigales. Ici, les bêtes qui marchent ne font point de bruit. Jean et Marie avancent entre les troncs roses, à pas muets comme s'ils étaient pieds nus.

Jean s'adosse à un pin, et prend dans son autre main l'autre main de Marie. Le silence autour d'eux si grand l'oblige à parler à voix basse, à chuchoter presque.

— J'avais peur de ne pas avoir de courage, de ne pas oser vous dire, mais c'est si simple... Marie je vous aime. Sur ce printemps, sur ce soleil, je vous jure que je vous aimerai jusqu'à la mort.

Il la tire doucement vers lui. Elle vient doucement jusqu'à lui. C'est ici une telle paix, une telle chaude quiétude. Elle le voit dressé contre l'arbre, mince et droit comme l'arbre. Elle est trop près maintenant pour le voir. Elle soupire, abandonne sa tête sur l'épaule dure et large.

Il ferme ses bras sur elle. Il lève les yeux vers les arbres. Sa joie jaillit de ses yeux, perce le ciel, brûle le cœur de Dieu de gratitude.

Il se penche vers elle, il l'embrasse, comme il a vu faire au cinéma.

Elle courait en venant. Elle court en s'en allant. Elle a peur, elle a joie. Elle ne sait pas qui il est. Il est beau. Elle ne sait pas ce qu'elle a fait, pourquoi. Il est beau, il rayonne. Il est chaud. Elle ne le connaît pas. Jean. Elle court. Elle s'arrête. Elle ferme les yeux. Elle le voit. Il est gravé dans sa tête. Il sourit. Ses yeux sont d'or.

J'ai vu Marie, revenue du rendez-vous, achever sa journée dans un état de distraction fiévreuse, inattentive à la fuite du temps et au cours familier de sa vie. Je l'ai entendue demander à sa mère de répéter une question et oublier de lui répondre. J'ai touché ses mains brûlantes, effleuré ses lèvres gonflées. Mais comment saurais-je ce qui se passe dans sa tête?

Elle a cassé son peigne en essayant de se coiffer, elle a jeté les morceaux et s'est couchée ainsi, sans poursuivre sa toilette, hâtivement dévêtue. négligeant de mettre son vêtement de nuit. Elle s'est tournée et retournée dans son lit, elle allongeait et repliait ses jambes à la recherche d'un coin frais, mais la chaleur était en elle, et ses jambes brûlaient les draps.

Elle vient de s'endormir. Elle a oublié d'éteindre à son chevet la lampe. Elle est couchée sur le côté. Je me penche vers elle, je la regarde avec tendresse. C'est moi qui l'ai faite. Je l'ai voulue belle, et fraîche, et pure. De fines gouttes de sueur perlent sur sa tempe, ombrée par quelques cheveux fous que tord la moiteur de la nuit. Son nez fin aux narines fragiles est presque enfoncé dans l'oreiller que sa bouche s'apprête à mordre ou à baiser. Comment saurais-je quelles images se déroulent dans sa tête? Elle est fille, je suis un homme. A peine créée, elle a échappé à ma tutelle pour gagner un monde où je n'ai point accès. Comment un homme saurait-il ce que pense une jeune fille, éveillée ou endormie?

Elle a passé quatre ans dans un pensionnat d'Avignon. Elle a entendu parler de beaucoup de choses. En pension, elle en a même vu qui ne l'ont point tentée. Elle est pure, parce qu'elle est saine. Mais comment saurais-je ce qu'elle pense, quand elle-même, poussée par les grandes forces de la vie, freinée par l'éducation, ne saurait discerner ce qu'elle craint de ce qu'elle désire?

Je connais bien Fiston. Nous avons tous eu un ami à sa ressemblance. Je commence à connaître Tarendol, un peu mieux à chaque page, à mesure que l'amour l'anime. Je sais maintenant de quelle flamme il peut brûler, avec son sang d'homme et son innocence d'enfant.

Mais devant Marie, je me trouve ignorant comme un père.

Elle a chaud. Ses épaules rondes et ses bras minces hors des draps, elle se retourne, soupire, se découvre un peu plus. Je n'ai pas de peine à deviner la montée, en elle, des sourdes brumes du printemps. Je me trouble à la regarder, si belle, sans défense contre mon regard. Pourquoi m'attarder? Je n'en saurai pas davantage. Elle s'est enfuie de moi, elle m'est désormais secrète. Ce qu'elle veut, ce qu'elle

136

sent, ses actes me le diront. Je la connaîtrai comme la connaîtront ceux qui l'aiment, et celui qui l'aime le mieux : Jean Tarendol. Ce qu'il saura d'elle, nous le saurons tous. Peut-être en saura-t-il plus qu'elle-même.

M. Cordelier arrive, tourne sous le préau en rasant la mur, la tête basse, un peu penchée sur une épaule, une serviette maigre serrée sous le bras. Ses collègues, groupés près de la porte de l'escalier, bavardent en attendant la cloche de neuf heures. Cordelier ne dit bonjour à personne, monte directement dans sa classe. Il est petit, vêtu d'un costume bleu marine taché de taches claires et de taches sombres, en maints endroits. Il ne parle à aucun de ses collègues. Il a honte. Honte de lui. Il est peut-être le plus intelligent des professeurs du collège. Et c'est pourquoi il a honte. Il se voit tel qu'il est, raté, écrasé, fini. Il a trente-cinq ans. Maintenant, c'est trop tard. Il ne lui reste plus que le souvenir de ses ambitions, et la certitude qu'elles sont bien mortes. Il est petit, maigre, brun. Une mèche de cheveux gras lui traverse le front en oblique. En plus de ses cours réguliers de sciences naturelles, M. Chalant l'a chargé de faire les math aux sixièmes, la physique et la chimie aux quatrièmes, et l'espagnol seconde langue à une demi-douzaine d'élèves de rhéto. Quand un des répétiteurs manque, M. Chalant,

cordial, souriant, lui demande de le remplacer. « Vous
me rendrez bien ce service ? » M. Cordelier ne répond
même pas, hausse l'épaule vers laquelle sa tête penche. Il sait qu'il est faible, lâche, qu'on abuse de lui,
qu'on peut tout lui demander.

La cloche sonne. Vibert essoufflé rattrape les philo
dans le couloir, tend une lettre à Jean, file rejoindre sa classe.

A peine ses élèves ont-ils le temps de s'asseoir,
M. Cordelier, déjà, commence à dicter. Les studieux
s'efforcent de le suivre, sautent des phrases, qu'ils
essaieront de reconstituer chez eux. Les autres gri-
bouillent n'importe quoi. Leur geste suffit à M. Cordelier. Il ne vérifie jamais. Jean, de la main gauche,
déchire l'enveloppe dans sa poche. Sa main droite,
trace, à toute vitesse, des lignes illisibles.

Ce sont ses notes d'étudiant que dicte M. Cordelier. Il n'a pas le loisir de préparer ses cours. Quand
il rentre chez lui, il trouve sa femme telle qu'il l'a
quittée deux ou trois heures plus tôt, en peignoir
et en savates, les cheveux dans les yeux. Elle a poussé
les bols du petit déjeuner ou les assiettes du repas
de midi, dégagé de la table assez de place pour éta-
ler ses cartes. « Une, deux, trois, le facteur — Une,
deux, trois, à la nuit — Une, deux, trois, la maison
— Une, deux, trois, une femme noire... Une deux,
trois, ... qui me veut du mal... »

Jean a tiré la lettre de sa poche, l'a posée sur son
cahier.

Mme Cordelier voudrait bien savoir qui est cette
femme noire. Tous les jours elle la retrouve dans son
jeu. Elle accuse Mme Chalant, les femmes des professeurs, sa belle-mère qu'elle a mise à la porte, sa

propre sœur qui habite Naples. M. Cordelier épluche les légumes, lave la vaisselle sous le robinet d'eau froide, débarbouille son fils, un braillard de trois ans qui vit sous les meubles. Le soir, il fait la lessive dans le lavabo. Mme Cordelier retrouve chaque jour le même avenir ; elle s'obstine à désirer la fortune, les voyages, l'héritage, la grande aventure. Le même avenir médiocre qui passe tous les jours de ses mains dans les cartes les a salies, écornées, a écorché d'un trait noir l'œil de la dame de pique, vernis de gris le rouge des cœurs. Son mari n'a pas besoin des cartes. Son avenir, il le voit en ouvrant la porte de sa maison. Au collège, il dicte, pendant des heures. C'est ce qu'il a trouvé de mieux. Cela l'empêche de penser à ce qui l'attend, et de prendre un plaisir quelconque à son travail. Plaisir, et regret du plaisir plus grand qu'il aurait goûté à poursuivre ces études qu'il aimait. Il s'est laissé épouser quand il venait de finir sa licence. Il a espéré pendant quelques années que sa femme allait changer, qu'il pourrait recommencer. Elle est devenue pire chaque jour. Maintenant, il n'a plus d'illusion, plus d'espoir. Il dicte, il dicte. Il s'interrompt tout à coup.

— Monsieur Tarendol, de qui vous moquez-vous ?

Jean a lu sur la lettre : « Jean, je crois que je vous aime aussi... » Il sursaute.

— Je me moque pas, monsieur !

— Alors, que signifie votre sourire ? Levez-vous quand je vous parle !

Jean a fermé son cahier sur la lettre. Fiston, doucement, le fait glisser vers lui, le remplace par le sien. Les autres garçons, heureux de l'entracte, s'étirent les doigts.

— Je me moquais pas, monsieur. Je souriais parce que je suis heureux...

— Heureux?...

Les yeux de M. Cordelier vacillent. Le mot l'a frappé comme une allusion personnelle, comme le mot « douche » gêne les gens sales. Il rougit. Il cherche à cacher son regard. Il fixe le mur, le tableau, il fait semblant de consulter ses notes, qui tremblent dans ses mains. Il se racle la gorge.

— Ce n'est ni l'endroit, ni le moment. Ça va bien pour cette fois, mais ne recommencez pas. Reprenons. La feuille du cerfeuil...

Heureux! Le mot trotte dans sa tête, perce des trous dans sa cervelle, descend dans sa poitrine, pénètre dans son cœur et s'y transforme en hérisson.

Heureux... C'est un mot qui paraît bien faible à Jean, bien banal, usé comme une pièce de monnaie qui a déjà servi à payer des milliers de dettes. Alors que pour lui c'est un univers tout neuf qui commence, avec un soleil frais fondu, des nuages blanchis, une déesse née de la nuit et du printemps.

M. Cordelier est rentré chez lui à midi. Il s'est baissé pour embrasser son fils assis à terre, parmi des débris de papiers et de chiffons. En se relevant, il s'est cogné la tête à la table. Sa femme, d'une voix lasse, lui a dit : « Tu peux pas faire attention? » Il est allé se rincer les mains, parce que son fils sentait l'urine, puis il est descendu à la cave, chercher des pommes de terre. Il a empli son panier. Il est remonté. Au milieu de l'escalier, il s'est arrêté, il a réfléchi une seconde, il a posé son panier sur les marches, il est redescendu. Il a regardé la voûte, il s'est décidé. Il y a là-haut un piton auquel on accrochait d'habitude le jambon. Il va chercher quelques briques, dans un coin de la cave, il en dresse une pile. Il monte sur les briques qui chancellent. Il accroche sa ceinture au piton par un nœud, après avoir quitté son veston et son gilet. Il passe sa tête dans la boucle de la ceinture. Peut-être déjà regrette-t-il, mais c'est trop tard, les briques s'écroulent. Ses jambes s'agitent, son pantalon glisse, tombe à terre. La lumière du soupirail éclaire les pans de sa chemise. Elle est blanche. C'est lui qui l'a lavée. Il est calmé. Il tourne doucement, à droite, à gauche.

Sa femme ne sait pas qu'il est allé chercher des pommes de terre. Elle l'a attendu tout l'après-midi. Elle ne sait pas que les pommes de terre sont à la cave. Les cartes lui disent qu'il est parti avec la dame noire.

Heureux. Jean ignore que son bonheur a aidé le misérable à trouver sa délivrance. On a connu le lendemain matin, au Collège, ce que M. Chalant a nommé « la tragédie ». Les professeurs réunis dans son bureau hochent la tête.

— Qui aurait cru ?

— On savait bien qu'il avait des ennuis, mais de là à faire ce geste...

— Pourquoi ne nous a-t-il rien dit ? Nous aurions pu l'aider...

— Il me devait deux cents francs...

Ce dernier éprouve une véritable émotion. Ses deux cents francs se confondent avec le disparu. Par la perte qui le touche, il prend conscience de la mort. Les autres sont seulement un peu vexés que ce médiocre ait ainsi réussi à attirer l'attention et la pitié. M. Chalant leur demande une cotisation pour une couronne. Ils mettent la main au gousset, soulagés. Ils ne lui devront plus rien.

L'excitation est grande parmi les élèves. Les grands font semblant de ricaner, les petits frémissent.

— Il paraît, dit Vibert, que sa femme le battait avec une tringle à rideaux.

Ils vivent une époque où la vie et la mort n'ont pas grande importance. Sous le règne de la mitraillette et de la bombe, on s'habitue à voir disparaître les gens brusquement. Mais pour ces garçons, M. Cordelier n'était pas un homme comme les autres. C'était un professeur, un être supérieur, qui savait tout ce qu'il leur restait encore à apprendre, et bien d'autres choses, qui possédait autorité sur eux, commandait, enseignait et punissait, dont on devait croire les paroles, et qu'on n'imaginait pas susceptible d'attraper la grippe comme tout le monde, encore moins de mourir.

— Moi, dit Tudort, à sa place, c'est ma femme que j'aurais pendue.

Jean se demande comment on peut se tuer quand la vie est si belle. Pour ses élèves, en se tuant, M. Cordelier a perdu son mystère. Il a quitté l'Olympe des professeurs. Il est redevenu homme. S'il fait une classe aux enfers, il sera chahuté.

M. Chalant est désolé. Il a perdu un professeur bien complaisant.

Jean parviendra-t-il entier au bout de cette guerre?
Pour être sûr de son destin, il faudrait que je fusse
sûr du mien. Quand les cloches sonneront la fin de
cette guerre, nous saurons que les hommes en pré
parent déjà une autre, mais nous aurons quelques
années de répit, nous pourrons faire semblant de croire
à l'avenir, bâtir des projets pour la saison prochaine.
Maintenant, nous travaillons à l'heure. A la tâche de
chaque instant nous ne sommes pas sûrs de relier celle
de l'instant qui vient. La nuit dernière j'ai dû ranger
en hâte mon manuscrit, descendre à la cave, mon fils
endormi dans mes bras, et Tarendol, cet autre fils,
plié inachevé dans ma serviette. Un avion tournait
sur la ville et laissait tomber une bombe par-ci, par-là.
De ceux qui se sont trouvés par-ci, par-là, la vie s'est
terminée.

Je voudrais pourtant conduire ce garçon jusqu'au
bout de l'aventure. Pour l'instant, le sort du monde
le préoccupe bien peu. Il a revu Marie. Elle est sa
guerre et sa paix, son présent et son lendemain. Autour d'eux, la ronde des hommes s'agite, la foule
turbulente des collégiens, M. Chalant et sa mèche,

Mme Chalant ses mains sur son ventre, M. Château enfariné de craie, le professeur pendu, les répétiteurs, les familiers de la rue des Écoles, les habitants de Milon, les Allemands, les maquisards, les armées. Tout cela est bien petit, fourmis enragées ou grotesques autour d'eux. Ils s'aiment. Chacun d'eux voit l'autre aussi grand que Dieu. Ils sont immobiles rayonnants l'un devant l'autre au milieu de l'univers. Ils se contemplent. Ils sont seuls.

Sur le piano dont le vernis reflète le rectangle clair de la fenêtre, un napperon de dentelle est posé et sur le napperon un cache-pot de cuivre. Du cache-pot monte en cierge une plante verte neuve, ornée d'un nœud de ruban blanc épanoui. Mme Vibert a offert cet arbuste à sa fille pour ses dix-sept ans. Elle lui a dit : « Il vient des pays chauds. Soigne-le bien. Il lui pousse deux nouvelles feuilles chaque année. Il faut surtout pas oublier de l'arroser. Ça fleurit tous les cinquante ans, puis ça meurt. J'en aurais voulu un avec des piquants, mais il n'y en avait plus. » Elle a enveloppé son ventre d'un grand tablier, elle est rentrée en tourbillon dans la cuisine, elle a fait asseoir la bonne, elle lui a dit : « Surtout taisez-vous, ne dites rien, et ne m'embarrassez pas. » Elle s'est mise elle-même à la confection de la pâtisserie.

M. Vibert a essuyé ses moustaches avant d'embrasser sa fille. Il lui a demandé : « Qu'est-ce qui te ferait plaisir ? » Elle a baissé la tête et répondu : « Rien... » Il ne s'est pas demandé pourquoi une fille de dix-sept ans ne trouvait rien à désirer.

Jacqueline, debout près de la porte du salon, droite

et maigre, ses longs bras le long de son long corps, regarde avec rancune la plante verte qui se découpe sur la fenêtre comme une arête de poisson. Elle serre les poings, soupire, se tourne, ouvre la porte, crie : « Maman, tu sais, ils vont bientôt arriver ! » Mme Vibert trempe le bout du doigt dans la crème au chocolat et la goûte. Elle hoche la tête, entrebâille le four de la cuisinière. Une bouffée de vapeur odorante s'en échappe. Ce n'est pas encore aujourd'hui que ses enfants souffriront des restrictions, et l'anniversaire de Jacqueline sera bien fêté. Elle crie : « C'est prêt, ma cocotte ! ... »

Jacqueline hausse les épaules. Elle souffre de cette abondance, et du ventre de sa mère, et des bonnes joues rouges de son père, et de la plante verte, et de « ma cocotte » et de mille autres détails qui chaque jour la blessent. Elle souffre à la fois de l'injustice et du ridicule. Elle est à l'âge où l'on juge avec sévérité. Dans quelques années, elle se souviendra avec remords d'avoir pensé que ses parents étaient égoïstes et grotesques, alors qu'ils sont simples et se soucient surtout de la joie de leurs enfants. Leur richesse récemment acquise ne les gêne pas, ils la piétinent. Mme Vibert achète pour son mari des mouchoirs de fil fin. Lui crache dedans. Jacqueline est encore un peu la fillette qui joue à la dame, et elle trouve que sa mère joue mal. Elle lui voudrait des manières plus raffinées. Fille de commerçants, destinée à faire souche de bourgeois, elle accepte mal la transition. Elle devine que ce n'est pas une plante verte qui la guette, mais dix. Elle aime la musique et les belles choses. Elle doit la sûreté de son goût à la simplicité de son père et à la proximité de son ascendance villageoise. Son grand-père taillait des meubles dans d'épaisses planches de chêne et de noyer. Ce goût, cette petite flamme, que Jacqueline tient d'une lignée d'artisans soigneux, s'épanouira peut-être, si les circonstances s'y prêtent. Ou bien il s'éteindra, tué par la médiocrité des occasions. Jacqueline peut devenir une artiste tourmentée, sans cesse orientée vers de nouvelles recherches, comme une bourgeoise acariâtre qui change de bonne et de fournisseurs. Cela va se décider dans les deux ou trois ans, peut-être dans les quelques mois qui vont suivre. Cela dépend d'une rencontre, d'une lecture, d'une fleur ou d'une mayonnaise réussie.

Elle attend quelques camarades, garçons et filles, réunis par son anniversaire. Elle a fait inviter Tarendol et Fiston par son frère.

On boit le thé. Jean, assis sur le bord d'un fauteuil, une tasse fragile en main, est très mal à son aise. Jacqueline passe de l'un à l'autre, offre sandwiches, petits fours, tarte, pain d'épices. Jean accepte, remercie, s'évertue à faire tenir ces richesses en équilibre dans sa soucoupe. A peine a-t-il mangé l'une que d'autres arrivent. Il boit une gorgée de thé. Il trouve que ça a le goût de tisane. Il boit jusqu'au fond, en fermant les yeux. Comme pour un rhume. Jacqueline, généreuse, lui en verse une seconde tasse. Et puis voici la crème avec des biscuits. Jean prend l'assiette qu'on lui tend, ne sait que faire de sa tasse. Il aime bien la crème au chocolat. Il en a mangé quand il était enfant, avant la guerre, une fois ou deux. Mais en ce moment il préférerait se trouver dehors, seul, avec un morceau de pain sec.

Fiston brille de plaisir. Jacqueline lui choisit les plus grosses parts. Il mange, il boit, il mange.

Une douzaine de garçons et de filles qui viennent à peine de quitter l'enfance ; qui n'en ont perdu ni les manières ni la gourmandise ; qui parlent presque aussi fort qu'ils crient dans la cour du Collège ou de l'E. P. S. qui commencent à quitter les fauteuils et les chaises et à bousculer les objets. Une fille amoureuse et laide, trop grande, trop noire, trop maigre pour être jamais satisfaite. Un garçon qu'elle gâte, et qui ne pense qu'à manger. Un autre garçon amoureux, qui s'est débarrassé de ses assiettes, enfoncé dans son siège et, les yeux mi-clos, évoque l'image d'une absente.

— Marie ? Elle n'a pas pu venir. Bien sûr, je l'avais invitée, mais sa mère a fait dire qu'elle ne pourrait pas, qu'elle avait une surveillance. Je suis bien sûre que c'est pas vrai...

De temps en temps, Mme Vibert ouvre la porte, passe la tête, demande :

— Ça va, les enfants ?

Une clameur lui répond. Jacqueline a dit : « Nous serons entre nous, nous ne voulons pas des parents, tu nous laisseras seuls... » Sa mère a accepté, mais elle a obtenu que soit invité Albert Charasse. Il a un peu plus de quarante ans. Il est célibataire, garagiste. Il a pris un brevet pour des gazogènes et gagné beaucoup d'argent. Il vit en sauvage, à demi timide, à demi brutal, il a arrêté net sa voiture devant le magasin, il est entré. Mme Vibert était seule, il lui a dit : « Je voudrais votre Jacqueline. » Suffoquée, elle a répondu : « Mais vous êtes fou ! C'est une enfant ! Attendez au moins qu'elle soit grandie. » Les mères voient toujours leurs enfants au berceau. Jacqueline est déjà plus grande qu'un homme.

Pourtant, malgré son indignation, Mme Vibert n'a

pas dit non. De temps en temps, Charasse vient à la maison, après le dîner. Il reste une heure, il boit son café, il regarde Jacqueline et il s'en va. Jacqueline a dit qu'elle aimerait mieux se faire religieuse que d'épouser cet ours, malgré ses millions. Mais de sentir qu'un homme la veut lui réchauffe le cœur. « Je ne suis donc pas si laide ? » Il suffit qu'elle rencontre un miroir pour se sentir de nouveau glacée.

Elle a fait asseoir Charasse dans un coin du salon. Elle ne s'est plus occupée de lui. Elle parle, rit, se dispute. En quelque endroit du salon qu'elle se trouve, c'est Fiston qu'elle regarde, par-dessus une épaule, entre deux feuilles de la plante verte, dans la glace au-dessus de la cheminée.

Brusquement Charasse s'est levé, est parti, sans dire au revoir. Quand Jacqueline a vu sa chaise vide, elle a pensé : « Bon débarras ! » Mais elle s'est sentie moins sûre d'elle. Elle a interpellé Fiston de loin :

— Alors, Fifi, tu te sens mieux ?

Fiston a répondu :

— Dis donc, quand c'est que t'as dix-huit ans ?

Jean sort du collège comme il veut. Marie trouve des raisons ingénieuses de s'absenter. Elle est devenue habile à éviter les files d'attente. Elle sourit si gracieusement à l'épicier, au boucher, au marchand de légumes, qu'ils lui préparent ses rations et la font entrer par l'arrière-boutique. Les commerçants les plus hargneux perdent leurs griffes devant la joie dont elle rayonne. Tout ce temps gagné, c'est près de Jean qu'elle le passe. Ils se retrouvent au bois du Garde-Vert, à la Fontaine des Trois-Dauphins, derrière les roseaux du Gardant ou les fusains de l'Allée des Moulins.

L'image de la fille nue qu'il a découverte du haut d'un toit demeure, lumineuse, dans la mémoire de Jean, mais peu à peu s'éloigne, monte, comme la figuration intouchable d'une déesse. Marie, pour lui, c'est la jeune fille vêtue de bleu qui arrive en courant, emportée par le fou désir de le voir, et qui tout à coup s'arrête, à deux pas de ses bras ouverts, et n'ose plus bouger. Et qui ferme les yeux et tremble quand il l'embrasse.

Ils sont assis sur l'herbe ou les cailloux chauffés au soleil. Des bourdons, des abeilles, vont à leur tâche autour d'eux, effleurent leurs cheveux, chantent leur affairement, bousculent des fleurs paisibles.

Jean raconte son enfance, les souffrances et le courage de son père, la vaillance merveilleuse de sa mère. Tous les mots qu'il prononce sont des mots d'amour. Une fourmi perdue monte sur sa chaussure.

Pendant qu'il parle, Marie regarde sa bouche qui caresse les mots, ses yeux d'or qui brillent, tout son visage qui resplendit du bonheur de vivre et d'aimer. Elle prend une de ses mains brunes dans ses deux mains et la tient serrée sur ses genoux.

Deux brins d'herbes s'écartent. Entre deux pattes armées apparaît la tête verte d'une mante religieuse. Elle regarde. Dans ses yeux à facettes, elle voit mille fois l'image des deux adolescents. Elle est repue. Elle vient de manger son mâle, pendant qu'il lui faisait l'amour. Au plus fort de sa joie, elle lui a dévoré d'abord la tête. A la force de l'agonie, il a enfoncé plus profond en elle son devoir obstiné. Elle lui a mangé le cœur et les tripes, puis les pattes éparses. Elle n'a rien laissé. Elle l'a tout.

Jean décrit le Pigeonnier, la chèvre, les poules, les voisins, le village ancré sur cette langue de terre arable perdue dans les marnes. Marie ne voit ni le ciel, ni les abeilles, ni les fleurs, elle ne voit que lui, elle n'entend que lui, elle entend ce qu'il dit sans avoir besoin de comprendre les mots. Elle le comprendrait, s'il parlait une langue étrangère.

Elle le regarde. Quand elle est loin de lui, elle ne pense qu'à le rejoindre. Quand elle arrive près de lui elle éprouve un tel bonheur qu'elle s'en effraie. Puis elle se calme, elle le regarde, elle s'assied près de lui, elle entre dans la lumière.

Il dit :

— Je veux devenir architecte. Les hommes ne pensent qu'à détruire, moi je veux construire, des maisons, des palais. Tu verras, toutes ces villes rasées, nous les ferons plus belles, nous, les jeunes architectes. Nous allons créer un nouveau style, une civilisation nouvelle. Nous allons commencer un nouveau siècle. Je vais devenir si grand, si fort, à cause de toi...

Il ajoute :

— Marie, j'en ai encore pour plusieurs années d'études. Je travaillerai pour gagner ma vie. J'irai à Paris. Toi, tu m'attendras.

Elle incline la tête en signe d'acquiescement, sans rien dire, pour bien marquer que ce sera ainsi. Elle ne pense pas que l'attente sera longue. Puisqu'il l'aime. Puisqu'elle l'aime. Elle l'attendrait toute sa vie.

Au retour, vite, vite, elle passe chez les commerçants. Elle rentre avec son filet garni, les yeux brillants. Elle ne perd pas la tête, elle connaît bien toutes les distributions, elle tient la comptabilité des tickets. Elle rentre directement à la cuisine, pour éviter les regards de sa mère. Elle ne l'affronte que lorsqu'elle a repris son calme.

Ses précautions sont un peu superflues. Pour Mme Margherite, l'amour est un thème littéraire. L'Amour, le Devoir, la Mort, la Nature...

Il se mesure en alexandrins.

Au bord de la route, à deux kilomètres de la ville, se dresse une petite maison, à peine plus grande qu'une cabane à outils. Elle fait le coin d'un chemin de terre qui s'enfonce dans la campagne. Elle a dû être bâtie par quelque propriétaire pour y loger un couple de domestiques agricoles. Elle se compose d'une cave, de deux pièces et d'un grenier. M. Château l'a achetée un peu avant la guerre. Elle lui a coûté moins cher qu'une année de loyer d'une chambre meublée. Il a obtenu l'électricité : la ligne aérienne passe devant sa porte. Il a fait lui-même l'installation intérieure, par morceaux de fils dépareillés. Il a négligé de poser des interrupteurs. Il entre à tâtons, saisit deux fils qui pendent dans le noir, les met en contact : une étincelle craque, une ampoule nue s'allume, une souris s'enfuit derrière un tas de vieux papiers et d'épluchures de légumes, une araignée effrayée fait trembler sa toile.

Une source coule à cinquante mètres. La sécheresse l'a presque tarie. M. Château ne s'en inquiète guère. Quand elle ne versera plus qu'une goutte après l'autre, elle suffira encore à sa toilette et à sa boisson.

Il couche dans l'une des pièces où s'amoncellent

livres et journaux. Il refait son lit quand il porte à la blanchisseuse ses draps devenus gris. Dans l'autre pièce se trouvent son réchaud électrique, ses casseroles, ses provisions, un petit moteur, un établi, une table encombrée d'éprouvettes sales et de flacons au fond desquels moisissent des liquides sans noms.

Par la trappe, il jette dans la cave sa vaisselle cassée, ses instruments hors d'usage, tout ce qui a rendu l'âme entre ses mains. Quand il a besoin d'un mètre de fil de cuivre, d'un vieux boulon, il descend parmi les décombres qui craquent sous ses pieds, et remonte généralement avec autre chose que ce qu'il allait chercher.

Il passe ses dimanches à Tahiti. C'est une maison coquette, au bord du Gardant, flanquée d'une tonnelle et d'un jeu de boules, dont les chambres sont garnies de quelques filles grasses. M. Château joue à la belotte avec leurs messieurs. Il se contente de regarder les filles. C'est tout ce que l'âge lui a laissé de ses habitudes d'étudiant.

Sur son vélo, il a installé un moteur de sa fabrication, qu'on entend de très loin. Ces messieurs de Tahiti lui fournissent le carburant. Il n'en consomme pas beaucoup. Il revulcanise lui-même ses pneus. Morceau par morceau, il les a entièrement refaits plusieurs fois. Ils sont difformes, boudinés de nodosités et creusés de dépressions, mais ils durent.

Au Collège, il a dû renoncer à laisser son véhicule au garage, avec les vélos des élèves. Ceux-ci s'amusaient à enfoncer des épingles dans ses pneus. Un jour, ils ont dévissé la roue avant et l'ont pendue à la chaîne de la cloche.

Depuis, M. Château, lorsqu'il arrive au Collège, se

baisse, passe son bras dans le cadre de son vélomoteur, se relève, l'engin suspendu à son épaule, et, en grommelant, le monte dans sa classe. De temps en temps, les occupants des salles voisines entendent un bruit infernal : M. Château, entre deux cours, apporte quelque perfectionnement à son moteur, et l'essaie en circuit autour des tables.

Ce lundi-là, il s'est attardé au laboratoire après quatre heures. La récréation va bientôt finir. Les cris des enfants se font moins aigus. La fatigue apporte avec elle l'apaisement. Les Besson jouent aux billes avec des externes. Besson rouge a perdu toutes les siennes. Il lui en reste quelques-unes dans sa table, à l'étude. Il hésite. S'il va les chercher, il les perdra peut-être aussi. S'il n'y va pas, il n'a aucune chance de regagner celles qu'il a perdues. Il regarde Barbe qui lui tourne le dos. Il court vers l'escalier, s'arrête, revient, repart, s'arrête, trépigne, se décide, s'engouffre dans la porte.

M. Château, son vélomoteur à l'épaule descend. A la troisième marche, tout à coup, il perd l'équilibre, plonge en avant, tombe de plusieurs mètres vers l'enfant qui monte.

Besson rouge crie, reçoit en plein visage le choc du guidon, s'envole comme un oiseau, son cri coupé net, les bras écartés. Il tombe sur les dalles de pierre. M. Château roule sur lui, ne bouge plus. Une roue de vélo tourne doucement. Le bouchon du réservoir a sauté. L'essence coule. Elle sent l'éther et l'alcool à brûler.

Le cri bref, le cri terrible poussé par l'enfant a brusquement interrompu les jeux. Barbe se retourne.

— Nom de Dieu ! Qu'est-ce qu'il y a ?

Il court. Derrière lui, un troupeau galopant se dirige vers la porte. Tudort qui travaillait seul dans une classe se dresse, pousse ses livres, abandonne sa pipe, saute les marches. Sous le préau, cinquante garçons entassés essaient de voir. Les premiers, engagés dans la porte, disent : « Chut ! taisez-vous ! c'est le père Château qui s'est cassé la gueule avec son toboggan !... » Ils distinguent mal dans la pénombre. Barbe et Tudort penchés trient le vélo, le vieux, l'enfant. Barbe se redresse, sort entre les collégiens qui s'écartent. Il porte dans ses bras le petit Besson dont la tête pend et saigne.

— Regarde pas ! dit brusquement Richardeau à Besson bleu serré contre lui.

Il le prend par les épaules et le fait pivoter. Mais Besson bleu a vu. Il a vu la barbe du répétiteur, sa barbe toute rouge et gluante...

Tudort, au pied de l'escalier, secoue M. Château qui reprend conscience.

— Vieux crétin, vous pouviez pas faire attention ? C'était fatal que vous feriez arriver un accident, un jour ou l'autre !

Le professeur saigne de la bouche. Il a une brèche dans ses dents vertes. Tudort le lâche. Il tient debout, tout seul. Il cherche son chapeau. Il se tamponne la bouche avec un mouchoir sale. Il dit des mots indistincts. Il se penche. Il voudrait ramasser son vélo. La fourche avant est cassée. Il regarde les débris, il grogne. Tudort dit :

— C'est encore votre sale engin que vous plaignez ! Vous savez que vous avez esquinté un gamin ?

Dix têtes d'enfants sont encadrées dans la porte. Tudort crie :

— Foutez le camp !

M. Château regarde Tudort, d'un regard sans pensée. Un gamin? Il semble ne plus savoir ce que c'est, un gamin. Il regarde son vélo brisé, puis l'escalier. Il ramasse son chapeau taché d'huile, il l'essuie machinalement du coude, il étend la tache, il s'en met plein la manche, il se coiffe, il crache un peu de sang, il sort, il traverse la cour à grands pas, vite. Il se retourne tout à coup, fait de grands gestes de menaces, il s'en va.

Dans le réfectoire, sur une table de marbre blanc, Besson rouge est étendu. Il n'a jamais si bien mérité son nom. La poignée de frein lui a déchiré la joue gauche, et contre les dalles de pierre, sa petite tête s'est fendue. Il tache la belle table de marbre, si bien lavée chaque jour par la cuisinière. Il gémit doucement, les yeux fermés, il gémit en respirant. A chaque respiration il pousse une plainte. Le médecin se relève, dit :

— Il est perdu. Montez-le dans un lit. Je vais lui faire une piqûre, mais je crois qu'il ne durera pas longtemps...

Besson rouge gémit. M. Chalant en ferait bien autant, s'il l'osait. Quand M\ :sup:`me` Chalant a vu arriver l'enfant sanglant dans les bras de Barbe, elle s'est trouvée mal, elle est tombée. Il a fallu la coucher. Le docteur va monter la voir. M. Chalant se sent bien seul, sans elle, devant un événement aussi tragique. Il voudrait se plaindre, il voudrait une aide, il est désemparé et mécontent. Tudort monte Besson rouge au premier étage, le couche dans le lit de Gustave. Gustave couchera au dortoir. Jean et Tudort passeront la nuit près du blessé. En bas, dans la cuisine, assis sur la chaise de bois, Besson bleu secoue la tête, refuse la tasse de tilleul que lui offre Félicie. Il gémit comme son frère, bouche close, dents crochetées. De temps en temps, un grand tremblement l'agite.

Fiston lui dit :

— C'est rien, mon p'tit vieux! Le médecin a dit que c'était rien, tu vois bien. Faut pas pleurer comme ça!

Mais Besson bleu ne pleure pas, il gémit comme son frère, il gémit sans arrêt. Il gémit encore dans son lit, et la nuit arrive et s'avance sans qu'il se soit endormi, et personne au dortoir n'a dormi. Hito, Gustave et Fiston allongés près de l'enfant, la peau hérissée d'horreur, ont entendu pendant des heures Besson bleu partager l'agonie de son frère. Au moment où l'aube venait, Besson bleu s'est brusquement dressé sur son lit et s'est mis à hurler, comme un torturé, les bras tendus, les mains accrochées au vide, les yeux épouvantés, le visage tordu de peur abominable. Il s'est battu, il a lutté, griffé, frappé, toujours criant, défiguré de larmes et de bave, puis il est retombé, tremblant, claquant des dents et trempé de sueur, vaincu. La mort vient d'emporter la moitié de lui-même. Et les trois garçons tremblants autour de son lit, et tous les habitants du quartier éveillés et cachés sous leurs draps ont entendu monter un autre cri, un cri pénible de femme, un cri qui s'interrompt, se reprend, et s'achève tout à coup en délivrance. Une petite fille est née.

On l'a enterré le mercredi, un jour de beau temps. L'enterrement n'était pas triste et sale, hypocrite, noir, comme tous les enterrements, parce que beaucoup d'enfants habillés du dimanche suivaient le corbillard avec des fleurs dans les mains.

En revenant du cimetière, M. Chalant a déclaré à la mairie la naissance de sa fille. Mme Chalant veut l'appeler Georgette.

Deux gendarmes à bicyclette sont allés interroger M. Château. Ils l'ont trouvé couché. Il a répondu : « Oui, non » à leurs questions. Du moins, c'est ce qu'ils ont cru comprendre. Finalement il s'est levé en chemise pour les mettre à la porte. Ils n'ont pas protesté, parce que c'est un savant, avec tous ces instruments sur cette table, et ils savent qu'un savant est toujours original, et qu'on lui doit le respect. Ils ont vu qu'il avait les pieds noirs. Malgré toute sa science, ce n'est pas un homme fier.

Ils ont enquêté au Collège. Barbe a dit que c'était un bien triste accident. M. Chalant a dit la même chose, et s'il avait su que M. Château montait son vélomoteur dans sa classe il ne l'aurait jamais permis.

Dans son bureau, devant les gendarmes, il a reproché à Barbe de mal assurer son service : « Vous êtes coupable de négligence. Vous savez bien qu'il y a un garage. Les classes ne sont pas un garage. Les classes ne sont pas faites pour garer les véhicules, même ceux des professeurs alors qu'il y a un garage prévu à cet effet. Je vais me voir dans l'obligation de vous infliger un blâme, ainsi qu'à M. Château, dans le rapport que je vais être obligé d'envoyer à M. le recteur. Et que faisait... (là, il a cherché le nom de Besson rouge. Il ne l'a pas trouvé, personne ne se le rappelle plus, au Collège. On ne l'a jamais appelé autrement que Besson rouge) que faisait... cet enfant dans l'escalier, alors qu'il eût dû se trouver dans la cour ? Où allait-il ? D'où venait-il ? Le savez-vous ?

Barbe dit :

— Je l'avais autorisé à aller chercher son mouchoir.

M. Chalant soupire et sort de la pièce. Il se dirige vers le bureau de M. Sibot pour lui dire de rédiger le rapport. Au moment d'entrer, il réfléchit, puis tourne les talons. Il attendra qu'on le lui demande, ce rapport. Les parents sont loin, l'administration a bien d'autres soucis. Quand on apprendra l'accident, au rectorat, l'émotion sera calmée. Il dira que le rapport a été envoyé et s'est perdu. C'est un assez grand malheur. Inutile d'y ajouter des embêtements.

Barbe s'en moque. Voilà près de vingt ans qu'il est répétiteur. On ne peut pas le révoquer pour ça. Il en a bien vu d'autres.

Besson bleu essaie de continuer sa vie. La vie d'un enfant est une récréation coupée d'heures de contrainte. Besson bleu jouait avec son reflet, mais dans la grande cour où il se regarde, il ne voit plus que des étrangers. La place de sa propre image est vide. Angoissé, il fouille du regard les groupes les plus proches, court vers les groupes éloignés, cherche derrière les arbres, tourne autour des cabinets, autour des professeurs qui bavardent. Il ne trouve pas, il ne trouvera jamais plus. Les yeux agrandis, le menton tremblant, ses petits poings serrés, il court de plus en plus vite, il court jusqu'au moment où ses jambes fléchissent, où les larmes l'étouffent, où il s'accroche des deux mains pour y enfouir son visage et pleurer, à la blouse d'un grand qui ne sait quels mots lui dire.

Le soir, il n'ose pas se coucher. Fiston le déshabille, le pose dans les draps et reste debout longtemps près de lui, entre ses yeux et le lit voisin vide, l'écoute trembler, renifler, s'apaiser peu à peu, s'abandonner enfin à la fatigue et au sommeil.

Hito, en pyjama de soie, se penche vers l'enfant endormi. Hito, parfois, semble plus jeune que les garçons qui sont avec lui en seconde, parfois plus près de l'âge d'homme que les grands de philo et parfois même plus savant que les professeurs. Il regarde la petite main ouverte sur le drap, il la tourne doucement, se penche davantage, regarde la paume. L'enfant soupire, et ferme les doigts sur son secret. Hito se relève. Ses yeux sont minces entre ses paupières presque closes. Il dit :

— Il ne peut pas se sauver. Il est déjà mort.
— Tu es maboul! dit Fiston.
Hito sourit, n'insiste pas. Il va se coucher.

Cela s'est su en un jour, en un après-midi. Quelqu'un a connu le premier la vérité, ou l'a supposée.

Il a dit autour de lui ce qu'il savait ou ce qu'il croyait et en murmures pendant les cours, par billets passés d'une main à l'autre, en affirmations jurées pendant la récréation, cette vérité s'est répandue. « C'est vrai... C'est vrai... C'est pas un accident, c'est Bernard qui avait tendu une corde dans l'escalier pour faire tomber le vieux.»

Bernard se trouve seul tout à coup. On le regarde de loin. A mesure qu'il s'approche, les garçons s'éloignent.

Ils ne savent pas encore s'ils doivent lui en parler, et de quelle façon. Est-ce qu'on doit en rire ? Est-ce que celui-ci, et celui-là, et tel autre n'en aurait pas fait autant, s'il y avait pensé ? Une corde, un croc-en-jambe, une bonne poussée, pour voir le vieux dégringoler avec sa ferraille ? Est-ce que Bernard est un criminel ? Est-ce qu'il ira en prison ?

Bernard est un externe surveillé de seconde B. Il a seize ans, il n'est pas en avance pour ses études. Il prend son temps. Il dit qu'après son bachot il veut faire sa médecine, parce que les études sont longues, et qu'il rigolera bien, quand il sera étudiant. Il est fils unique d'un marchand de fruits en gros.

Divergent, adossé au platane, son chapeau sur les yeux, somnole.

Tudort s'approche de Bernard, ferme sa grosse main autour d'un de ses bras. Il dit :

— Viens avec moi...

Bernard le regarde de coin. Il demande :

— Où ?

— T'en fais pas, viens toujours...

Il le domine de la tête et des épaules, il le pousse vers la porte. Dans l'escalier, il lâche son bras, le prend par le col de sa veste et lui fait grimper les marches deux par deux. Bernard halète. Ils montent jusqu'au second étage.

Tudort ouvre la porte de la classe de dessin, jette devant lui Bernard qui trébuche et se relève, prêt à protester. Il se tait. D'autres garçons sont là qui l'attendent, une quinzaine de grands, qui ont quitté la cour un à un. Ils sont assis au premier rang de l'amphithéâtre, et devant eux, juste au centre de leurs regards, Tarendol et Fiston se tiennent debout près d'un tabouret. Tudort montre le tabouret à Bernard. Il dit :

— Assieds-toi.

Bernard s'assied. La lumière de la grande verrière éclaire son visage blême, son nez mince un peu tordu vers la gauche. La poigne de Tudort a brisé la croûte gominée de ses cheveux blonds. Une mèche raide lui tombe sur une oreille. Il regarde d'abord les jambes des garçons assis devant lui, puis glisse, vite, d'un visage à l'autre. Il voit des yeux à la fois sévères et curieux fixés sur lui, des yeux qui étaient ceux de ses camarades et qui le regardent maintenant comme s'ils le voyaient pour la première fois, comme s'il était bossu ou nain, ou tout nu.

Il se redresse brusquement. Il crie :

— Qu'est-ce que vous me voulez ?

La main de Tudort se pose sur son épaule et l'écrase sur le siège. C'est lui qui répond :

— Voilà ce qu'on te veut : tu as tendu une corde dans l'escalier pour faire tomber le père Château. A cause de toi, le petit Besson est mort. Moi, je l'ai vu mourir, et c'était pas drôle. Et tu aurais pu tuer aussi le vieux...

— C'est pas vrai, c'est pas moi!... crie Bernard.

Il pense que plus il crie fort, plus sa protestation aura de force. La peur lui tord le nez. Ses yeux verts fuient dans tous les coins de la salle.

— Ta gueule! Si tu continues à gueuler comme ça, je te mets un bâillon!

Missac se lève. Il bégaie, tant il veut dire à la fois des choses importantes.

— Menteur! Tu... tu me l'as dit, que tu voulais le faire. Tu cherchais une bonne corde... C'est toi. On t'a vu... De la ficelle d'avant guerre... tu... tu avais peur que celle en papier craque. Tu m'as demandé si j'en avais...

Bernard se dresse, furieux, réplique :

— Alors, pourquoi tu étais d'accord? Ça te faisait rigoler. Tu m'avais dit : " Tu nous le diras, quand tu le feras, pour qu'on regarde... "

— Men... men... menteur! J'ai jamais dit ça! Sale menteur! Tu dis ça pour t'excuser.

— On va lui casser la gueule! crie Julien.

Il tire sa règle de sa serviette, Missac dégrafe sa ceinture, tous les garçons se sont levés, ils ont tous une arme dans le poing, Bernard, terrifié, les voit s'approcher, immenses, innombrables. Les plâtres de l'étagère ricanent, Hippocrate le regarde de ses yeux globuleux, la Vénus a retrouvé ses bras pour l'accuser du geste, l'écorché se tord. Bernard pousse un hurlement, et ferme ses deux bras sur son visage. Tarendol se jette devant lui.

— Vous êtes fous? Asseyez-vous! C'est tout de même pas un assassin! Tudort, fais-les asseoir, bon Dieu! Ils vont le tuer!

Tudort arrache Bernard à la meute, lève ses poings.

Les garçons reculent, regagnent leurs places, Bernard revient à la vie, sa cravate pend, il est vert.

— Écoutez, dit Jean, il a pas voulu faire tant de mal. Mais c'est tout de même un sale crétin. Il aurait dû penser que le vieux Château pouvait se casser le cou. Il mérite d'être puni, mais on va le punir régulièrement. Je propose qu'on lui donne chacun un coup de pied au cul. C'est tout ce qu'il mérite. Et après qu'il revienne plus jamais au Collège. C'est d'accord?

— D'accord! crie joyeusement le chœur des juges.

— Allons-y! dit Tudort.

Il soulève Bernard, le plie en deux, lui met la tête sous son bras, relève sa veste. Bernard porte un beau pantalon de golf en laine légère, à chevrons verts et blancs.

— C'est moi le premier, réclame Missac.

— Non, pas toi! dit Tarendol, tu en mériterais autant. Fous le camp.

— Ça... ça... ça, alors! dit Missac.

— Je suis en savates, c'est dommage, dit Fiston.

Il prend bien son élan, frappe. Bernard pousse un cri, commence à pleurer.

— Tais-toi, ou je t'étrangle! dit calmement Tudort.

— Moi, j'ai des clous! dit Julien.

Il soulève un pied, il les montre à son voisin, il est fier.

La porte de la classe s'ouvre brusquement. Vibert, essoufflé, entre en courant.

— Vingt-deux, les gars! Divergent vous cherche! Il est dans l'escalier!

La queue se disloque. En quelques secondes, il n'y a plus personne dans la classe ni dans l'escalier.

Divergent a failli être renversé par l'avalanche, il a tendu les bras, essayé d'attraper quelqu'un, de reconnaître celui-ci ou celui-là, mais ses yeux affolés n'allaient pas aussi vite que les garçons lancés. Il se demande ce qui se passe, il ne comprend pas, il redescend en courant, la cour a repris son aspect habituel.

Tudort a reconduit Bernard jusqu'à la porte. Il lui a dit : « N'essaie pas de rentrer jamais ici, tant que j'y serai... »

Il l'a poussé dans la rue, Bernard est tombé de l'autre côté, contre la borne-fontaine.

Le Collège bouillonne sous le soleil. Les têtes bouillonnent sous les toits du Collège. Le temps des examens est proche. La chaleur, l'angoisse, l'impatience croissent chaque jour. Des joues se creusent, des yeux battus attestent des longues veillées passées à des révisions intensives. La tension nerveuse gagne les petites classes où elle se transforme, les premières chaleurs aidant, en paresse physique, en inattention et bâillements. Ces dernières semaines de l'année de travail sont les plus pénibles, interminables. Les enfants pensent déjà aux vacances et ne pensent qu'à elles, et les professeurs distraits établissent dans les marges des copies le budget du voyage, de la pension à l'hôtel où l'on sert de la viande à chaque repas.

Félicie, la cuisinière, est partie soigner sa fille accouchée huit jours après Mme Chalant. Elle ne rentrera pas avant le mois d'octobre. Mme Chalant est maigre, maigre. Elle n'a pas pu nourrir sa petite Georgette plus de deux semaines.

Les cours d'examen sont finis. Beaucoup de candidats sont rentrés chez eux pour se surcompresser sans perte de temps, jusqu'à la dernière minute.

Fiston, Tarendol et Tudort sont restés. Ils travaillent ensemble dans une classe vide. Ils se succèdent au tableau, chacun apportant son appui aux deux autres dans les matières où il se trouve le plus fort. Blouses ouvertes, cols dégrafés, ils travaillent dans la paix de l'indiscipline.

Jean ne s'est jamais senti aussi dispos. Il comprend tout, tout lui est facile. Son amour a commencé par un éblouissement qui l'empêchait de voir autre chose que Marie. Depuis qu'il l'a approchée, depuis qu'il lui parle, qu'il la touche, qu'elle est devenue autre chose qu'un rêve, une telle joie l'anime qu'il aborde les difficultés avec la confiance de les avoir déjà vaincues.

Fiston s'applique, transpire et geint. Il a chaud, il a faim, ce travail l'ennuie. Il n'a plus le temps d'aller chez le coiffeur. Ses cheveux poussent, sa barbe frisotte autour de son menton.

Tudort serait plus à l'aise devant un bœuf à abattre ou à dépecer, devant un wagon de farine à décharger, devant dix lutteurs à démolir, que devant son livre de philo. Il l'ouvre, il prend sa tête à deux mains, il lit quelques lignes, bâille, jure, frappe la table du poing, insulte l'enseignement secondaire, ses parents, le ministre, Platon et Auguste Comte et ses futurs examinateurs.

De temps en temps, M. Casamagne, le professeur de philo qui habite rue des Herbes, à deux cents mètres du collège, vient rendre visite aux trois garçons, leur pose des questions, répond à celles qu'ils lui posent, fait avec eux quelque devoir type. C'est un Toulousain colosse et joyeux, qui truffe d'images concrètes les théories les plus absconses. Il s'assied sur la table devant Tudort, et lui dit :

— Écoute, je vais t'expliquer la rrrelativité. Dans l'armée, par exemple, bien que tous soient bâtis de la même façon, les officiers ont des testicules, les sous-officiers ont des couilles, et les simples soldats ont des rrroustons!...

— Merde! dit Tudort, moi je suis civil.

Casamagne lève les bras au ciel.

— Tête de mule!

Fiston s'esquive. Il est au mieux avec la nouvelle cuisinière. C'est une grasse blonde divorcée à qui la présence de ces garçons neufs, autour d'elle, enflamme les joues plus que la chaleur de son fourneau.

Fiston guette par la fenêtre le moment où elle se trouve seule. Il frappe au carreau, elle ouvre, lui glisse un morceau de pain avec un relief de viande, ou n'importe quel menu débris taillé sur le repas du soir. Il la remercie d'un beau sourire. Elle le regarde avec autant d'appétit qu'il en éprouve pour son casse-croûte.

Le soir, Tudort va se détendre à Tahiti. Il y oublie les efforts de la journée, et l'inquiétude qu'il éprouve à envisager un nouvel insuccès. Son père lui a promis une raclée s'il se faisait coller de nouveau. Son père est encore plus haut, plus large, plus épais que lui. Et le maniement des quartiers de bœufs lui entretient des biceps gros comme des cuisses. Les bras des filles de Tahiti sont plus doux. Il arrive que Tudort ne rentre pas de la nuit.

Les nuits sont chaudes. Jean rêve d'emmener Marie à son bras dans les herbes fraîches qui caressent les jambes, à l'heure où les grillons ont remplacé les cigales et où les petites chouettes grises chantent dans les vergers d'oliviers. Mais Marie ne peut pas

sortir après le dîner, elle ne peut pas trouver de prétexte.

Fiston, agité de sourdes ardeurs, se retourne en sou-
pirant dans son lit, se couche sur le ventre, son drap
froissé au pied de son lit, les fesses en l'air. Hito dort
sans bruit. Besson bleu, en rêve, retrouve celui qu'il
a perdu.

— Encore la soupe à l'oignon, ma bonne? dit
M. Margherite.

Il déplie sa serviette, essuie sa belle moustache avant
de commencer à manger. Mme Margherite hausse les
épaules. Elle ne prend pas la peine de répondre. Elle
a déjà répondu dix fois à la même question.

M. Margherite se tourne en souriant vers sa fille.

— Ma petite Marie, il me semble que tu ne te dé-
brouilles plus guère pour nous ravitailler.

Marie rougit. Mais M. Margherite a déjà le nez sur
son assiette. Il rentre juste à l'heure du repas. Encore
est-il souvent en retard, quand une partie de bridge
se prolonge. Il n'aime pas rentrer chez lui, retrouver
sa femme. Il s'est toujours demandé quelle aberration
l'avait poussé à l'épouser. Est-ce qu'elle était belle,
est-ce qu'elle était jeune? Il ne s'en souvient plus.
Il ne parvient pas à se la rappeler autrement qu'il la
voit aujourd'hui. Sait-on jamais pourquoi on se marie?
C'est bien folie de jeunesse. A Paris, il prenait de nombreuses revanches : les dactylos de son service, ses
employées subalternes, les femmes de deux ou trois
de ses collègues, des filles de café.

Il ne choisissait pas les plus difficiles à conquérir. Même si elles n'étaient pas très belles, elles l'étaient toujours plus que sa femme. Ses relations avec elles s'étayaient sur un solide égoïsme. Il ne leur donnait rien de lui. Peut-être n'avait-il rien à donner. En revanche, il ne leur demandait pas grand-chose. Quelques-unes avaient essayé de l'aimer. Il s'en était séparé plus vite encore que des autres. Il ne voulait pas de complications. Il se montrait bien tel qu'il était, il allait directement au but, commençait par une plaisanterie et passait aux gestes. Il ne se camouflait pas derrière des paroles douces. Ses intentions étaient claires. Il était aussi naturel que pouvait l'être l'homme primitif. Les femmes, devant lui, redevenaient simples comme des femelles. Certaines, qui n'eussent pas cédé à une longue cour sentimentale et se croyaient très prudes, s'abandonnaient dès ses premiers propos, et retrouvaient, après l'avoir quitté, tout leur attachement à la vertu. Jeunes et mûres, refoulées et libertines, il avait collectionné les échantillons féminins les plus divers, presque sans dommages. Il tenait d'un pharmacien de ses amis une bonne méthode d'avortement. Elle lui avait servi plusieurs fois.

Les femmes qui avaient souffert dans leur chair à cause de lui, qui avaient tremblé pendant quelques semaines, ne lui en voulaient pas plus que les autres quand il les quittait. Son départ n'était pas un abandon. Il ne leur avait jamais rien laissé espérer.

Il lui était arrivé de rencontrer après plusieurs années une de ses anciennes relations, de commencer à rire avec elle autour d'un apéritif, et de l'entraîner de nouveau dans une chambre d'hôtel.

Quand sa moustache blonde tourna au blanc, il

garda sa gaieté, ses plaisanteries et sa main leste, mais choisit ses conquêtes parmi les femmes dont le rire de gorge dénote la gourmandise, ou que leur regard dit expertes et peut-être violentes.

Il a maintenant plus de cinquante ans. Sa barbiche et sa moustache, dont il soigne la blancheur, contrastent avec la jeunesse de ses yeux bleus vifs et de sa peau rose sans rides. Ses besoins se sont adoucis, mais non éteints. La petite ville offre assez de ressources pour qu'il puisse se garder de bonne humeur.

Mme Margherite a dix ans de moins que lui. Peut-être aurait-elle pu, elle aussi, s'épanouir, acquérir un peu de flamme aux yeux et aux pommettes. Il n'est point de femme en qui n'existe une petite graine de joie. La plus laide peut se parer de quelques traits de beauté, pourvu qu'elle trouve l'homme qui se donne la peine de la réchauffer. Mais son mari ne s'est jamais approché d'elle.

Elle connaît sa conduite. Elle n'en a pas souffert longtemps. Elle s'est passée de lui. Elle n'a pas imaginée qu'il pût exister des hommes différents de celui que la vie lui a donné. Aucun homme n'a éprouvé le désir de la faire changer d'avis. Elle n'est pas malheureuse. La souffrance est encore une passion. Elle n'est ni gaie ni triste. Elle travaille, elle porte des lunettes sévères et des robes grises. Elle est sérieuse, et elle désire que ses élèves, que sa fille, prennent leur tâche au sérieux, comme elle prend la sienne.

M. Margherite a fini son fromage. Il bâille. Dès qu'il est chez lui, il s'ennuie. Il y reste le moins possible, pour manger et dormir. Encore n'est-il point présent par la pensée.

Une main passe à côté de lui, prend son assiette.

Pour la première fois, il voit cette main ravissante. Des doigts fins, une chair douce autour d'une ossature délicate, des ongles sans vernis, qui brillent comme des perles. M. Margherite se retourne, étonné. Cette main est celle de sa fille. Elle dessert. Elle va lui apporter son infusion de tilleul, comme tous les soirs. M. Margherite la regarde sortir de la pièce, voit pour la première fois ses hanches fines doucement balancées, ses belles jambes dorées, ses chevilles minces, ses épaules épanouies.

Sa fille! Il dit, à mi-voix :

— Par exemple!...

— Quoi? demande Mme Margherite.

— Rien...

Mme Margherite n'insiste pas. Elle se lève, va chercher une pile de livrets scolaires sur une petite table, change de lunettes, dévisse le bouchon d'un encrier d'encre rouge.

M. Margherite, les yeux mi-clos, renversé sur sa chaise, attend le retour de Marie. La voici, portant devant elle le plateau, ses cheveux de lumière épandus sur ses épaules, si belle que le visage de son père s'illumine.

Elle lui sourit, pose devant lui sa tasse, lui verse le liquide fumant. Elle l'embrasse, embrasse sa mère et s'en va.

M. Margherite tourne la cuillère d'argent qui fait tinter sa tasse fine. Sa fille! Comment a-t-il pu ignorer jusqu'à ce jour que sa fille fût si belle? L'habitude sans doute. Il la voit matin et soir, et, cependant, il ne la regarde guère.

A moins qu'elle ne soit devenue belle depuis peu? Ce soir, elle est rayonnante, oui, rayonnante. Si elle avait toujours été ainsi, il s'en serait tout de même aperçu... Mais d'autres que lui ont dû s'en apercevoir... Il fronce les sourcils. Sa fille... Il faudra qu'il la surveille, qu'il la prévienne. Les hommes sont sans scrupules.

Le printemps vient vers sa fin. La vie remontée de la terre éclate aux branches lourdes, épaissit les herbages, arrondit les ventres des brebis. Le soleil commence à brûler les peaux, à sécher les pointes de l'herbe. Depuis la nouvelle lune, le vent de la montagne souffle. Il a chassé les moindres nuages, même les longs fuselés qui aiment se traîner sur l'horizon de la vallée. Le ciel est d'un bleu pur.

Les filles ont sorti leurs jupes de couleurs vives, les blouses légères à leurs poitrines. Les mères ont grand-peine à les faire rentrer avant la nuit douce et dangereuse. Jacqueline a accepté un rendez-vous d'Albert Charasse. Il a essayé de l'embrasser. Il l'a prise dans ses grosses mains de mécanicien. Elle s'est débattue, elle l'a giflé. Il est parti furieux. Elle est rentrée chez elle. Elle est allée se coucher sans dire bonsoir à ses parents, elle s'est jetée sur son lit, et elle pleure en embrassant la photo de Fiston. C'est une photographie d'amateur, tout un groupe de potaches qui font des grimaces et des singeries. Le bras de l'un d'eux cache à moitié la figure de Fiston. On ne lui voit qu'un œil et la moitié de la bouche. C'est quand même son image.

Il la lui avait montrée avec beaucoup d'autres. Elle l'a prise, elle a dit en riant : « Je la garde, c'est sur celle-là que tu es le moins moche, on te voit presque pas! » Elle tremblait qu'il la lui refusât.

Elle voit son œil, son oreille, elle le voit tout entier près d'elle, elle ferme les yeux, serre ses bras sur le fantôme, se tord, sanglote.

Fiston ne parvient pas à dormir. Il a trop chaud, et son sang lui bat les tempes. Il glisse ses mains jusqu'au bas de son ventre dur. Tudort est sorti. Jean respire calmement. Hito semble s'être évanoui dans le sommeil. On n'entend pas le bruit de son souffle. Fiston pense à Marcelle, la cuisinière. Ce soir, elle épluchait des légumes, assise sur la vieille chaise, les poireaux posés sur sa jupe tendue. Il a vu ses cuisses, il a eu chaud tout d'un coup. Il sait que Barbe a couché avec elle. Tout le monde le sait. Fiston n'a jamais couché avec une femme. Il n'a jamais voulu accompagner Tudort. Il a peur des maladies. Il a peur que les filles se moquent de lui. Et puis il n'a jamais été très tourmenté par ce besoin. Mais ce soir c'est plus qu'un besoin, c'est une force qui bout en lui, qui le volcanise. Toute sa vie s'est dressée, tendue dans la flèche qui l'entraîne. Il se lève, il traverse le dortoir, il n'a pas même pris ses pantoufles, il ouvre la porte, droit devant lui tiré par l'ardeur de sa jeunesse et de la saison. En chemise, il monte l'escalier qui conduit à la petite chambre, près du grenier. La nuit est rouge, il n'y a plus d'obstacle, plus d'hésitation, plus de peur. Il frappe à la porte. Il enfoncera la porte de son membre si elle ne s'ouvre pas.

— Qui est là ?
— C'est moi, Fiston.

— Monsieur Fiston? Oh! mon Dieu, qu'est-ce que vous voulez?

— Je viens, ouvrez-moi!

— Attendez! Oh! mon Dieu! Ne faites pas de bruit, monsieur Fiston! Attendez, j'ouvre. Oh! mon Dieu.

La porte s'ouvre, une forme claire s'enfuit dans l'obscurité, vers le lit, étroite blancheur. Fiston la suit, ouvre les draps, tout de suite cherche, cherche. Comme il est maladroit! Comme il est jeune! Elle le guide, elle rit un peu, sans bruit, de plaisir attendri, elle gémit un peu, si vite. Maintenant elle voudrait le garder près d'elle, un peu de tendresse. Mais déjà il se lève, il s'en va, il n'a pas dit un mot, il ne l'a pas embrassée.

Fiston se recouche dans le grand dortoir. Il entend le vent venir de très loin, secouer au passage les arbres de la place Carnot, arriver sur le Collège, tordre les hautes branches des platanes, s'enfuir vers la vallée, se perdre dans la nuit.

Il respire calmement, profondément. Il repose de toute sa chair sur le drap tiède. Il se sent calme, fort, joyeux. Homme.

Le vent souffle. Il a arraché quelques tuiles du toit, et une branche morte de l'acacia. Besson bleu, tout seul dans la cour, assis sur la bordure de pierre du préau attend. Il ramasse un morceau de tuile, et, en traits ocres, dessine sur la pierre grise un bonhomme à la tête ronde, au corps sphérique, avec des oreilles en soucoupes, et cinq traits pour les cinq doigts de chaque main.

Mme Chalant l'a vêtu de ses plus beaux habits, elle a rangé ses affaires dans une valise, et les affaires de Besson rouge dans une autre valise toute pareille. Elle lui a dit : « Tu es bien content ? Tu vas revoir ta maman ! Elle vient te chercher. Elle va arriver tout à l'heure... » Puis elle est partie, vite, s'occuper de toutes ses occupations. Il faut qu'elle aille chez l'épicier avant midi. Il lui vend du lait condensé pour sa fille. Elle n'en touche pas assez. L'épicier le lui vend plus cher que n'importe quoi. Elle couve contre lui une haine sourde. Elle lui sourit pourtant, elle lui dit des paroles aimables, elle est prête à toutes les platitudes pour qu'il veuille bien continuer à la voler, pour qu'elle puisse nourrir sa petite fille. Mais elle se promet de lui dire sa façon de penser, après la guerre, et peut-être de lui ravager un peu sa boutique. Elle a dit à Besson bleu : « Sois sage, ta maman va arriver... »

C'est dimanche. Tous les autres sont sortis. Besson bleu est sage. Il attend, assis au soleil. Après le bonhomme, il dessine une maison, avec un tortillon de fumée qui monte de la cheminée. Il n'a pas vu sa maman depuis longtemps. Quand elle l'a emmené au Collège, elle portait une robe marron avec une ceinture rouge, et un chapeau marron entouré d'un ruban rouge. Il ne se rappelle pas les traits de son visage, il ne sait pas de quelle couleur sont ses yeux, il ne se le demande même pas, c'est le visage de sa maman, il le connaît.

Il attend. Le vent souffle. Les hirondelles sont folles. La porte de la rue s'ouvre, le vent la claque contre le mur bien qu'elle soit lourde, et pousse au milieu de la cour un vol de poussière ramassé dans la rue. Quelqu'un est entré, a disparu dans l'ombre du passage, et reparaît au soleil. Besson bleu se lève, jette sa tuile. Son cœur bat. C'est une dame. Elle le voit, elle tend les bras vers lui.

Est-ce sa maman, ainsi de noir vêtue, avec des voiles que tire le vent ? Elle l'appelle : « Pierre, mon petit Pierre ! » C'est bien elle, c'est bien sa voix, qui se rappelle son nom. Il veut s'élancer, courir vers elle, mais voilà qu'il a peur tout à coup, affreusement, peut-être à cause de ce voile noir qui flotte. Il est debout, il est tendu en avant, il veut courir mais il ne peut pas. Entre elle et lui se dresse une grande étendue de vent et de soleil, toute la cour nue au-dessus de laquelle le vent emporte les hirondelles.

Elle vient vers lui, elle l'appelle de ses bras, et son

voile noir dans le vent est un troisième bras qui l'appelle : « Pierre, Pierre, mon petit Pierre !... » Alors il s'arrache au sol, il bondit, il court de toutes ses forces, il plonge, en poussant un cri d'amour et de désespoir, dans cette muraille de soleil noir et de vent. Le vent souffle, pèse contre lui, pèse sur les murs, sur les arbres ; le platane gémit, le vieil acacia dont c'était la dernière journée craque, tourne et s'abat, juste au milieu du chemin, juste sur son chemin. Une grosse branche le frappe au visage, le jette à terre, un nœud lui déchire la joue, sa petite tête heurte le sol durci par des milliers de pieds et par la longue sécheresse.

La dame en noir a ramassé l'enfant qui saigne, l'a pris dans ses bras, a traversé la cour déserte, a ouvert de l'épaule une porte entrouverte, a posé Besson bleu sur une table de marbre blanc.

C'est dimanche. Jean est allé rejoindre Marie. Tudort joue à la belote avec M. Château sous la tonnelle de Tahiti. Fiston est parti à bicyclette faire une tournée de ravitaillement à la campagne. Hito est au cinéma. Bernard écrit. Il est seul dans sa chambre. Seul dans sa chambre, Bernard qui fut chassé du Collège écrit. Il n'a pas quitté sa chambre depuis le jour où Tudort l'a jeté dans la rue. Il fait le malade. En vérité, il l'est. Malade de honte et de rage. Mais il vient de trouver le remède. Il finit sa lettre. Il la signe d'une croix. Il y pense depuis huit jours. Il a tout bien calculé. Il écrit depuis ce matin. C'est sa cinquième lettre. Les quatre autres sont également signées d'une croix.

J'ai froid aux pieds. Ça n'a l'air de rien, mais les pieds ne sont pas si loin du cerveau que leur état n'influe sur le travail de cette partie haute. La tranche de la main, sur le papier froid, se crevasse et craque. J'ai essayé d'écrire avec un gant, ce n'est pas pratique. Je préfère une écharpe enroulée autour des doigts et du poignet. Le stylo en sort, comme un bec. Et d'un revers, de temps en temps, je m'essuie le nez, où perle une goutte.

Là, dans cette chemise en faux chagrin, où j'insère au fur et à mesure mes pages écrites, entre ces deux plats de carton noir, dans cette épaisseur de papier transpercée d'arbres, d'oiseaux et d'enfants, dans cet univers non mesurable où mes personnages vivent désormais sans moi, il fait chaud, c'est le printemps. Mais quelques couches encore de ce papier bleu, et l'hiver viendra. Nul n'y échappe.

Il a neigé sur Paris depuis trois jours. La neige est tombée toute blanche dans la rue Louis-de-Nantes, depuis trois jours les pieds des passants, des ménagères obstinées à courir après des nourritures fuyantes, à les attendre pendant des heures aux portes des bou-

tiques, les milliers de pieds l'ont broyée, pilée, mélangé
aux ordures semées par les poubelles, à la vieille crass
noire qui s'enfonce entre les pavés comme sous le
ongles des travailleurs. La neige est devenue une pous
sière lourde et grise, épaisse comme le sable des plage
Elle colle au bas des pantalons et aux chaussures
Quelques hommes sont arrivés, des chômeurs embau
chés par les services de la voirie, armés de grande
pelles. Ils ont regardé la neige en hochant la tête, il
ont soufflé sur leurs mains, ils se sont battu les côte
avec leurs bras, ils ont dansé un peu d'un pied su
l'autre, ils ont dit : « Bon Dieu! quand est-ce que ç
finira! » puis : « Il manquait plus que ce froid!... » Il
ont empoigné leurs pelles. Lentement, à petits effort
ils ont un peu raclé la neige du milieu de la rue ver
les bords. Ils en ont fait des tas, ils ont dressé, le lon
de chaque trottoir, une carte en relief de l'Himalaya
Au sommet, la neige est encore presque blanche, mai
les pieds des ménagères creusent des vallées, rongen
les montagnes, des queues s'enroulent autour des pic
blanchâtres et les réduisent. Elles auront tout nivelé
tout ramené à la couleur de la boue, avant le dégel
Sur les trottoirs, les talons, les semelles ont tellemen
piétiné, écrasé, chassé la neige, qu'il n'en reste qu'u
peu de bouillie.

Les maisons de la rue sont grises, bien incrustée
de la fumée de la ville. La neige s'est accrochée au
bords de leurs toits, aux bords des fenêtres. Là, ell
est restée blanche : elle ne connaît pas encore la terre

D'une màison à l'autre maison en face, l'espace n'es
pas grand. C'est une vieille rue dans un quartier d
Paris où le peuple parisien est demeuré le même à
travers les siècles. Il a changé de langage, mais pa

de manières. Son vocabulaire a évolué, mais il désarticule toujours de la même façon la syntaxe, pour la rendre plus souple et plus docile à l'idée. Et les enfants portent la même pâleur au creux de leurs joues.

C'est la rue Louis-de-Nantes. Où va-t-elle? Depuis des siècles elle monte, avec son chargement de travail et de misère, tout ce peuple sur son dos, ce poids de pierre grise et de chair misérable. Elle monte et reste à mi-chemin. Jamais elle n'atteindra le sommet, et tous ses passagers meurent avant la fin du voyage. Elle a reçu la neige blanche, et la neige s'est salie sur elle, a pris la couleur de sa misère, et lui a apporté le froid venu du haut du ciel. Les femmes font la queue dans la neige grise, toussent, geignent, plaisantent, attendent l'espoir d'un chou gelé, d'une carotte à cochons. Les magasins de nourritures se touchent d'un bout à l'autre de la rue, étalent leurs vitrines vides. Le charcutier ne montre qu'une pancarte, il prend des inscriptions, mais il ne donne rien. Le cours des Halles offre trois bouquets de persil, le tripier des terrines vides, le boucher ses crochets nus, le marchand de vin des bouteilles factices, l'épicier des fioles de liquide visqueux, qui remplace l'huile et fait vomir. Dans l'arrière-boutique du crémier, une femme entrouvre son cabas, reçoit avec un battement de cœur une demi-livre de beurre, tire un porte-monnaie usé, compte deux cents francs. Elle se plaint : « Comme c'est cher ! » « C'est forcé, répond le crémier sûr de lui, aujourd'hui, l'argent, elle vaut plus rien. » Il pousse la femme dans le couloir, il retourne à son tiroir-caisse y pousse les deux billets. Il n'y a pas de place, dans son tiroir, il tasse les billets. Il y a autant de billets dans son tiroir que de plumes dans son oreiller. C'est un tiroir bien doux à l'oreille du crémier, qui lui fait le teint clair et la panse ronde. Sur le trottoir, les femmes piétinent. Une vieille, les jambes raides, s'en va doucement, sans lever les semelles. Elle a peut-être des rhumatismes, ou les genoux gelés. Elle a soixante ans de misère. Elle essaie de descendre du trottoir. Elle se met de face, elle n'y parvient pas, elle va tomber, elle recule, se place de profil, hasarde un pied dans la neige.

— Gardez-moi ma place, dit une femme illuminée, je crois que chez l'Italien, j'ai vu des poireaux...

Oh! Oh! elle a vu des poireaux! Elle est soûle! Elle est folle! Elle a vu des poireaux! Des poireaux! » Toutes les femmes rient. Elles savent bien qu'il n'y a pas de poireaux. Elle va voir quand même, elle quitte la queue, les yeux brillants, elle court. Des poireaux.

Presque au bout de la rue, sur la droite en montant, s'ouvre une courte impasse. Un mur en moellons d'aggloméré en ferme le fond, percé d'une porte. Au-dessus de la porte, une inscription en grandes lettres, à demi effacées, annonce : IMPRIMERIE. A droite, il y a une porte et une fenêtre dans un mur bas, dont le crépi laisse voir les os. A gauche, un café, à la devanture peinte en marron clair, tachée de boue et rongée d'humidité par en bas. Un grand rideau de filet pend derrière la vitre. Ce café n'a point de nom.

— Des poireaux, dit une autre femme, quand même, si c'était vrai!...

Elle hésite, puis à son tour elle quitte la queue. Une autre la suit, puis un petit monsieur qui ne travaille pas, qui est trop vieux, juste bon pour faire les courses. Puis d'autres femmes, toute la queue, qui fond, se disperse, court vers la boutique de l'Italien. La vieille aux jambes raides insulte une fille qui l'a bousculée. Elle glapit d'une voix aiguë, elle pleure en même temps. Elle a froid. Elle a eu peur. Si elle était tombée, elle n'aurait pas pu se relever. Elle se serait vidée de toute sa vie dans la neige sale, elle serait morte. Ce peu de vie qui lui reste, il faut qu'elle en prenne soin, qu'elle le conserve bien au fond de son ventre, juste au milieu, là où il fait encore un peu chaud. Elle se calme, elle repart. Elle sait où elle va, au café dans l'impasse. Elle mettra le temps mais elle arrivera. Elle va boire un viandox.

Dans ce café qui ne porte pas de nom, au sommet de cette rue, nous retrouverons, quand le temps sera venu, le garçon qui nous occupe. J'ai voulu vous montrer ces lieux tels qu'ils sont aujourd'hui, après trois jours de dur hiver, pour qu'ils restent en votre esprit, pour qu'ils vous soient déjà familiers quand Jean Tarendol, venant de ses montagnes, abordera ce pays inconnu.

La neige tombe de nouveau. Le vent la pousse. Elle emplit la rue de tourbillons et fait fumer les toits. C'est la mort qui tombe pour les vieux, pour les nouveau-nés qui pleurent dans les maisons glacées. Au-dessous de la rue, sous sa misère séculaire, et la misère plus lourde ajoutée par la guerre, sous le froid, sous la nouvelle neige blanche et la vieille neige salie, sous les dernières pierres des racines des maisons, au-dessous des caves et des égouts, la chair serrée, vivante, de la terre, est chaude comme celle d'une bête.

Jean attend Marie. Si vous avez aimé quand vous aviez son âge, vous savez quelle est son impatience, comment il écoute chaque pas sur le chemin, comment il cherche à deviner, aussi loin que ses yeux le portent, si c'est elle qu'il voit venir, haute comme un doigt de sa main. Si c'est elle, il la reconnaîtra du premier coup. Si ce n'est pas elle, il espère encore, jusqu'au moment où il peut lire les traits de l'étrangère.

Il attend, au bord du Gardant, près du Trou du Moulin. Il regarde et ne voit rien venir. Il se dit qu'elle viendra plus vite s'il ne regarde pas. Il écarte les roseaux, et descend en bas du talus. Là, le filet d'eau qui court d'une pierre à l'autre, doucement, gentiment, dans le lit de la rivière qui resplendit de soleil, se perd dans un creux, s'endort, se ramasse sur lui-même, s'enfle en un lac minuscule où les gamins de la ville viennent le dimanche se tremper les pieds. Ils appellent cela nager.

La rivière, d'année en année, s'est éloignée du Moulin qu'un pré maintenant entoure. Une ronce enchaîne sa roue. Dans le creux d'eau zigzaguent quelques poissons gros comme des becs de fourchettes.

Sur les galets blancs sautent les sauterelles. Les grosses, sous leur écorce grise, cachent des ailes qu'elles déploient à la cime de leur saut, papier de soie froissé, rose, bleu ou vert pâle, qui les porte dans le vent.

Jean jette des cailloux sur une vieille boîte rouillée. Il la manque, il s'énerve, il court sur elle, et la pousse, d'un coup de pied, dans l'eau. Au fond du trou filent en éclairs les ombres des poissons épouvantés. Jean monte le talus, scrute le chemin. Marie n'est pas en vue. Elle vient, pourtant, elle se hâte à travers la ville, sans regarder derrière elle. Jean est au bout du chemin.

Il redescend, coupe une branche de saule, la tape entre deux cailloux pour détacher l'écorce, se taille un sifflet, l'essaie en gonflant les joues.

Brusquement, il se retourne, Marie écarte les roseaux, se jette dans ses bras. Il parle, il ne sait pas ce qu'il dit, des moitiés de mots qui ne signifient rien que pour elle. Puis il l'éloigne à bout de bras, la regarde et rit, et la serre de nouveau contre sa poitrine. Il lui baise l'oreille, il lui dit : « Comme tu as été longue ! » Du menton, elle écarte la chemise entrouverte et, les yeux fermés, frotte sa joue contre la peau chaude. Quand ils se sont bien retrouvés, de tout le long de leurs corps l'un contre l'autre serrés, ils reprennent leur calme, elle rouvre les yeux et dit dans un souffle : « Comme tu es beau... » Il rit, il secoue la tête, il dit : « C'est toi qui es belle... » Ils sont heureux comme ces pierres qui se chauffent au soleil, comme l'air chaud qui danse sur elles et monte vers la haute fraîcheur du ciel, comme l'eau qui court entre elles et s'endort autour des poissons, comme les sauterelles roses déployées dans un rayon d'or.

Quelqu'un, dressé, gris, en haut du talus, les regarde. C'est Mme Margherite. Elle est venue là exprès pour voir ce qu'elle voit, sa fille dans les bras de ce garçon, de cet homme, sa fille dont elle ne connaît plus le visage, sa fille éperdue, perdue, déjà jetée dans le malheur, dans le scandale, aussi sûrement que si elle avait enjambé la fenêtre. Elle crie :

— Marie!

Elle l'a suivie à travers la ville. Elle savait où elle allait, elle sait le nom du garçon, elle est renseignée.

Marie, glacée, s'arrache de Jean. Mme Margherite a mis son chapeau pour traverser la ville, et ses gants. Son chapeau gris comme sa robe, sans bords, sans ornements, un morceau de l'étoffe de sa robe tordu autour d'une forme qui lui couvre les oreilles, les cheveux et le haut du front. Et ses gants sont noirs. Elle est droite en haut du talus, ses mains noires l'une dans l'autre crispées. Les feuilles aiguës des roseaux se balancent autour de son visage. Ses lunettes glacent ses yeux. Elle regarde sa fille dont la peur se calme, et le garçon qui semble plus surpris qu'inquiet. Elle tend une main. Elle ordonne :

— Viens ici!

Marie regarde sa mère, regarde Jean, et quand elle tourne la tête, ses cheveux caressent ses épaules. Il lui a suffi de ces deux mots dits par sa mère pour qu'elle sache, sans avoir besoin de réfléchir, de toute sa force de vie, que c'est désormais cette femme là-haut dressée qui est pour elle l'étrangère, et Jean tout chaud près d'elle, présent dans son corps par l'amour que le sang y roule, Jean le seul être loin de qui elle se sentira perdue.

Doucement, elle se rapproche de lui, elle lui prend

la main, et tous les deux, sans dire mot, regardent Mᵐᵉ Margherite. Elle a blêmi. Elle tousse, pour retrouver sa voix. Elle veut faire passer dans ses mots des menaces terribles.

— Marie, tu m'as entendue? Quitte immédiatement ce voyou, et rentre à la maison. Nous nous expliquerons là-bas!

Jean devient rouge. Il crie :

— Je ne suis pas un voyou! J'aime votre fille, et elle m'aime aussi! Et nous voulons nous marier...

Mᵐᵉ Margherite hausse les épaules et s'en va à travers les roseaux dont les feuilles reprennent leur place avec un bruit de papier.

Jean serre Marie contre lui. Maintenant, il a peur, il a peur qu'on la lui prenne, mais cette pensée lui paraît tout à coup si folle, cette éventualité si impossible, qu'il se rassure. Il sourit, il embrasse les yeux qui pleurent. Il dit :

— Va, ma chérie, va...

Elle s'accroche à lui, elle ne veut pas partir. Il caresse de la joue la petite main crispée sur son épaule.

— Il faut, ma chérie, va... Tu sais bien que tout cela n'a pas d'importance, puisque je t'aime. Rentre chez toi, écris-moi à l'hôtel Beaujour, à Marseille. Nous partons après-demain, passer le bachot. Rappelle-toi, hôtel Beaujour, 12, rue du Canal. C'est là que nos chambres sont retenues. Dis-moi ce qui se sera passé. Et n'aie peur de rien. Rien au monde, personne au monde ne pourra jamais nous séparer. Va, ma chérie, va, mon amour, va...

La petite fille qui dansait sur mes genoux, voyant passer une libellule, disait : « Oh! la si-belle-lune! » Si belle la lune, entre les deux rangées de toits de la rue, monte tranquillement vers le haut de son voyage. Je n'ai jamais pu y voir ce que tant de gens y voient, l'homme chargé d'un fagot, la femme en colère avec ses cheveux de montagnes et sa bouche en cirque grande ouverte. Je la vois ce qu'elle paraît, disque de lumière blême et douce, œil de la nuit borgne, ombre blanche du soleil, qui fait germer sur nos sommeils les cauchemars.

La lune du froid, la lune qui tord les bourgeons, la lune douloureuse au ventre des femmes, la lune qui brûle les yeux bleus trop clairs, la lune aux chiens perdus, la lune à l'aube des mourants, la lune pour les fleurs qui s'ouvrent à minuit, la lune aux oiseaux crochus, la lune au télescope de l'homme chapeau pointu, la lune où nos petits enfants iront semer des haricots, la lune jamais à l'heure, aujourd'hui tôt demain plus tard, la lune de verre au ciel de midi, la lune que le soleil n'éclaire plus, noire parmi les étoiles, noire, présente, lourde au-dessus de nos têtes, invisible au sommet de la nuit. La lune. La nuit.

La lune éclaire la façade du Collège. Au trou sombre d'une fenêtre, Jean et Fiston sont accoudés.

— Tu es ballot, dit Fiston, qu'est-ce que tu veux qu'ils lui fassent, ses vieux ?

— Bien sûr, ils peuvent rien lui faire, que l'engueuler et la boucler. Tu trouves que c'est rien ?

— Tu devrais aller les voir, ses parents.

— Tu crois ?

La lune éclaire une auto noire qui débouche en bas de la rue, monte en ronronnant le long des pavés glacés.

— On dirait la voiture de la Gestapo, dit Fiston.

— Oui, j'irai les voir, dit Jean. Je veux pas qu'ils puissent croire que leur fille aime un voyou.

— C'est la voiture de la Gestapo, dit Fiston.

— Je me demande, dit Jean, comment sa mère a fait pour nous trouver. Elle devait la surveiller depuis longtemps.

La voiture s'arrête devant le Collège. Le moteur s'emballe : le conducteur vide son carburateur. Deux hommes descendent. Chapeaux mous. La portière claque.

— C'est la Gestapo, dit Fiston. Où c'est qu'ils vont ?

Un des hommes lève le bras, sonne à la porte du Collège.

— Ils viennent ici, dit Fiston. Qu'est-ce qu'ils veulent ?

Ce n'est plus seulement de la curiosité, c'est un peu d'angoisse. Gestapo, ce mot terrible évoque l'ogre et le bourreau rouge de la question. L'horreur fabuleuse

193

qui se mêle à la vie de tous les jours. On sait qu'elle existe, on la côtoie, on croise sa voiture dans les rues, on connaît le visage de ses hommes, le lieu où elle dévore ses victimes. On a entendu leurs cris. Pourtant on se refuse à la croire réelle. Elle ne se mêlera jamais de ma vie, particulièrement, à moi. Je n'ai rien fait pour l'attirer, je tourne la tête quand ils me regardent, je vis, j'aime le printemps et les fleurs. Cette horreur est pour les autres, comme la guerre, comme la mort. Et voici qu'elle sonne à la porte de ma maison...

Tarendol s'émeut à son tour.

— Qu'est-ce qu'ils veulent ?

Le concierge qui grognait a reconnu les voix brutales. Il se tait, il enfile en tremblant son pantalon.

— On va les guetter du haut de l'escalier, dit Jean.

Le concierge a éclairé la lampe de l'escalier. Il monte devant. Toutes les trois marches, il se retourne et fait une courbette. Les deux hommes montent de front, soulèvent en même temps leurs pieds, emplissent la largeur de la marche.

Au premier étage s'ouvre la porte du bureau du principal. En face, un couloir conduit à ses appartements.

— Je vais chercher M. le principal, dit le concierge.

Il s'incline et se relève, et disparaît dans le couloir.

Sur la porte du bureau est vissée une plaque de cuivre : Bureau de M. le principal. Les deux hommes n'attendent pas. Ils ouvrent la porte, la porte jamais fermée à clef, ils entrent dans le bureau. Les deux garçons, du deuxième étage, dans l'ombre, les ont vus. Ils voient arriver, presque courant, M. Chalant, vêtu d'une robe de chambre beige, ses pieds dans de vieilles pantoufles, toute sa mèche dans le cou, et le concierge qui trotte derrière, puis Mme Chalant, tragique, les cheveux en serpents noirs, le visage blanc.

M. Chalant entre dans le bureau, referme la porte, le concierge redescend l'escalier. Il lève un poing de menace, grogne, crache, maintenant qu'ils ne le voient plus. Mme Chalant, en silence, s'approche de la porte, plus près encore, écoute, se penche, regarde par la serrure.

— Qu'est-ce qu'ils lui veulent ? souffle Fiston.

— Il n'a rien fait, dit Jean.

— Pas besoin d'avoir fait, dit Fiston.

Mme Chalant tout à coup se redresse, se précipite dans l'escalier, monte deux à deux les marches.

Fiston et Tarendol l'attendent.

— Qu'est-ce qu'il y a madame ? Qu'est-ce qui se passe ?

— Vous êtes là, mes petits ? Mon Dieu ! vous n'êtes pas couchés, tant mieux. Où est M. Tudort ?

— Il n'est pas là, madame, il est sorti.

— Venez vite, venez vite, mes petits, venez vite.

Ce n'est pas au dortoir qu'elle les entraîne, mais dans les couloirs de l'aile nord, parmi les classes vides, noires de nuit. Déjà ils entendent au premier étage la porte du bureau s'ouvrir, et les deux pas qui n'en font qu'un entamer vers le haut les premières marches.

Mme Chalant les presse, explique à mots rapides :

— C'est vous qu'ils viennent chercher, vous trois, avec M. Tudort. Dépêchez-vous. Vous descendrez par l'autre escalier, vous sortirez par le toit du gymnase, vous sauterez le mur du jardin... Que le concierge vous voie pas... Ils ont montré une lettre. Ils disent que vous distribuez des tracts, que vous écrivez un journal clandestin... Tâchez de joindre M. Tudort, de le prévenir. Au revoir mes petits, quittez la ville, pas par le train, partez à pied, ils vont vous guetter. Mais vous n'auriez pas dû faire ça ici, mes petits, pensez aux ennuis que je vais avoir, avec tous mes enfants...

— Mais nous n'avons rien fait, madame...

— Je ne vous reproche rien, mes petits, partez vite, embrassez-moi, allez, allez, vite...

Au dortoir illuminé, les deux hommes ont trouvé les lits vides, non défaits. Un seul est occupé. Quelqu'un dort. Une face jaune coupée par le drap blanc.

— C'est un jeune Japonais, dit M. Chalant.

Ils partent. Hito ouvre un œil. Ils emmènent M. Chalant, en robe de chambre, les pieds nus dans ses vieilles pantoufles. La portière claque, l'auto ronfle, démarre. Mᵐᵉ Chalant à la fenêtre sanglote, tous ses grands enfants debout derrière elle pleurant.

Le peuple du bois, cette nuit, se tient à distance. Trois hommes sont entrés dans la maison du Garde-Vert. La nuit est fraîche dans la maison déserte. Ils se sont couchés l'un contre l'autre, sur le plancher d'une pièce du premier étage. Fiston est allé chercher Tudort chez les filles. Sans couvertures, sans manteaux, dans leurs légers vêtements d'été, ils ont froid. Ils n'ont pas senti le froid tant qu'ils ont discuté, tard dans la nuit, de l'événement qui les a chassés brutalement du Collège, de leur vie insouciante. Ils savent maintenant que leur temps d'enfance est fini. Ils se sont demandé ce que c'est cette lettre que les hommes de la Gestapo ont montrée à M. Chalant, cette lettre qui les accuse. Qui a bien pu l'écrire?

— C'est une femme, dit Fiston. Il n'y a qu'une femme pour faire une saloperie comme ça. Une femme qui nous en veut.

— Mais pourquoi elle nous en voudrait? dit Jean.

— Toi, tu sais pas, dit Fiston, qui est sûr maintenant de bien connaître les femmes, mais si tu savais! Elles sont toujours jalouses. Elles ont toujours une raison...

— Si j'avais été là, grogne Tudort, je leur aurais cassé la gueule!...

— Heureusement, tu y étais pas. Qu'est-ce que tu aurais pu faire? Dès que tu lèves le poing, ils t'auraient descendu.

Ils se sont endormis malgré l'inquiétude, et l'excitation presque joyeuse qui s'y ajoute. Jean a plus de souci de Mme Margherite que de la Gestapo. Mais à l'aube le froid les réveille.

Ils n'ont rien à manger, rien pour faire leur toilette.

— Je me demande, dit Fiston, si c'est pas la fille du coiffeur, cette mocheté... En attendant, il faut trouver quelque chose à croûter, et puis décider ce qu'on va faire.

Furieux d'avoir froid, d'avoir sommeil, d'avoir faim, d'être sale, Tudort, le dos courbé, une main dans une poche, l'autre frottant ses joues râpeuses, descend l'escalier jonché de feuilles et de brindilles. On l'entend râler, donner des coups de pied dans les portes.

— Qu'est-ce qu'on va faire? dit Fiston.

— Ce qu'on va faire? C'est bien simple, on va aller passer notre bachot.

— Bon Dieu, c'est vrai! Le bachot!

— On va prendre le train à Miézon. Trente kilomètres, on les fera sans peine la nuit prochaine. On arrive à Marseille, on passe l'écrit et...

— Et...?

Ils réalisent tout à coup la gravité de ce qui leur arrive. Ils ont fui comme des lapins devant le chasseur, s'estimant saufs et riant dès qu'ils furent hors de portée. Maintenant ils comprennent que la partie de chasse n'est pas finie, qu'ils seront sans doute

recherchés, qu'ils ne pourront pas rentrer chez eux.
Ils sont encore attachés au foyer, blottis de toute leur
âme dans la chaleur maternelle. Fiston se détourne
pour cacher une larme qui lui monte au coin de l'œil.

— Je peux plus aller voir les parents de Marie, dit
Jean.

Le visage de Fiston s'éclaire :

— Moi, j'irai chez mon grand-père, à Vaison, dit-il.

— Moi, j'ai plus de grand-père, dit Jean.

— Et de l'argent, pour aller à Marseille, tu en as ?

— Non, et toi ?

— Moi non plus, il était dans ma table de nuit...

Ils appellent tous les deux ensemble :

— Tudort !

Tudort remonte, les cheveux mouillés, le visage
rouge, bien réveillé.

— Il y a un robinet, en bas, dans un placard. Un
robinet qui coule, et bien astiqué, et graissé ! Ça, alors
c'est formidable ! Mais il faudra pas moisir ici !

Ils ne pensent plus à ce qu'ils voulaient lui demander.
Ils dégringolent l'escalier moussu. Ils se plongent la
figure dans leurs mains emplies d'eau, se lavent les
dents avec un doigt, s'ébattent, rient, s'éclaboussent.

A la nuit tombée, ils se sont mis en chemin. Tudort
avait de l'argent pour les trois, largement. Ils ont
pensé qu'il n'y avait pas de danger à aller passer le
bachot. La Gestapo locale n'aura pas eu le temps
de faire faire des recherches si loin, si vite. Sur la
route, pourtant, dès qu'ils entendent ronfler une auto,
ils se couchent dans le fossé, ou sautent une haie. Il
leur semble que tout le monde est à leurs trousses.
En gare de Miézon, ils se sont présentés un par un
au guichet, l'air indifférent, les dents serrées. Il ne

s'est rien passé, rien non plus à l'embranchement de Pierreplate où ils ont rejoint la grande ligne. L'express était plein jusque sur les marchepieds. Ils sont entrés par une fenêtre, se sont enfoncés dans un agglomérat de valises et de voyageurs aplatis et suants. Ils avaient bien mangé. Fiston était allé faire une visite à la ferme des Bonnet où il était connu. Jean avait trouvé une ruche sauvage dans le bois du Garde-Vert. Ils ont allumé un feu d'herbe mouillée pour chasser les abeilles. Ils ont mangé le miel à pleines mains, puis des œufs, du fromage, du jambon. Ils ont emporté la moitié d'une grande miche de pain blanc.

Jean n'aime pas Marseille. Il lui déplaît d'y voir la mer transformée en souillon. Il a écrit à sa mère pour la mettre au courant de tout, de Marie, de ses parents, de la Gestapo. Une lettre de seize pages. Il a peu dormi. Les draps sentent le poisson. Les lavabos des chambres voisines déglutissent l'eau avec des bruits de catarrhe. Les conduites ronflent le long des murs.

Les trois garçons ont décidé d'attendre l'oral à Marseille. Tudort a de l'argent, Fiston a écrit pour s'en faire envoyer. Jean ne peut pas en demander à sa mère. Il avait juste ce qu'il fallait pour le voyage et quatre jours d'hôtel. Quelques billets soigneusement pliés dans une enveloppe, entre deux mouchoirs, dans sa valise, sous son lit. C'est sans doute la Gestapo qui les a. Il ne peut pas demander à sa mère de remplacer cet argent qu'elle a économisé sou à sou.

Tudort et Fiston lui ont prêté pour le voyage. Ils lui prêteront encore pour le restaurant et l'hôtel. Il remboursera quand il gagnera sa vie. C'est sa première dette, son premier engagement d'homme. Après l'oral il travaillera quelque temps à Marseille, n'importe quoi, plongeur, balayeur, pour gagner de quoi partir à Paris y trouver une place avant le mois de novembre et s'inscrire aux Beaux-Arts. Il reviendra chercher Marie quand il sera architecte.

La lettre de Marie est arrivée le troisième jour. Jean l'a trouvée dans son casier, à l'hôtel, près de sa clef, alors qu'il revenait de passer les dernières épreuves. Il l'a mise dans sa poche, et il est sorti, presque en courant. Il est entré dans le premier café, un petit bistrot tout en longueur, qui se prolongeait sur le trottoir. Il s'est assis derrière une table ronde en faux marbre rouge. Trois Algériens jouaient au zanzi sur le comptoir. Le patron en bras de chemise, les manches retroussées, lui crie de loin :

— Qu'est-ce qu'il prendra, le monsieur ?
— Qu'est-ce que vous avez ?
— J'ai que de la limonade, mon pauvre...

Jean ouvre la lettre en tremblant d'impatience.

Jean, mon Jean, où es-tu, que fais-tu si loin de moi ? Il me semble qu'une éternité s'est écoulée déjà depuis que je suis partie de toi, que je suis partie toute seule vers la prison qui m'attendait. Jean, mon Jean, je veux d'abord te dire que je t'aime et que rien au monde ne pourra me séparer de toi. Je ne crains qu'un seul, qu'un immense malheur, c'est que tu ne m'aimes plus, mais il me suffit de fermer les yeux, de te revoir, pour savoir que c'est impossible.

... Ma mère était comme folle. Elle m'a traitée de tout. Je ne sais qui l'a renseignée. J'ai cru comprendre qu'elle avait reçu une lettre. Elle connaissait tous nos lieux de rendez-vous, tous nos petits nids, tous les endroits bénis

où je te rencontrais, mon amour adoré. Mais elle croyait beaucoup de choses qui n'existent pas, mon chéri, et c'est ce qui la rendait folle.

... Je lui ai dit la vérité. Je ne sais pas si elle m'a crue. J'aurais menti s'il avait fallu mentir. J'aurais dit, j'aurais fait n'importe quoi pour nous défendre...

... Mon père a été plus gentil, mais c'était peut-être pire. Il m'a dit en souriant que tous les hommes sont... je n'ose pas te dire ses mots, que tu ne m'aimes pas, que tu ne cherches qu'à faire de moi ta maîtresse, que c'est bien heureux que ce ne soit pas encore arrivé, qu'il voulait bien me croire, et qu'après tu m'abandonneras...

... Mon Jean, mon chéri, pourquoi ne peuvent-ils pas nous comprendre ? Je leur ai dit que nous voulions nous marier, ma mère est devenue rouge, mon père s'est mis à rire, il a dit que tu n'es qu'un enfant et que tu n'as pas le sou, et qu'il faudra des années avant que tu puisses gagner la vie de ta femme. Ils ne savent pas, mon chéri, ils ne savent pas combien je t'aime, combien tu m'aimes, ils ne peuvent pas comprendre, personne ne peut comprendre...

... Ils sont d'accord, tous les deux, pour nous empêcher de nous voir, pour nous séparer. Ils ne savent pas que même s'ils étaient cent mille, ils ne pourraient pas t'empêcher de me rejoindre. Je pars demain matin, chez ma tante Léocadi. Elle habite à Saint-Sauveur-le-Désert, près de Millebranches. C'est une veuve sévère. Elle surveillera mon courrier. Écris à Jacqueline, qui trouvera bien le moyen de me faire comprendre à demi-mots dans ses lettres. Je pars demain, ma mère m'accompagne. Je t'attends.

Françoise a attaché une corde au cou de sa chèvre, et, la tirant par le chemin de caillasse, elle l'a conduite chez Auguste. Il l'a mise avec les siennes. Elles ont commencé à se battre dans l'étable noire, à grands coups de tête, et quand Françoise est repartie, sa chèvre l'a appelée longtemps. Françoise a également emporté chez Auguste, dans un panier, sa lapine pleine. Les deux autres lapins, elle les a tués et elle en a fait un pâté. Auguste est descendu le lendemain matin saigner le cochon. Il n'est pas très gros, il aurait pu gagner encore des kilos, mais comment faire ? Elle ne peut pas le traîner jusque chez Auguste, elle ne peut pas le laisser sans soins. Toute la journée, elle a travaillé aux boudins, aux saucisses, aux caillettes, au saloir. Tout ce qui doit être cuit, elle en a fait un chargement, elle l'a emporté chez Auguste, sur une brouette, avec un linge blanc par-dessus. Elle n'a pas le temps de s'en occuper, il faut qu'elle parte demain matin. Elle lâchera les poules dans les champs. Tant pis, tant pis si la belette ou le renard lui en mange une. Comment faire ? Il faut qu'elle parte demain matin. Ce soir, elle prépare son panier. Elle y met des fromages, le pâté de lapin, un filet de porc qui a rôti tout seul, transpercé d'une feuille de sauge, devant le feu flambant de la cheminée, pendu à une corde de laine que la chaleur tord. Puis elle monte au grenier. Sa lanterne effraie les pigeons qui la regardent, éblouis, de leurs yeux rouges. Elle écarte une mère qui couve à son nid, soulève la litière de foin crotté de fiente grise. Là, sous la litière, il y a quelques billets de mille. Ils y sont depuis longtemps. Ils sont de l'ancien modèle. Ils ont coûté beaucoup plus de sueur que ceux du modèle nouveau. Françoise les prend, les emporte, redescend dans la pièce du rez-de-chaussée, éteint sa lanterne — l'huile est rare — jette des branches fines au feu pour faire un peu de lumière, ôte sa jupe. Entre sa jupe noire et son jupon blanc, elle porte sa poche, sur l'aine gauche, taillée dans de la toile à matelas, grande comme une poche de pantalon d'homme, fixée à un solide cordon autour de la taille. Elle en tire un mouchoir propre, bien repassé, son porte-monnaie avec trois louis d'or qui lui viennent de son père et une photographie, le visage triste d'André soldat. Elle enfonce les billets au fond de la poche, et les fixe à l'étoffe avec une épingle de nourrice. Elle remet le porte-monnaie par-dessus, et le mouchoir sur le tout. Elle dénoue le cordon, glisse la poche sous son oreiller. Le feu s'éteint. Elle se couche. Elle ne dort guère. Elle pense à Jean, elle pense à ses poules.

Elle est partie avec son panier au bras, son grand parapluie noir, et son mouchoir blanc noué sous le cou. Elle a fait six kilomètres avec ce lourd panier pendu à son coude. Elle est habituée à la peine. Elle n'a jamais fait de grand voyage, mais elle n'est pas timide, elle sait où elle va, et bien malin qui l'empêcherait d'y parvenir.

Son grand visage sec, ses yeux résolus inspirent le respect et suscitent l'aide. A Pierreplate, on lui tend la main pour l'aider à se faire une place près de la portière. Elle pose son panier entre ses jambes, s'accoude à la barre de cuivre et regarde filer le paysage. Son voisin, un Parisien, étonné, la détaille et la trouve belle. Comme il trouverait belle une vieille faïence ou une lampe de cuivre.

A Marseille, elle s'est fait indiquer l'hôtel de Jean. Elle est arrivée au milieu de l'après-midi. Elle a attendu jusqu'au soir, assise dans le hall, son panier sur ses genoux. Jean est arrivé, s'est jeté dans ses bras, et s'est retrouvé tout à coup petit enfant, pleurant de bonheur de l'abri retrouvé.

C'est ainsi qu'il a eu connaissance de la troisième lettre. C'est Camille, le cantonnier qui a remplacé André, qui en a parlé à Françoise. Cette lettre a été envoyée à quelqu'un que Camille n'a pas dit, et qui reçoit les renseignements, pour le maquis de Milon. Elle accuse Jean et quatre de ses camarades d'avoir dénoncé six collégiens à la Gestapo, les six qui ont été arrêtés il y a deux mois en même temps que le pharmacien de la rue de Carpentras. Elle donnait de telles preuves que, tout de suite, la résistance a décidé d'abattre les mouchards. Et une copie de la lettre a été envoyée à ceux de la résistance de La Garde, pour qu'ils ne ratent pas le dénommé Jean Tarendol quand il rentrera chez lui, si par hasard son compte n'avait pas été réglé à Milon.

Camille, qui est de la résistance, a lu cette lettre, mais il connaît bien Jean, il l'a vu naître, et il n'en a pas cru un mot. Il est venu avertir Françoise. C'est tout ce qu'il peut faire. Qu'elle avertisse Jean, si ce n'est pas trop tard. Et surtout qu'il rentre pas au Pigeonnier. Moi je pourrais rien empêcher, je le connais bien ton Jean, je sais qui c'est, mais y en a ici qui lui en veulent. Qui lui en veulent à mon Jean, et de quoi ? Et va-t'en savoir pourquoi on en veut aux gens, parce qu'il va au Collège, peut-être, et qu'ils disent qu'il est fier. Fier, mon Jean, et de quoi il serait fier, le pauvre ? Écoute, peut-être c'est parce qu'il parle guère. Et qu'est-ce que tu veux qu'il leur dise, qu'il leur chante la messe ? Écoute-moi, ce que je t'en dis, c'est tout ce que j'en sais, et je sais qu'il y en a qui demandent qu'à tuer, on dirait que ça les amuse. Ah, mon pauvre Camille, mon André le disait bien, la guerre, c'est la folie de la terre, c'est à croire que tout le monde est fou ; alors c'est pas assez qu'ils m'aient déjà pris le père, ils veulent encore me tuer mon petit ? eh bien, écoute, tu peux le leur dire, s'ils le tuent, qu'ils tâchent de me tuer en même temps, ou bien moi j'en tuerai une douzaine après, tu entends, une douzaine, et je leur arracherai les yeux et je leur crèverai le ventre ; mon Dieu, tu vois ce que tu me fais dire ; mon petit, mon petit Jean, c'est pas possible, lui qui est doux comme un chevreau, qu'il y ait des gens qui veuillent sa mort. Ah! ma pauvre Françoise, on ne sait plus en quel temps on vit, il y a plus de Bon Dieu...

C'est pourquoi elle est partie si vite. Mais elle ne pouvait pas partir en abandonnant tout dans sa maison. Elle ne savait pas combien de temps durerait le voyage. Et elle a mené la chèvre chez Auguste, tué le cochon et les lapins, et ouvert aux poules la porte des champs. Déjà, justement à cause de ces poules à l'abandon, qui lui tournent dans la tête, qu'elle sent promises à la dent du renard, à cause de cette chèvre qui sans doute ne mange pas et qui va perdre son lait, à cause de la lapine qu'elle voudrait bien empêcher de mettre bas chez Auguste, elle pense à repartir. Elle prendra le premier train demain matin. Elle a donné à Jean les billets sortis de sa poche. Elle lui a dit : « Maintenant, tu es un homme. Tu sais mieux que moi ce que tu dois faire. Je ne suis qu'une paysanne. Tu es un homme instruit, comme le voulait ton pauvre père. Il ne faut pas que tu reviennes dans nos campagnes, où les gens sont fous. Ces billets, c'était pour ton mariage que je te les gardais. Prends-les, ça ne me prive pas. Si tu en as besoin, dépense-les, mais fais petit, ils sont durs à gagner. Avec tout ce que tu sais, toi tu pourras en gagner d'autres plus facilement. Et ne te ronge pas le cœur pour cette petite. Si elle t'aime, elle t'attendra, et ses parents seront bien honorés de la donner à un garçon comme toi. En ce moment, pense surtout à te garder. Le mal d'amour est le moindre mal. »

Les trois garçons ont réfléchi. Ils ont fini par deviner qui était l'auteur des lettres. Ce petit salaud de Bernard.

Il a bien calculé son coup. Il sait qu'en ce moment on gagne sûrement quand on accuse. Les haines sont tendues. Au premier mot, elles éclatent. On tue d'abord Ensuite on cherche à savoir. Ou même pas. Il s'est dit : « Si la Gestapo les rate, le maquis les aura. » Il sait qu'ils seront d'autant plus suspects, qu'ils n'ont rien fait. Ce qu'il faut pour pouvoir être accusés des deux côtés.

Qu'a-t-il pu inventer pour que ses lettres soient prises en considération ? N'a-t-il pas lui-même trempé dans les actes dont il charge ses anciens camarades, pour être si bien renseigné ? Et quels sont les deux autres qu'il accuse en même temps qu'eux ? Ont-ils pu échapper eux aussi ?

— On a eu une sacrée veine d'être à la fenêtre ce soir-là, dit Fiston, qui frissonne d'une peur rétrospective.

— Salaud, salaud, salaud ! dit Tudort, les poings serrés de rage. Dommage que je puisse pas rentrer à Milon ! Mais on se retrouvera...

Ce n'est pas sûr. Bernard ne paiera peut-être jamais. La vie va emporter loin de lui les trois garçons. Dans quelques jours ils vont se séparer, partir chacun vers des joies et des épreuves qu'ils n'avaient pas prévues. L'avenir n'est jamais tel qu'on l'avait rêvé. Jean et Fiston sont reçus au bachot, Tudort recalé. Fiston se fait faire de faux papiers. Il s'inscrira sous son faux nom à la faculté des lettres d'Aix-Marseille. Jean va rejoindre Marie, la revoir avant de gagner Paris. Tudort a trouvé un petit bateau qui partait pour l'Algérie. En pleine nuit, à la rame jusqu'au large, sous la menace des canons braqués. Le moteur ne ronflera qu'à l'aube, loin des oreilles, hors de vue. Le bateau est parti, chargé d'hommes. Je ne sais pas s'il est arrivé.

J'étais si las, si malade, hier soir, quand je me suis couché, j'avais un tel besoin de repos, j'ai senti avec un si grand bonheur physique le sommeil apaiser ma chair et noyer ma pensée, que j'ai compris l'ineffable bien-être de la mort. Le vieillard qui a travaillé heure après heure, tout sa longue vie, le malade qui s'est battu pendant des semaines contre le mal acharné, lorsqu'ils renoncent enfin et s'étendent, et laissent venir le repos auquel ne succédera plus jamais aucun épuisant effort, doivent connaître ce moment — une minute, une seconde peut-être avant l'éternité — de paix immense devant la mort acceptée.

Mais ceux-là sont les privilégiés. Des millions d'êtres sont morts en pleine peur, en pleine souffrance, sans avoir le temps de posséder ce paradis. Nous sommes au temps de la haine. La haine est la seule passion accessible aux médiocres. Ils trouvent, à haïr, un semblant de grandeur. C'est pourquoi la haine est si commune, et si facile à propager. Haine grondante, haine rampante et volante, haine d'acier, de feu, elle a broyé les continents, frappé les hommes de toutes les couleurs, empoisonné le cœur des survivants.

Arriverai-je au bout de ce livre? Dans quelques heures, cette nuit, je vais avoir trente-quatre ans. C'est un bel âge pour vivre et venir à bout d'une tâche. Mais une des mille formes de la haine peut interrompre demain mon travail déjà si menacé. Je suis seul à le défendre. Tous ceux que je connais et ceux que je ne connais pas s'acharnent à m'arracher des mains la plume. Et surtout ceux que j'aime, justement parce que je les aime. Il faut que je les garde, que je veille sur eux. Il faut travailler, marcher, prendre le métro, parler aux amis et aux indifférents. Une meute dévore mon temps, le patron, ma famille, le téléphone, les journaux, le monde en guerre. Je défends mon livre contre ces affamés, je rogne sur mon travail-gagne-misère, j'éteins le poste de radio. je vole des heures à mon sommeil, des mots aux phrases que je dis, des pensées à la folie qui nous emporte. Ce livre est fait de ces morceaux de vie que je dérobe à ma vie.

À côté de moi, pendant que j'écris, mes deux enfants dorment. Si ce livre reste inachevé, j'en ai pourtant assez dit, jusqu'à la présente ligne, pour qu'ils me retrouvent parmi ces mots. S'il advenait que je ne puisse les accompagner jusqu'à leur âge d'homme, ils trouveront ici le sens de ce que j'aurais voulu leur enseigner à mesure qu'ils auraient grandi. Et j'espère qu'ils devineraient combien je les aimais.

Maintenant, je vais reprendre l'histoire. Le temps du Collège est fini. Fermons sa porte. Voici les vacances. Les grands sont partis et ne reviendront plus. Une nouvelle génération va aborder les petites classes. La Gestapo a relâché M. Chalant. Ils lui ont meurtri le visage et tondu sa mèche.

DEUXIÈME PARTIE

CHALEUR DE L'ÉTÉ

Nu, vertigineux, le Rocher Saint-Sauveur fend d'un bout à l'autre le dos de la montagne, et se dresse vers le ciel en crête de dragon.

Surgi en ce lieu au début des âges de la Terre, battu par les déluges, brûlé par les soleils, mordu par les vents et les gels, il coupe de sa lame éternelle les hordes de nuages et les vents clairs des saisons. La terre, à ses pieds, fut d'abord verte et brumeuse. D'énormes animaux frottaient contre lui leur cuir aussi dur que sa pierre. Des marais bouillaient sous la croûte des arbres. Les monstres se sont couchés dans leur boue fumante, les forêts flétries se sont abattues sur leurs cadavres vastes comme des plaines. L'homme minuscule a commencé son travail. Les générations et les jours ont passé. Le rocher n'a cédé au temps que des poussières. Les siècles s'usent en vain sur lui, écrasent les hommes et leurs demeures. Ils ont crevé les murs du château, abattu les tours, ruiné le village. Adossé au bas du rocher, le château décapité rassemble son troupeau de maisons sans toits. Quand il était dans sa jeunesse, une fille l'habita, y vécut, y mourut, d'une vie et d'une mort telles que son souvenir, gardé de bouche à bouche, vit encore dans la mémoire de quelques vieux, qui mélangent leur propre histoire à celles qu'ils racontent. Ils ne se rendent plus, aujourd'hui, veiller les uns chez les autres. Ils se sont trop souvent raconté les mêmes choses. Ils les connaissent trop. Ils ne trouvent plus d'oreilles neuves pour les entendre. Les jeunes sont tous descendus autour de la pompe à essence. Le chemin qui y conduit dessine sept lacets sur la pente de la montagne. Qui descend n'aime pas remonter.

Saint-Sauveur-le-Désert ne compte plus, parmi ses maisons mortes, que trois familles et trois solitaires. Les familles sont composées de moins d'hommes que de femmes. La plus jeune des femmes a quarante ans. Les hommes sont plus âgés qu'elle. Elle n'est pas mariée. Elle ne se mariera pas. Un solitaire est le garde des Eaux et Forêts. Le deuxième est un vieux berger sans troupeau oublié par la mort. Mme Léocadi est la troisième. Depuis cinq semaines elle n'est plus seule. Depuis cinq semaines, à côté d'elle, Marie attend. Mme Léocadi a rouvert quelques années avant la guerre cette maison fermée depuis un quart de siècle, a fait boucher les trous du toit et s'y est installée pour y finir ses jours. C'est la seule maison demeurée debout sur la place du Château, à quelques pas du lieu où vécut la fille si belle que le pape de Rome entendit parler d'elle. Les vieux, aujourd'hui, l'oublient pour parler d'Hitler. La maison appartenait à M. Léocadi. M. Léocadi était percepteur. Sa femme a régné sur lui pendant trente ans, et n'a pu l'empêcher de lui échapper par la mort. Elle l'a enterré dans une ville du Centre, celle de son dernier poste. Elle a vendu ses meubles de bourgeoise, elle est venue s'installer parmi les meubles paysans de la maison de Saint-Sauveur-le-Désert. Ses minces ressources ne lui ont pas permis d'envisager une fin d'existence plus agréable. Elle n'aime ni ce village ni ses habitants. Les paysans ne l'aiment guère. Elle ne parle pas leur patois. Elle marche droite comme si elle avait avalé un sabre. Elle a perdu ses cheveux dans sa jeunesse, à la suite d'un érysipèle. Depuis ce temps, elle porte la même perruque noire. Mais ses sourcils et la peau de son visage sont devenus blancs. Pour sortir, elle pique, sur sa perruque, avec de longues aiguilles, un chapeau de crêpe. Elle met des gants. Sabret, le garde des Eaux et Forêts, dit qu'à côté d'elle Marie a l'air d'une églantine à côté d'une ortie. M#me# Léocadi a reçu sa nièce avec plaisir. C'est enfin quelqu'un de son monde. M#me# Margherite lui a expliqué pourquoi elle la confie à sa garde. Quelques mois, le temps qu'elle oublie. M#me# Léocadi a hoché la tête, et promis de veiller.

Les pièces du bas s'ouvrent sur le dernier lacet de la rue étroite où pousse l'herbe entre les pierres tombées. Les pièces du haut, par-derrière, dominent de quelques marches seulement la place du Château. Marie couche en haut. Sa chambre ne reçoit jamais le soleil. Le Rocher la tient dans son ombre. Le lit est en bois de noyer luisant. Sa tête et son pied se terminent en volute. Un édredon rouge posé sur le couvre-pied en filet de coton blanc y demeure même aux pleines chaleurs de l'été. Marie, pour se coucher, l'enlève et le pose sur le fauteuil de bois. Le lit perd son ventre.

Sans tristesse, sans impatience, Marie attend Jean Tarendol. Elle aide sa tante à tenir le ménage. Elle a disposé sur les fenêtres des plants de lavande dans des pots, et un basilic aux feuilles fragiles. La maison, autour d'elle, retrouve sa vie perdue. Le village sourit de ses vieilles dents à sa jeunesse. Le père Jouve, cassé en deux, la nuque à la hauteur du derrière, vient lui porter l'œuf de sa poule. Sabret lui offre un lapin pris au collet. Il a dû rendre à la gendarmerie du canton son fusil de chasse. C'est la loi de l'occupant. Il n'aurait jamais imaginé qu'on pût lui demander un pareil sacrifice. Il dit :

— Je l'ai porté, il fallait bien. Mais j'y suis allé à reculons...

Marie parle à la vieille dame d'une voix sans éclat. Elle ne lui adresse jamais la parole la première, sauf le matin, pour lui souhaiter le bonjour. Elle lui prend des mains, peu à peu, toutes les tâches pénibles, prépare la cuisine et lave la vaisselle, cire l'escalier de bois. Mme Léocadi s'abandonne à ces prévenances, mais se défend d'en montrer de la gratitude. Elle a retrouvé le plaisir de commander, bien que le travail soit fait avant qu'elle l'indique. Marie n'en veut pas à sa tante, n'en veut à personne. Elle est pleine d'indulgence pour les malheureux qui ne connaissent pas le bonheur d'aimer. Elle garde sa joie tout le jour enfermée en elle, mais le village la devine et Sabret dit qu'elle a bien de la chance. Elle monte tôt à sa chambre. Il faut se coucher avant la nuit. On n'a plus de pétrole pour les lampes, rien qu'un peu d'huile rance dans un pot, réservée à l'hiver. Elle s'assied devant sa fenêtre, dégrafe deux boutons de sa blouse, tire de leur cachette les lettres de Jean. Elle les a ainsi soustraites aux recherches de sa mère. Elle les relit jusqu'au moment où la nuit ne le lui permet plus. Elle se couche la tête bourdonnante de mots d'amour. Les mille chansons du soir de la terre viennent bercer sa joie et sa patience. Elle va s'endormir. Devant sa fenêtre, elle voit le bas de l'immense muraille du rocher et la silhouette obscure du château. C'est l'heure où les chauves-souris qui l'habitent sortent pour chasser les fourmis volantes et les papillons de nuit. Ces ombres de velours, que dissipe la lumière du soleil, et les lézards qu'elle fait naître, sont les derniers hôtes du château. Des buissons couronnent les pierrailles accumulées entre ses murs. Le temps a rompu la porte par où sortait chaque matin la fille accompagnée de son lévrier blanc, par où entrèrent, à grand honneur, trois peintres, que mandait le pape pour faire son portrait. Ils la représentèrent en Vierge Marie, le premier illuminée par l'Esprit Saint, le second souriant à l'enfant dans ses bras blotti, le troisième en pleurs au pied de la Croix.

Au pied du rocher, la fille est morte, et le château qui l'abritait n'est plus qu'un éboulis. De ses trois portraits, deux ont été détruits. Le troisième, celui de la Vierge en pleurs, a franchi les océans. Il est au musée du gratte-ciel Rockefeller, accroché non loin d'un Salvador Dali qui représente une montre suspendue pliée en deux sur une corde à linge, au milieu d'une plage où rampe un ectoplasme. Le gratte-ciel est presque aussi haut que le Rocher Saint-Sauveur. Mais le temps aura raison de son ciment et de son squelette de fer, et l'ensevelira sous la poussière quand le rocher dressera encore vers le ciel sa tête à peine un peu plus arrondie. Il a déjà vu passer les éléphants d'Annibal, les esclaves romains qui traçaient au fond de la vallée la route qui conduit à Rome par-dessus les neiges, il a vu les Huguenots se battre contre les Papistes, les vergers d'amandiers, les prés verts, les champs de lavande gagner peu à peu sur la forêt et la broussaille, les tuiles roses des maisons devenir grises et tomber dans les caves, et les buissons reconquérir les terres. Des éperviers maigres, dans le ciel, au-dessus de lui, rêvent en rond de proies riches de sang. Marie, dans son ombre, attend depuis cinq semaines. Elle a reçu ce matin une lettre de Jacqueline. Jacqueline lui dit : « J'ai enfin trouvé le livre que tu me demandes. Je vais te l'envoyer. Tu ne l'attendras plus longtemps. » Marie n'a pas demandé de livre à Jacqueline. Le livre, c'est Jean qu'elle attend, Jean qui est en chemin. Elle le suit le long du voyage. Il a pris le train, changé à Millebranches. Il s'est impatienté pendant cinq heures dans le tortillard. De la dernière gare, il lui reste plus de trente kilomètres à faire avant d'atteindre Saint-Sauveur-Neuf.

Saint-Sauveur-Neuf est au bas de la montagne, à l'endroit où le chemin, au bout de ses sept lacets, atteint la route qui va des villes vers les neiges. Au carrefour, une auberge étalait les bâtiments bas de ses écuries. Les voyageurs la nommaient La Bégude-Saint-Sauveur. La Bégude signifie le lieu où l'on trouve à boire, et Saint-Sauveur indiquait que c'était bien un endroit béni. Depuis un demi-siècle, des maisons neuves ont surgi autour d'elle. Tout ce qui restait de jeune à Saint-Sauveur-le-Désert est descendu se grouper, avec le curé et l'instituteur, dans le village plus facile. Les écuries à chevaux de l'auberge se sont transformées en garages, et une pompe à essence rouge a poussé devant sa porte. Maluret, l'aubergiste, s'est fait un tour de reins dans sa jeunesse, en soulevant une barrique. Depuis, il marche renversé en arrière, et se balance comme un canard. Quand sa casquette glisse de sa tête, elle tombe vingt centimètres derrière ses talons. Son ventre fait contrepoids, le tient en équilibre, et déborde entre son pantalon et son gilet de laine. Il tient par le coin un torchon blanc, qui traîne à terre. Il en fouette les murs et les tables pour chasser les mouches, essuie d'un seul rond de main le cercle laissé sur le bois ciré par le cul d'une bouteille. Devant son fourneau, il se tient de profil pour atteindre les casseroles qu'il surveille de l'œil droit.

Les deux villages sont si hauts, si loin de la vie rassemblée autour des villes, que la guerre ne les a point directement atteints. Les Allemands sont restés aux premiers kilomètres de la route. Le maquis a renoncé à occuper ces lieux, où les armes et les vivres parachutés se perdraient dans les gouffres ou au sommet des pics. Mais presque tous les jeunes paysans de Saint-Sauveur-Neuf, partis aux premiers jours de la mobilisation, sont demeurés prisonniers. La pompe de l'auberge est vide d'essence, et ses garages redevenus écuries restent vacants comme ses chambres. L'auberge est restée vide même pour la fête du pays. C'était, avant la guerre, la plus grande foire de la région, une des plus anciennes de France. Tous les habitants de la montagne y venaient faire des achats qu'ils réservaient pendant l'année pour ce jour-là, régler des affaires avec des partenaires lointains qu'ils n'avaient pas d'autre occasion de rencontrer. Les préparatifs commençaient deux semaines à l'avance. Les ménagères astiquaient leurs meubles, tuaient lapins et volailles, saignaient le veau, écorchaient les chevreaux de lait, portaient à cuire chez le boulanger d'immenses tartes au potiron, dressaient des lits dans les cuisines ou les chambres inoccupées.

Chaque ménage se préparait à recevoir plusieurs personnes, des parents ou des marchands qui venaient depuis toujours demander asile à la même famille, et dont les pères et grands-pères avaient mangé et couché chez les parents et les grands-parents de leurs hôtes. Les chambres de l'auberge étaient retenues d'une année à l'autre, et M. Maluret accueillait les derniers venus dans son grenier à foin. Toutes les remises étaient déblayées, transformées en dortoirs ou en garages. Des pancartes surgissaient aux seuils : « Ici on loge en auto, à cheval ou à bicyclette. » Le Désert lui-même renaissait. Les ruines pas trop branlantes, les maisons qui gardaient un morceau de toit et une cheminée étaient aménagées en restaurants et en buvettes. On posait des planches sur des tréteaux, on transportait des caisses de bière et de limonade, des bonbonnes de vin. Les rues mortes s'animaient. Des portes crevées sortaient des femmes rieuses avec des corbeilles. Elles piquaient des branches vertes au-dessus des huis, tendaient des guirlandes à travers les ruelles, accrochaient des lanternes en papier aux cornes des murs échancrés. Sabret partait chaque matin à l'aube et revenait chargé de lièvres et de perdrix. C'était lui qui approvisionnait la Bégude en gibier. Maluret pendait les bêtes par la tête à la voûte de sa cave. Trois jours avant la foire, aidé de ses voisines, il écorchait les lièvres auxquels il ajoutait, dans une proportion relativement honnête, des lapins de son élevage. Sur la table de la cuisine, une collection de vastes plats de terre recevaient les cuisses, les têtes, les rables en morceaux, noyés dans une marinade qui sentait le vin, le thym et le laurier. L'aubergiste jurait, secouait son monde, secouait les plats, montait à l'étage, découvrait une chambre mal balayée, un drap douteux, attrapait la servante, redescendait, remuait d'une cuillère de bois les morceaux de chair bleue qui émergeaient de la sauce clapotante, goûtait, claquait la langue, ajoutait un grain de poivre, une lampée de marc, jaugeait de l'œil la provision de bois, fouettait l'air de son torchon, atteignait une lampe de cuivre sur le tablier de la cheminée, l'allumait, descendait à la cave chercher une bonne bouteille pour son personnel. A chaque marche, l'ombre de sa tête traversait le plafond, de gauche à droite, puis de droite à gauche, parmi les toiles d'araignées.

Des forains, déjà, avaient planté leurs tentes tout le long des sept lacets qui descendent du Désert. Un cirque minuscule se logeait dans un champ presque horizontal, lâchait ses vieilles poules savantes, aux plumes usées, et ses chevaux blancs tachés de feu. Les enfants du village neuf faisaient cercle autour d'un singe grimaçant qui criait et secouait des quatre mains les barreaux de sa cage quand s'approchait quelque fille de ferme, suante et sentant fort. Sur une corde, entre deux arbres, séchait le maillot rose de l'écuyère.

Le vendredi, la veille de la foire, bêlant, meuglant, hennissant, arrivaient les animaux. Des camions capitonnés de paille les amenaient de la gare de Millebranches. Des marchands de vaches du Charolais et de Normandie, des maquignons du Gâtinais, du Périgord, du Perche, des éleveurs de moutons des Pyrénées, des éleveurs d'ânes du Poitou et d'Auvergne, veillaient au débarquement des plus beaux échantillons de leur cheptel, des lourds chevaux, des grandes mules, des béliers aux cornes de dieux, des verrats hurleurs que trois hommes soulevaient par la queue et les oreilles, des baudets qui s'accrochaient des quatre sabots à chaque pierre, qu'il fallait battre, pousser, tirer, porter presque jusqu'à l'écurie où ils ruaient leur colère contre les murs.

Par tous les chemins arrivaient les carrioles de paysans, chargées de volailles, de fruits de montagne maigres et savoureux, de pâtés de grives dont sont friands les acheteurs venus de la ville. Quand tombait la nuit, le village neuf était plein à craquer de gens et d'animaux. Des bruits de repas, des rires, des toux de gorges congestionnées, le ronronnement des voix d'hommes percé par l'aigu des femmes, des raclements de gros souliers, des cloches de casseroles, des roulements de vaisselles, des cris de bêtes dépaysées mal endormies, enveloppaient le bourg d'un halo sonore que perçait comme des aiguilles le chant des coqs tenus éveillés par le bruit, ahuris. Une étoile très brillante, dont on distinguait la largeur, semblait à peine plus haute que le Rocher. D'autres étaient très lointaines, et certaines, à mi-chemin, changeaient de couleur comme des diamants. Les plus modestes sortaient des ténèbres par ce soir d'été. Elles étaient toutes là. Elles ensablaient le ciel. Elles ne laissaient plus de place au noir de la nuit. Du bourg montait, avec la rumeur des bêtes mal à l'aise et des hommes en liesse, une odeur chaude de laine, de crottin, de cuisine et de vin. Sous le décor éternel des étoiles accroché au rocher, on eût pu croire que l'Arche venait d'atterrir au fond de la vallée, et que Noë, ses fils et ses brus, et les animaux sauvés, fêtaient les joies de la terre retrouvée.

Le lendemain matin, au lever du soleil, un drapeau planté sur la haute ruine du donjon annonçait l'ouverture de la foire. Sur la place du Château se tenait le marché aux chevaux. Disposés en rond, serrés les uns contre les autres, ils formaient de leurs croupes un mur puissant où s'agitaient leurs queues entre-tressées de paille. Un acheteur hésitant, parfois, désignait du doigt un derrière. Un maquignon congestionné jurait la mort du palefrenier. Celui-ci, maigre et les cheveux couleur de crottin, tirait, poussait la bête au milieu de la place, se suspendait des deux mains à la bride pendant que son maître mitraillait l'air de son fouet. Le cheval piaffait, ruait, arrachait des quatre pieds des gerbes d'étincelles aux dalles de la place. L'acquéreur éventuel pinçait les lèvres.

Le long des sept lacets du chemin du Désert, et sur près d'un kilomètre de la route au fond de la vallée, hommes et femmes, en multitude dense, défilaient lentement devant les boutiques de toile où s'étalaient vêtements, chaussures, vaisselle, sandwiches, outils, enclumes, nougats, cuisinières, jouets, moteurs, bananes, citrons, machines agricoles, melons, limonades, postes de radio, charcuterie d'Alsace et andouilles de Vire, pralines, loteries, casquettes, lampes, et même des livres et bien d'autres choses.

Un marchand de pommade infaillible pour les rhumatismes et la bronchite, son crâne chauve couleur de pain grillé, pour prouver la qualité de son produit, le mangeait en tartines. Au carrefour du chemin et de la route, devant la Bégude, les deux courants de foule, parfois, se pénétraient et s'aggloméraient si bien que nul ne pouvait plus bouger et ne savait plus dans quelle direction il allait repartir. La plupart des femmes circulaient déjà panier d'osier neuf au bras et chapelet d'ail autour du cou. C'étaient les marchandises classiques de la foire. De la place de l'Église arrivaient les échos ébréchés de l'orgue du manège.

Maluret tempêtait, tanguait d'une table à l'autre. Son torchon volait au-dessus des têtes, battait les reins d'un extra harassé qui dérobait une seconde de repos. Le marchand de vaisselle mâchait du talc pour se faire écumer les lèvres, insultait le chaland, cassait des piles d'assiettes. Sur le toit de son camion, un vendeur claquait au vent une couverture de laine, la pliait, en ajoutait une autre, une autre, une autre encore, et six draps, et douze draps, et un édredon piqué, et trois douzaines de torchons et dix taies d'oreillers. Je ne les vends pas je les donne! Les jetait au bras de l'acheteur qui levait la main, recommençait, sa chemise trempée de sueur des épaules aux reins. Tous les paysans de la région étaient là, vêtus de noir. Il en était venu des départements voisins, et de plus loin encore, et même de l'autre côté de la neige. Et les boutiques de toile se vidaient, les paniers s'emplissaient, les marchandises s'accumulaient dans les lourdes charrettes et les légères jardinières rangées dans les cours des maisons. Chaque paysanne avait acheté des souliers pour toute la famille, des tabliers pour elle et pour la belle-mère, une robe en coton pour la fille, un pantalon de velours pour le mari, et tout ce qu'il fallait pour remplacer ce qu'on avait cassé, usé ou perdu pendant l'année dans le ménage. Aux premières heures du matin, elle avait vendu ses poules, ses œufs et ses fromages aux mêmes clients qui les lui achetaient depuis dix ans. Son mari avait cédé sa vieille vache au boucher et acquis une génisse, marchandé un cheval et acheté un mulet. L'an prochain, il devra se résoudre à acheter une nouvelle charrue.

L'an prochain. Qui peut savoir ce qu'il sera? L'an prochain, ce fut la guerre, et la foire est morte. Marie est arrivée à Saint-Sauveur le jour même où d'habitude la vallée résonnait de son tumulte. Un seul paysan s'est dérangé, un seul. Il apporte une paire de poules. D'où vient-il? De quelle ferme absolument perdue au fond des montagnes? On se met aux fenêtres, on accourt sur les portes pour le voir passer. Il arrive devant la Mairie, il s'assied sur le banc des vendeurs. De loin, la population attroupée le regarde et attend. Un inspecteur du ravitaillement, trois contrôleurs et deux gendarmes se sont précipités sur lui, lui ont confisqué ses poules et dressé six contraventions. Il est reparti abruti d'étonnement et grondant de fureur, montrant le poing au tonnerre de Dieu. Il lui a fallu la journée pour regagner sa ferme perdue, loin, haut, derrière le Rocher Il ne redescendra jamais.

Maluret a renvoyé sa servante, et son ventre ne dépasse plus son pantalon. Au Désert, rien n'a changé. Le vieux berger n'a pas vieilli davantage. Il n'a plus de dents à perdre, et mange si peu depuis si longtemps qu'aucune misère ne peut le restreindre. Il confond cette guerre et celle de soixante-dix. Il demeure dans une maison à demi écroulée, au bord du sentier qui conduit à la Chapelle du Chevalier. Il couche sur de la vieille paille. Un jour ou l'autre, le mur en tombant l'écrasera. Il faudra ça pour l'achever. La Chapelle fut bâtie par le Chevalier quand il revint de Palestine. Le Chevalier était le fiancé de la fille du château. Le pape, après avoir contemplé les trois portraits, avait fait savoir au père de la belle qu'il ne devrait la donner en mariage qu'à un bon chrétien qui l'aurait bien méritée. Elle aimait depuis son enfance un garçon de son âge, le fils du baron d'une vallée voisine. Quand il vint la demander pour femme, le père lui dit : « Tu veux que je te donne mon beau trésor, qu'as-tu fait pour le mériter ? — Je vais partir à la Croisade, répondit le garçon. Gardez-moi ma fiancée. Je reviendrai digne de l'épouser. » Il passa la nuit en prières, reçut à l'aube l'accolade et l'épée qui le firent chevalier, et partit combattre l'infidèle. La fille du seigneur, au pied du Rocher, l'attendit.

Sur la route romaine par laquelle il quitta le pays, Jean s'en vient vers Marie qui l'attend. Il est descendu du train, il a donné son billet, il est sorti sur une placette plantée d'une fontaine à quatre becs. Dans le bassin de la fontaine, il ne reste qu'un peu de mousse racornie et les quatre becs sont secs comme des vieilles pipes. Un vent léger vrille la poussière. La douzaine de voyageurs amenée par le train jusqu'au bout de la ligne se disperse dans les rues accablées de soleil. Jean cherche des yeux l'autocar. Il ne voit rien, entre dans la gare déserte. Sur le quai, un employé en manches de chemise, sa casquette en arrière, pousse sans se presser un diable chargé de trois colis et dont une roue grince.

— Pardon monsieur, dit Jean, l'autocar qui passe à Saint-Sauveur, d'où part-il ?

— L'autocar ? dit l'employé qui se redresse et s'essuie le front, y en a plus.

Jean est parti à pied. Trente-quatre kilomètres jusqu'à Saint-Sauveur-Neuf. Il les fera avant la nuit. C'est peu de chose. Une chemise et deux mouchoirs achetés à Marseille pendent à son épaule, roulés dans sa veste au bout d'une ficelle. Dans sa poche un savon, un mouchoir et une brosse à dents. Il a jeté au premier kilomètre ses chaussettes trouées. Il marche nu-pieds dans ses chaussures. Il marche à l'ombre quand il s'en trouve, et quand les arbres viennent à manquer, le soleil ne l'effraie point. Il a oublié la menace qui l'a chassé de Milon. Il ne pense plus ni Gestapo, ni maquis, ni longues heures d'études, ni l'anxiété de l'examen, ni plus rien qui soit souci. Il marche sur la bonne route bien sèche de soleil, et ne pense à rien d'autre qu'à Marie vers qui la route le conduit.

Au creux d'un vallon, il a trouvé un fossé humide Il s'est déchaussé, il a frotté ses pieds d'une poignée d'herbe fraîche. Il est reparti. Le soleil du ciel et de la route lui brûlent la peau. La sueur qui sourd à leurs racines boucle ses cheveux en mille boucles. Dans l'or et le bleu de ses yeux, la pupille n'est plus qu'un point noir.

Il s'est arrêté à une ferme pour boire au seau tiré du puits. Il a plongé tout son visage dans l'eau étincelante de trouver la lumière. Le visage perlé de gouttes, il s'est secoué, il a soufflé, il a souri, et demandé à la fermière un morceau de pain. De le voir si beau, elle a coupé sur le pain une tranche de jambon, et battu son chien qui aboyait. Il a repris la route. Deux filles à bicyclette qui l'ont croisé se sont mises à rire et ont ri longtemps après l'avoir dépassé. Elles rient encore alors qu'il ne les entend plus, de plaisir et non de moquerie.

Un ronflement, un grondement de vieux moteur enragé, né derrière lui au fond du paysage, surgit d'un virage dans son dos et le rattrape. C'est une antique voiture torpédo, flanquée des chaudrons d'un gazogène qui fument et bouillonnent, un de chaque côté du capot, et deux au derrière, les uns aux autres reliés par des tuyauteries. Jean fait un signe de bon voyage au conducteur.

— O! crie l'homme, plus fort que son moteur.

— O! répond Jean.

La voiture ralentit.

— Si vous voulez monter, crie l'homme, sautez dedans!

Jean n'a pas le temps d'hésiter. Il a bien vu l'uniforme kaki du conducteur, mais s'il réfléchit la voiture sera loin. Il court, saute sur le marche-pied, enjambe la portière et s'assied. Une fois assis, il se dit : « Je suis peut-être dans la gueule du loup, mais est-ce un gendarme maquis, ou un gendarme Gestapo? »

Ce n'est pas un gendarme. En bienvenue, il fait à Jean un clin d'œil et un sourire. Un cor de chasse orne son képi, et les boutons de son uniforme. Il crie :

— Si j'avais été à la descente, je me serais arrêté. Mais à la montée, c'est trop risqué!

La voiture jette au-devant d'elle, contre les échos de la vallée, un vacarme de mitrailleuse et de rouleau compresseur. Elle sème sur la route une piste de cendres et de charbons fumants. Les cigales épouvantées ne reprennent leur scie que loin derrière son passage.

— Et vous allez où, comme ça? crie l'homme.

— A Saint-Sauveur, crie Jean.

— Pas possible! Et quoi faire?

— Oh! rien...

Un dos d'âne se présente. L'homme change de vitesse. Le grondement du moteur monte avec la route. Au sommet, la voiture plonge dans un cassis, crache une gerbe d'étincelles. Les chaudrons ferraillent, la portière de droite s'ouvre. Jean la rattrape et la claque. Le conducteur a retenu d'une main son képi qui s'envolait. Du bout du levier, il remue un grand bruit dans la boîte à vitesses, et laisse glisser l'engin sur la descente.

— Évidemment, dit-il, elle est plus neuve. Je l'avais payée mille trois cent francs avant la guerre. C'est le forgeron qui m'a fait le gazogène. Il est pas bien joli, mais il brûlerait des cailloux...

— L'essentiel, dit Jean, poli, c'est que ce soit pratique...

— Saint-Sauveur, reprend l'homme, c'est justement là que je vais. Vous voyez comme vous avez de la chance !...

Ils ne se sont dit un mot de plus jusqu'au bout du voyage. Le moteur leur imposait silence. La voiture s'est arrêtée devant la porte de la Bégude. Quand les gaz furent coupés, Jean crut communiquer tout à coup avec le silence des espaces sidéraux.

L'homme se présente :

— Je suis Sabret, le garde des Eaux et Forêts. Ça c'est l'auberge. On va boire une bière. Il fait chaud.

Ayant décidé, il descend, et, de la porte de l'auberge crie vers l'intérieur :

— Eh Maluret ! Apporte une canette et deux verres !

— Ah ! c'est toi ? répond une voix lointaine. J'avais bien entendu du bruit, mais je croyais que c'était le tremblement de terre...

Sabret entre et s'assied, et invite Jean à en faire autant. Ils sont seuls dans la grande salle sombre et fraîche. Ils sont assis l'un en face de l'autre, de part et d'autre d'une table de noyer bien cirée, luisante. Le garde a repoussé son képi en arrière et s'essuie le front. Ses cheveux gris sont coupés ras, sauf une petite frange par-devant. Ses yeux sont de la même couleur que le bois de la table. Ses grosses moustaches cachent le haut de sa bouche. Il sert la bière, soulève son verre et dit :

— A la vôtre !

Il boit, soupire de satisfaction, suce sa moustache qui a gardé la mousse, dit :

— Ça fait du bien !

Il regarde Jean avec un demi-sourire caché sous ses poils.

— Je me demande bien ce que vous venez faire ici...

Jean fait un geste vague.

— Vous me direz que ça ne me regarde pas. Mais quand on vient à Saint-Sauveur, d'habitude, on a des raisons. Moi j'habite là-haut, au Désert. Il faut avoir tué père et mère pour y rester...

Quand il a dit « là-haut » il a ouvert ses deux bras dans un grand geste au-dessus de sa tête.

— Vous me direz que personne m'oblige d'y rester, c'est vrai, et que si le désert me dégoûte, j'ai qu'à m'en aller. Mais, justement, je peux pas. Je me trouve pas bien ailleurs. S'il fallait que je parte, ça me ferait comme l'escargot pas assez cuit. Vous lui dites : " Viens dans mon omelette ", vous tirez, et il vous en vient que la moitié. Juste les cornes. Tout le reste est attaché dans la coquille...

Il se penche en avant pour parler, il accompagne ses mots de la tête et des mains. Jean s'est éloigné un peu de la table. Bien appuyé au dossier de la chaise, il écoute le garde, il goûte la fraîcheur de la pièce, il ne dit mot, la fatigue d'une nuit sans sommeil lui brouille lentement la tête. Il est au bord du demi-sommeil.

— Vous êtes pas bavard, dites. Moi non plus. Au Désert, je reste des jours sans ouvrir la bouche. Je visite les reboisements. J'empêche qu'on garde les

230

moutons dans les plantations. C'est pas un gros travail. Ça rapporte pas beaucoup non plus. Mais c'est toujours ça...

Au-dehors, les cigales crissent. Par la porte pénètre le reflet d'un rectangle de route éclatant de soleil. Sabret a dégrafé le col de sa vareuse et celui de sa chemise. Jean, les yeux vagues, regarde ses mains danser autour de son visage.

— Souvent, je pars le matin, et je rentre à la nuit sans avoir vu personne. Alors, à qui je parlerais ? Aussi, quand je rencontre quelqu'un de sympathique, je me rattrape. Quand je vais voir la petite Marie, si la vieille taupe est pas là, j'en finis plus de lui dire mes histoires...

Jean lève brusquement le menton, avale sa salive et demande d'un air qu'il croit innocent :

— Qui c'est, cette petite Marie ?

Sabret abat joyeusement sur la table sa grande main ouverte.

— Ah ! je savais bien que j'allais vous réveiller...

Il se penche, dit d'une voix de mystère :

— Je suis sûr que vous le savez mieux que moi, qui c'est ! C'est la nièce de la vieille taupe, la mère Léocadi. On dit au Désert que sa mère l'a mise là pour la séparer de son amoureux. Si c'est vrai, elle aura bien trouvé le moyen de le faire venir, son amoureux. Les femmes, même les jeunes, ont toujours la tête pleine de combinaisons. C'est bien pour ça que je me suis pas marié. Aussi, quand vous m'avez dit que vous alliez à Saint-Sauveur, j'ai pensé : " Ou bien c'est un du maquis, ou bien c'est l'amoureux. " Si c'est pour vous cacher, vous pouvez me le dire. Je vous cacherai si bien qu'on pourra vous chercher pendant vingt ans. Je connais toute la montagne et tous les trous du Rocher. Si c'est pour Marie que vous êtes venu...

Il s'interrompt, regarde à gauche, à droite, comme si quelqu'un pouvait l'entendre dans la salle déserte, se penche encore davantage, le képi sur la nuque, le menton au ras de la table.

— Si c'est pour elle, ne le dites à personne, et surtout pas à cette langue de Maluret, l'aubergiste. Tout le Désert et le Neuf le sauraient avant la nuit.

Il veut surtout garder le secret pour lui tout seul, savourer l'histoire, se la raconter tout le long de ses journées vides, à grands pas parmi les jeunes pins, s'en réchauffer et en rire dans sa solitude, s'en faire une richesse qu'il dépensera pendant des années.

Jean est trop jeune pour se méfier, pour pouvoir se taire quand on lui parle de celle qu'il aime. Il a commandé une autre canette, il a tout dit, et Sabret lui a raconté le village, le château, le chemin serpentin, et chacun des habitants, avec ses ascendants et ses cousins de la ville.

Ils ont mangé ensemble une soupe et une omelette, devant la porte de l'auberge, au moment où le soleil fraîchit. Le garde a dit à Maluret :

— Ce garçon vient travailler pour les battages. Je l'emmène chez Séverin.

Ils sont passés chez le forgeron, qui est aussi l'entrepreneur de battages. Jean n'a pas eu de peine à se faire embaucher, les bras manquent. On commencera dans trois jours, par la ferme des Bréchet. Sur l'aire, devant la forge, la batteuse, avec sa longue queue botteleuse, est déjà accrochée à la locomobile. Un petit train qui va fumer, cahin-caha, sur les chemins.

Puis les deux hommes sont montés vers le Désert. Deux chemins y mènent, outre la route aux sept lacets. Le premier est un sentier raide, qui conduit de la vallée à la Chapelle du Chevalier, et de la chapelle à la place du Château. L'autre, en escaliers, coupe le village comme un coup de sabre, du château jusqu'à mi-pente de la vallée. Un seigneur huguenot, un des derniers maîtres du château, fit tailler ce raccourci pour jeter plus vite ses hommes d'armes sur les papistes approchant. C'est par le sentier de la chapelle que Sabret emmène Tarendol. Il est sûr de n'y rencontrer personne. Il marche devant, il parle toujours, et souvent se retourne pour s'assurer que le garçon l'écoute. Parfois l'un ou l'autre s'agrippe à quelque touffe d'herbe, à un bec de rocher, tant la pente devant eux se fait rude. Le soleil énorme et rouge touche à la fin de sa journée. Jean s'arrête, regarde à ses pieds la vallée dans laquelle se verse le couchant. Les hautes montagnes, les pierres dressées, les maisons accroupies sont vêtues de gloire sauvage. Une fumée qui monte de l'auberge se teinte de rose et se fond en brume sans contours. L'eau mince de la rivière brille comme un fil de clinquant. Les arbres tordus s'étirent, les herbes raides se redressent, s'abreuvent de leur dernière goutte de sève soustraite aux heures torrides et flambent de joie à l'adieu du tyran.

Par un soir semblable, regardant comme Jean vers l'ouest, la fille du seigneur vit venir une caravane enveloppée d'une lente poussière. Elle pâma de joie dans les bras d'une servante. Ce n'était pourtant pas le fiancé parti qu'elle attendait depuis quinze ans, mais seulement son écuyer, porteur d'un message. Le chevalier faisait dire à sa dame qu'il ne s'estimait pas encore assez méritant. L'écuyer raconte ses exploits. Il s'est battu avec grande vaillance. Il a chassé l'infidèle du tombeau du Christ, et tué tant et tant de ces Arabes que le sable du désert est rouge de leur sang honni de Dieu. Mais il s'est juré de ne point revenir sans apporter à sa fiancée le rubis du sultan. Toute l'Arabie parle de cette pierre fabuleuse que le chef des Croyants porte à son turban. Elle est plus grosse que le poing d'un guerrier et flambe sous le soleil comme les flammes de l'Enfer. Le chevalier s'est mis à sa poursuite. Il demande à sa dame de lui garder sa foi, et lui envoie ces menus présents : un animal bossu au visage de vieille fille, que l'écuyer nomme un chameau, et sur ses bosses trois petits nègres vêtus de soie rouge, pour la servir, un lion rugissant dans une cage, une gazelle aux grands yeux, les barbes de vingt chefs infidèles qu'il a tués de sa main, et leurs sabres en croissants, aux lames claires comme la lune, aux poignées incrustées de pierres et d'or, et douze mulets chargés de tapis, d'étoffes précieuses, de sacs de pièces d'or frappées de signes étranges, de parfums dans des flacons d'argent et d'or, d'épices, de confitures de roses, de plats de cuivre et d'or, et, sur un cheval blanc, dans une arche bénie accompagnée par trois prêtres chantant, un morceau de la Croix sur laquelle Notre Seigneur souffrit.

La dame a donné au messager du chevalier croisé son écharpe sur laquelle elle a posé ses lèvres. Et elle a recommencé d'attendre.

Marie n'attendra plus. Elle sait que son attente est finie. Sabret le lui a dit tout à l'heure. Il a pris le prétexte d'apporter un bol de lait de sa chèvre frais caillé. Il lui a soufflé que Jean est arrivé. En ce moment, il est à la Chapelle. Il y restera jusqu'à minuit.

Mme Léocadi, chaque soir, ferme à clef les deux portes de la maison. C'est une des raisons qui la rendent peu aimable aux gens du Désert. Ils disent : « Méfie-toi des gens méfiants. » Eux se contentent de pousser leurs portes. Et l'été, pas toujours. Ils se connaissent, ils n'ont peur de personne. Les bohémiens, qui vous voleraient la langue dans la bouche, ne montent jamais jusqu'au bourg perdu. Depuis l'arrivée de sa nièce, la vieille dame prend une précaution de plus : elle retire les clefs des serrures et les glisse sous son oreiller.

Enfermez dans un caveau scellé une fille amoureuse. Elle creusera avec ses ongles une galerie sous vos pieds pour rejoindre celui vers qui son amour la pousse.

L'activité de Marie, peu à peu, a atteint dans la maison les coins les plus sombres. Elle a ordonné les armoires, déficelé de vieux paquets, balayé le grenier, mis en rangs les bouteilles vides de la cave. Elle a trempé dans la jarre d'huile une plume d'oie dont elle a caressé les gonds des portes qui grinçaient. Dans le réduit, sous l'escalier, elle a trouvé un vieux coffre à outils. Les manches du marteau et de la lime, rongés de vers, ont perdu leur poids en fine poussière. Quelques clefs rouillées reposent parmi les clous. Marie les a frottées, graissées, essayées à la porte du haut. Deux d'entre elles l'ouvrent sans bruit. Elle en cache une sur une poutre du grenier, fixe l'autre à sa taille sous sa robe, au bout d'une attache blanche. Et si les deux clefs se perdaient, si la porte ne s'ouvrait, il reste l'étroite fenêtre qui domine la place de presque deux hauteurs d'homme Mme Léocadi qui n'est plus agile et n'a jamais aimé ne se méfie pas de la fenêtre. Marie, étendue sur son lit, écoute la vieille dame tousser, remuer des chaises, se coucher. Elle est d'habitudes régulières. Elle se déshabille, ôte sa perruque et en coiffe un crâne de bois planté sur une tige, enfile sa chemise de nuit de toile, s'étend sur le dos, au milieu du lit, jambes et bras un peu écartés, et parce qu'elle est sans espoirs et sans regrets, s'endort en quelques minutes. Elle aspire l'air par le nez et le souffle par la bouche, avec le même bruit qu'un enfant soufflant sa soupe trop chaude. Elle ne s'éveille pas avant le grand jour. Si sa nièce lui demande : « Avez-vous bien dormi, ma tante ? », elle répond d'un air résigné : « Oh ! à mon âge, on n'a plus besoin de dormir... »

Marie écoute, écoute, penche sa tête hors du lit, retient son propre souffle pour mieux écouter. Mais son cœur impatient lui bat dans les oreilles. Elle s'assied, se serre la tête dans ses deux mains pour se calmer, écoute encore. Elle entend, sous le plancher léger, monter la respiration de nuit de Mme Léocadi. Elle se lève, traverse la chambre sur la pointe de ses pieds nus. Souvent, elle s'est promenée à grands pas sans précautions au-dessus de la vieille dame pour éprouver son sommeil. Mais ce soir il lui semble que le moindre chuchotement du bois va l'éveiller. Voici la porte de la chambre, qu'elle n'a pas fermée. Voici les cinq marches de l'escalier, dans le noir, et le mur râpeux sous la main. Elle connaît les marches une à une. Elle enjambe la dernière. Voici la clef guidée vers le trou de la serrure par les petits doigts qui tremblent de hâte. Voici, voici, le grand ciel plein d'étoiles. Elle se baisse, chausse ses sandales, se relève et court, vole, vers le garçon enfin venu.

Du mur de la maison une silhouette se détache. C'est Sabret. Il guettait. Il voulait la voir partir. Il rit d'une grande bouche muette, il remue ses bras dans la nuit autour de sa tête. Il pense à la vieille taupe qui dort, aux deux enfants qui vont se rejoindre. Il est content de lui. Il a conduit Jean jusqu'à la chapelle, et lui a dit : « Attendez ici, je vais vous l'envoyer... »

Jean s'est couché au pied du figuier, sur une herbe courte et épaisse, douce d'avoir été protégée du soleil par les larges feuilles de l'arbre. C'est à quelques pas de là, à l'endroit où le sol coupé net tombe à pic vers les vergers d'amandiers, c'est de ce haut lieu, que la fille du château, après le départ de l'écuyer, vint de nouveau, chaque soir, guetter le retour de son fiancé. Celui-ci poursuivit le sultan à travers l'Afrique et l'Asie. Parfois il le rejoignait, et les deux vaillants hommes se battaient tout le jour et toute la nuit, jusqu'à ce qu'ils fussent si las de donner et de recevoir des coups qu'ils tombaient l'un sur l'autre évanouis. Et la poursuite recommençait, à travers les déserts de sable et les déserts de sel, les montagnes d'Afrique et les jardins d'Arabie. Un jour enfin, le chevalier frappa le sultan d'un coup si terrible qu'il lui fendit l'épaule en deux et aussi la poitrine et le ventre, et brisa du même coup la selle et tua le cheval. Ayant tranché la tête de l'infidèle, il prit le rubis, l'enveloppa dans l'écharpe de sa dame et jugeant qu'il était maintenant assez méritant, s'embarqua pour le pays chrétien. Mais la poursuite avait duré si longtemps qu'il portait barbe blanche jusqu'à la ceinture. Et quand il arriva il ne retrouva plus la belle. Elle était morte de l'attendre. On l'avait enterrée au lieu même d'où elle surveillait chaque jour l'horizon, et on avait planté sur sa tombe un figuier, parce que c'est un arbre qui ne vient jamais en fleur. Les vieux du Désert, lorsqu'ils racontaient son histoire, disaient qu'elle était restée jeune et belle jusqu'au jour de sa mort, et que c'était le même figuier qui vivait encore sur sa tombe. Il donne de petites figues grises qui deviennent rousses en mûrissant, et se penchent sur leur queue, comme des larmes. Personne n'y touche. Les oiseaux les mangent.

Le chevalier fit élever une chapelle à côté de la tombe, et y vécut ermite. Il devint très vieux et très sec. Il restait des journées assis sur une pierre, caché derrière sa barbe. A sa mort, on l'enterra à la porte de la chapelle, et on planta sur lui un cyprès.

Des murs épais de la chapelle ne demeurent que des moignons. Le cyprès se dresse, noir, vers la lune. Blotti près de lui, le figuier arrondit son dos comme une pigeonne amoureuse. Jean respire l'odeur de l'herbe. Marie va venir. L'immense muraille du rocher, chauffée à blanc pendant les heures de journée, chauffe la montagne comme un soleil de nuit. Jean se dresse, quitte sa veste. Sabret lui a dit : « Surtout vous montrez pas! Faites pas d'imprudence! » Mais qui pourrait le voir quand tout dort? Qui pourrait le retenir d'aller au-devant de Marie qui s'approche? Il jette sa veste près de l'arbre, jette le brin d'herbe qu'il mâchait, fait quelques pas dans le chemin qui conduit au village, quelques pas lents d'abord, puis il se hâte, puis il court. Il voit les premières maisons basses, il s'arrête. Il voit venir Marie toute blanche, il ouvre les bras. Elle se jette contre lui, il se referme sur elle, ils n'entendent que leurs souffles mélangés, ils ne peuvent parler, le bonheur leur noie la bouche.

Marie au bout de la longue attente s'abandonne enfin, sanglote de joie et de gratitude. Il l'embrasse, elle essuie son petit nez sur son épaule, elle sourit dans ses larmes, elle dit :

— Tu es là... tu es là...

Il l'embrasse, il la soulève, la prend serrée contre sa poitrine et l'emporte. Le rocher chauffe la nuit, la lumière de la lune éclaire, dans les bras du garçon, la robe blanche. Il marche, il baise les joues mouillées de larmes, il parle, il caresse de ses lèvres le front moite, les grands yeux où brille la lune.

— Marie, mon amour, ma Marie, ma vie, toute ma vie...

Ils traversent un pré qui fut fauché la veille. De l'herbe qui gît, pas encore morte, monte une odeur sucrée, profonde, à la fois fraîche comme la sève et chaude comme le sang, qui tourbillonne à leur passage. Marie, bercée par les mots, par les pas, brisée de la joie trop patiemment attendue, ouvre ses mains serrées sur les épaules de Jean et se confie de tout son poids aux bras solides. Il ne sent pas son poids, il porte un trésor léger, une brassée de fleurs. Il la regarde et rit de bonheur. Il court vers la chapelle.

Il s'arrête, près du figuier accroupi sur son ombre. Il a transpiré, mouillé en même temps sa chemise et la mince robe serrée contre lui. Il soulève Marie jusqu'à son visage, appuie sa joue sur le petit ventre brûlant, puis son front puis ses lèvres, doucement se baisse, s'agenouille, couche à terre son fardeau. Marie, tendre et chaude, ferme ses bras autour de son cou. Jean se pose sur sa bouche, allonge ses jambes dures. Marie se sent fondre sur la terre, et elle s'abandonne. Dans son nid de pierre, un épervier, éveillé tout à coup par un cri monté jusqu'à lui à travers la chair du rocher, étend et claque ses ailes, les replie et s'endort. La pointe du cyprès ondule au vent chaud de la nuit. Marie au ras de la terre, dans le chant innombrable des grillons, gémit et chante sa surprise, son amour, sa merveille. En haut du figuier, un rossignol chante aux étoiles. De la vallée montent les notes de flûte des petites chouettes grises, et la voix d'un chien qui rêve. Jean muet sur Marie, Jean en elle avec elle perdu, voit sous son souffle la petite tête blanche aux yeux clos tourner à gauche à droite dans l'herbe couchée, comme la tête d'un enfant malade d'un mal trop grand pour lui...

Immobile sur elle reposé, sa joue à sa joue unie par les larmes de chaleur et de joie, sa bouche ouverte dans l'herbe, Jean écoute les grandes vagues du sang battre son corps et le corps sous le sien étendu.

Il pèse sur Marie comme le rocher sur la montagne. Il l'écrase de son poids d'homme lourd de toute sa vie, heureux, puissant de se sentir lourd sur elle ; et la seule chose que Marie ressente encore, qui la retienne à la porte du néant, c'est ce poids de chair sur sa chair évanouie.

Jean caresse de son front les cheveux de soie mélangés à l'herbe, se soulève sur les mains, se fait doucement plus léger, délivre Marie pareille à une morte, écrasée, enfoncée en terre par la danse de joie. Avec une tendresse infinie, bouleversé de la voir vaincue, il pose ses lèvres sur les paupières closes. Il comprend qu'il commence seulement à l'aimer.

Il effleure de ses mains le corps immobile, le sent abandonné, perdu. Tout à coup, il s'inquiète, il a peur. Où est-elle? Qu'est-elle devenue? A voix basse, mais avec toute sa force d'amour, pour qu'elle l'entende si loin qu'elle soit parvenue, il l'appelle :

— Marie... mon amour... Marie...

Elle frémit. La vie, de nouveau, gonfle sa poitrine. Dans la nuit, pour elle seule, sans ouvrir les yeux, elle sourit. Elle lève un bras et cherche la bouche qui l'appelle. Elle presse longuement sa paume contre les lèvres, puis sa main glisse le long du cou, le long du flanc brûlant, jusqu'aux reins où elle se niche.

Elle retrouve les odeurs mêlées, bouleversées, de la terre sèche, de l'herbe froissée, et de la joie de leurs corps. D'une voix qu'elle ne se connaissait pas, qu'il ne reconnaît pas, elle répond à son appel :

— Mon Jean... Toi !

Elle a ouvert les yeux et au-dessus d'elle elle voit Jean entouré d'étoiles.

Le rossignol chante jusqu'à l'aube. Quand il se tait, à la première heure du jour, la batteuse commence à ronfler, accrochée comme un bourdon au flanc de la montagne. Une poussière dorée fume autour de la ferme, se pose en fleur mouvante. Le moindre vent l'emporte. Des hommes et des femmes, la tête sonnante, s'agitent, silhouettes dans l'air poudré de clair, sur les pailles illuminées, jettent les gerbes, coupent les liens, portent les sacs, poussent les bottes, sans arrêt car la machine ne s'arrête pas, sans repos, car la machine n'est jamais lasse. Jean, le torse nu, bronze mouillé de soleil, attaque les meules à pleine fourche.

La première heure lui est facile. La fatigue vient ensuite, puis le moment où il a dépassé sa fatigue, trouvé une nouvelle aisance. Le soir venu, on mange la soupe autour de la longue table, dehors. On parle peu. Le poids des efforts de la journée pèse sur les épaules. Des hommes se grattent, bâillent. La balle de blé pique les peaux moites. Une femme rit, s'énerve. Elle est sans mari depuis quatre ans.

Lourdement, les hommes se lèvent, vont au lit ou à la paille. Jean, à travers champs, va rejoindre Marie.

Il travaille tout le jour, et le soir il rejoint Marie. Dès qu'il pose ses mains sur elle, il retrouve ses forces, neuves chaque soir. La batteuse a déjà rasé les meules de six fermes de la vallée. Jean les a tenues au bout de ses bras. Et dans ses bras, le soir, il tient Marie perdue de joie.

Il maigrit, ses joues se creusent, ses yeux brillent. Il rit à tous propos et souvent il sourit seul, en haut de sa meule, sans que personne lui ait rien dit. Il pique les gerbes et les jette sur la batteuse à grand élan de ses bras. Sa peau est maintenant de la couleur du pain qui sort du four. Quand il rit, la blancheur de ses dents fend son visage. Il marche la tête plus haute, plus droit, fier de ses amours, riche d'un tel orgueil et d'une telle joie qu'il en dispense à tout ce qui l'entoure. Il froisse un épi dans ses mains chaudes, et les grains et la balle légère prennent vie dans ses paumes, coulent, s'envolent. Il se penche avec tendresse sur les noces des insectes dans l'herbe, il sourit au ciel comme à un cousin. Il excuse les hommes, leurs sentiments bas, leurs jalousies, leurs tristesses, leurs hontes, leurs envies de mordre, toutes leurs blessures. Son bonheur les éclaire. Sales, laids, tristes, tordus, il les trouve beaux.

Aux vieilles femmes, cassées et grinçantes, il cherche au fond de l'œil quelque reste de jeunesse, quelque goutte d'eau claire, un souvenir du temps de l'amour. Elles comprennent son regard, se redressent en grinçant des vertèbres, lui sourient et le suivent des yeux.

Marie a coupé des fleurs aux champs et en a disposé partout dans la vieille maison, pour célébrer ses fêtes. Elle garde plus que jamais le silence près de sa tante, baisse les yeux devant elle. Elle a peur de lui montrer sa joie. Elle voudrait que Mme Léocadi oublie sa présence. Elle épluche, balaie, lave, cuit, frotte, sans bruit, toujours en avance d'une pièce, d'une minute, sur l'attention de la vieille dame. La plus humble tâche lui est un travail d'amour. Ses pas sont une danse, ses hanches portent une chaleur qui se voit quand elle marche. Ses mains caressent les objets, se reposent parfois sur eux comme des oiseaux. Il lui arrive de s'arrêter tout à coup, à un souvenir. Elle pâlit, elle détourne la tête même si elle est seule, et le sang remonte à ses joues, à son front, lui brûle les oreilles.

Dès le matin, elle commence à souhaiter le soir. Chaque journée lui est interminable, chaque minute qui les sépare maintenant lui paraît perdue, irremplaçable. Le moment le plus dur est celui où elle attend que monte vers elle la respiration de sa tante endormie. Elle lutte pour ne pas déjà se précipiter, attendre encore, être bien sûre. Dès qu'elle est dehors elle court, elle vole. Elle se jette dans les bras de Jean en gémissant de la peine qu'elle a supportée loin de lui. Elle se serre contre lui, renverse la tête, les yeux fermés, ouvre la bouche pour le boire.

Pendant ces deux mois de l'été, il ne s'est rien passé d'autre que leur amour. Les armées dans leurs cuirasses se sont frappées et ont frappé les foules nues. L'industrie de la mort a permis de tuer de plus en plus loin un grand nombre d'hommes. La mort a gagné aussi dans le détail : dans les prisons, dans les repaires, on tue vingt fois le condamné avant qu'il expire. On ramasse les blessés, on les coud, on les drogue, on les redresse, on les remet dans la bataille. Des monceaux de gravats troués de rats remplacent les villes disparues. La terre, les pierres broyées, les aciers tordus, sont graissés de chair et de sang.

Il ne s'est rien passé d'autre que leur amour. Ils sont heureux. Ils le savent. Ils ne s'inquiètent pas de l'avenir, ils savourent leur présent. C'est leur miracle. Nous disons : « Demain, je ferai ceci, je posséderai cela, et je serai heureux. » Le lendemain vient, et nous n'accomplissons pas ce que nous avions prévu, et nous ne recevons pas ce que nous avions demandé. Nous remettons notre bonheur à un autre lendemain. L'heure de la mort arrive sans que nous ayons jamais atteint cette félicité repoussée de jour en jour.

Jacqueline, au départ de Fiston, a compris qu'elle ne le verra jamais plus. Tant qu'il était au Collège, elle pouvait faire semblant d'espérer. Elle supportait ses plaisanteries, son tutoiement de copain, lui rendait ses bourrades, puisqu'il fallait accepter tout cela pour le voir. Un jour, peut-être, il aurait changé, pourquoi pas ?

Il est parti, il n'a même pas envoyé une carte. Elle a eu de ses nouvelles deux fois par Tarendol. Tarendol a quitté Marseille pour rejoindre Marie. Fiston s'est effacé. Il est dans un autre monde. Il ne reviendra jamais dans celui de Jacqueline.

L'été pèse sur Milon. D'une fenêtre de l'hôtel de

la Poste, une grenade est tombée sur un détachement de soldats allemands qui passaient en chantant. Ils ont mis le feu à l'hôtel et fusillé les gens qui tentaient de s'enfuir. Le couvre-feu est à cinq heures. C'est trois heures au soleil, la pleine chaleur de l'après-midi. Dans les rues vides, les soldats verts circulent mitraillette au bras, seuls avec leur ombre. La vie s'enferme, à voix basse, dans la tiédeur des maisons. M. et Mme Margherite sont heureux de savoir Marie loin de ces horreurs. Même s'ils le voulaient, ils ne pourraient aller la chercher. Il est interdit de quitter la ville. Les familles enfermées pour de longues heures, sans la distraction du commerce, du voisinage, des conversations, recluses entre leurs murs, n'ayant rien d'autre à faire qu'à se regarder et réfléchir, découvrent leurs dissentiments, leurs fêlures, leurs laideurs. Les haines lèvent, et s'accordent contre l'Allemand. C'est sur lui qu'on se soulage du désir de meurtre, lui qu'on souhaite défigurer au lieu du mari sale et brutal, lui qu'on voudrait voir à cinq pieds sous terre, et non le vieux qui s'obstine à ne pas crever. Sa présence blanchit les consciences. Jacqueline s'exaspère dans cette demi-prison. Elle se heurte à toutes les portes, à toutes les cloisons de la maison fermée. Elle a fait sauter, d'une main énervée, une corde de son violoncelle. Elle s'est disputée avec sa mère effarée, elle a griffé son frère qui lui a bleui les jambes à coups de pied. Son père essuie ses lunettes, grogne derrière sa moustache, essaie deux mots pour la calmer. Il n'y comprend rien. Elle claque les portes, monte dans sa chambre, se jette sur son lit et rage et pleure, les mains crispées sur ses petits seins plats.

— Il va falloir la marier, vite, vite, dit sa mère.

Un soir, Jacqueline n'est pas rentrée. Sa mère a

bravé les mitraillettes pour courir, de porte en porte, chez quelques voisins où elle espérait la trouver. Elle a passé la nuit dans le couloir, sur une chaise, à guetter son retour, pleurant, reniflant, s'endormant, se réveillant au pas des bottes sur le pavé. Jacqueline est revenue au jour levé, les yeux meurtris jusqu'au milieu des joues. Elle a refusé de répondre aux questions. Son père s'est soulagé de son angoisse par deux furieuses gifles qu'elle a reçues les dents serrées. Il l'a enfermée à clef dans sa chambre. Sa mère, entre deux crises de larmes, après une dispute avec son mari - « C'est ta faute, tu lui passes tout, qu'est-ce qu'elle va devenir ? » est montée doucement la voir, l'a trouvée endormie, toute vêtue. Elle lui a retiré ses chaussures, elle est sortie en s'essuyant les yeux.

Jacqueline a dormi jusqu'au crépuscule. En s'éveillant, elle a poussé un grand cri, elle a appelé sa mère avec une épouvante d'enfant dans sa voix. Elles ont pleuré ensemble. Elle s'est calmée. Elle n'a rien dit.

— Si je savais qui est le salaud ! a dit le père.

Jacqueline elle-même ne sait pas qui il est. Il était blond comme Fifi, souriant et gai comme lui. Elle l'a rencontré chez Antoinette On devait danser tout l'après-midi, le phono à demi bouché par une serviette en boule, pour éviter d'irriter les voisins qui ne comprennent pas que les jeunes gens aient envie de danser pendant la guerre et sous la terreur des Allemands. Ils étaient une vingtaine de camarades et ce garçon un peu plus âgé, que quelqu'un avait amené. On le lui a présenté. Il est de passage à Milon. Son nom n'a pas d'importance. Elle a bavardé et ri avec lui comme avec Fiston. Et quand il s'est levé pour la faire danser, elle est devenue raide et elle lui a marché sur les pieds.

246

A quatre heures et demie, tout le monde s'est sauvé. Il lui a dit :

— Je vous accompagne.

En passant devant la grande maison blanche toujours fermée, de l'Allée des Platanes, il lui a dit :

— C'est là que j'habite...

— Chez les Caseneuf ? Mais ils ne sont pas là !

— Bien sûr, ils sont à Paris. Ce sont mes bons amis. Ils m'ont prêté leurs clefs, pour mon voyage...

Elle a demandé :

— Quelle heure est-il ?

Elle avait bien envie d'entrer dans cette maison, une des plus belles de Milon ; on la dit pleine de vieux meubles, de tableaux et de tapisseries. Mme Caseneuf est suisse, c'est pourquoi les Allemands n'ont pas occupé la maison vide. Il y a un écriteau sur la porte, en allemand et en français, avec des cachets officiels.

Il a regardé son poignet, il a répondu :

— Moins vingt.

Elle ne mettra pas plus de trois minutes, en courant, pour arriver jusque chez elle. Elle a le temps. Elle est entrée. Quand elle a voulu repartir, la première patrouille passait sous les platanes.

Ils se sont regardés. Il a ri. Ils ont recommencé à visiter la maison. Il la lui a montrée de la cave au grenier. Il y avait beaucoup de poussière. Ils ont dîné avec des conserves, et bu du vin cacheté. Ils ont fait durer le repas. Il se demandait ce qu'il pouvait tenter. Elle se demandait ce qu'elle désirait, et pourquoi elle s'était laissée surprendre par le couvre-feu. Elle commençait à s'avouer qu'elle l'avait fait exprès. Elle avait peur. Elle buvait.

Quand ils eurent mangé quatre sortes de fruits au

247

sirop, il a bien fallu qu'ils se lèvent de table. La nuit était là. Il a conduit Jacqueline dans une chambre. Il ne savait pas s'il devait rester ou partir. Elle l'a retenu par sa manche. Elle s'est couvert les yeux de son bras. Elle a dit : « Éteins!... » Elle s'est laissée déshabiller, embrasser, caresser. De ses mains sèches, elle a touché l'homme nu, de ses mains brûlantes de curiosité et de hardiesse, l'homme défendu, le mystère que connaissent les femmes mariées, même les laides et les sales, l'homme défendu aux jeunes filles. Lui s'étonnait de découvrir ce grand corps à peine féminin, ces hanches osseuses, cette poitrine en muscles plats. Il s'est heurté à deux genoux durs, serrés, dont il a en vain cherché à forcer la défense. Elle haletait sous ses caresses, ses baisers et ses violences, elle le marquait de ses ongles et de ses dents, mais gardait jointes ses longues cuisses. Elle gémissait du désir de céder, et de la peur plus grande que le désir.

Ils se sont battus longtemps. Il s'est enfin endormi épuisé, suant et vexé. Elle a tremblé d'énervement à son côté. Elle étouffait. Elle a écouté l'homme dormir. Elle l'a touché encore du bout des doigts, elle a regretté d'avoir été la plus forte, elle a espéré qu'il allait se réveiller, et cette fois-ci elle ne se défendra plus. Mais il a continué de dormir, ou fait semblant. Elle s'est glissée hors du lit, elle a ramassé ses vêtements, elle s'est habillée dans la salle à manger. Elle a attendu de voir le jour qui lui permettra de partir. Elle piaffait. S'il se montre, elle le gifle.

Quand le jour vient, les premiers rayons du soleil teintent de rose la crête du Rocher, et pénètrent dans la bouche ronde de la caverne qui s'ouvre presque à son sommet. Le chevalier, croyant retrouver sa belle et ne retrouvant que sa tombe à l'ombre d'un figuier, regarda longuement le rubis pour lequel il avait retardé son retour et d'un élan le jeta contre le rocher. La pierre fabuleuse y fit ce trou dans lequel entrerait un homme à cheval, si son cheval avait des ailes. Personne n'a jamais pu aller la chercher. Tous ceux qui ont essayé y ont perdu la vie. Sabret a raconté à Jean la dernière tentative. Il y a assisté, quand il était enfant.

— Tout le village regardait d'en bas, vous pensez, et même des gens étaient venus de loin. Ça se savait. C'était le fils d'Eugène Choix, il s'appelait Adrien, il avait vingt ans, moi j'en avais cinq ou six, ça m'a frappé, vous pensez. Il avait emmené des vivres, et une corde qui en aurait porté dix comme lui. Il a attaqué la crête du Rocher du côté de Lestreaux, vous voyez ce petit village, là-bas, gros comme rien. Il a mis deux jours pour arriver juste au-dessus du trou, il a attaché sa corde à un piton, il s'est laissé glisser, il s'est balancé, et au moment où il allait prendre pied, la corde a cassé. J'étais pas grand. Je l'ai vu tomber. Je m'en souviens. Il avait vingt ans, c'est malheureux, pour un rubis qui a peut-être seulement jamais existé...

Marie et Jean évoquent souvent le souvenir du Chevalier et de la Dame de la longue attente. Ils les plaignent de n'avoir pas connu le bonheur qui les transporte. Si loin d'eux dans le temps, si peu réels, pareils à des images de contes, ils leur sont pourtant familiers comme des parents, comme des cousins trop jeunes, sans expérience. Eux se sentent maîtres de la plus merveilleuse science.

Ils sont assis sur une pierre tombée de la chapelle.

Cette nuit-là commence d'être fraîche. Marie s'est agenouillée devant Jean et lui a dit :

— Moi je n'ai pas besoin de rubis, il faut que tu le saches bien, je n'ai besoin que de toi...

Elle en a si grand besoin que lorsqu'il s'en va elle se sent prête à s'affaisser comme une robe que l'on quitte. Elle doit faire effort pour demeurer consciente. Dès l'instant de son départ elle commence d'attendre celui de son retour. Elle vit de son souvenir et de son espoir. Parfois, elle s'aperçoit avec frayeur qu'elle est restée quelques secondes sans penser à lui, sans le désirer, sans le regretter, sans prononcer son nom dans sa mémoire. Et si elle essaie de retrouver ce qu'elle pensait, ce qu'elle sentait pendant qu'il était ainsi absent d'elle, elle ne retrouve rien.

Jean, lui, ne souffre pas de n'être pas sans cesse auprès d'elle. Il attend le soir sans impatience. Il porte son bonheur avec lui. Marie est la lumière qui éclaire ses jours. Il voudrait seulement la voir sans se cacher. Il est gêné de ne la rencontrer que de nuit, de dissimuler son amour comme une honte. Il voudrait prendre Marie à son bras, et la montrer à tous, et dire : « Elle est à moi, elle est ma femme. » Et chacun l'envierait d'avoir une femme si belle, qui l'aime tant, et qui est tant heureuse.

Marie s'accommode mieux de cette dissimulation. Peut-être même y trouve-t-elle une joie plus profonde. De ne prononcer le nom de Jean devant personne, il lui semble qu'il est mieux en elle caché, gardé pour elle seule. Elle voudrait l'arracher à tout ce qui n'est pas elle, le retirer du monde, l'enfermer dans son seul amour.

Dès que la nuit les rend l'un à l'autre, ils oublient

ce qui les a séparés, ils oublient même d'avoir été séparés, ils se touchent d'abord par les mains, par la bouche, ils se pressent, ils voudraient se confondre, ils se serrent l'un contre l'autre dressés, ils sentent des chevilles au front leurs deux corps joints, ils écartent tout ce qui n'est pas vivant entre eux, les étoffes, les peurs, les souvenirs du reste du monde, ils chavirent sur la terre qui s'étire encore et craque de l'ardeur du soleil, ils ne sont plus qu'un, brûlant, chantant, foulant d'amour dans l'haleine chaude du rocher. Grands comme lui, purs et clairs comme les étoiles, et plus innocents que les fleurs qui naîtront le matin.

Le matin, Maluret se lève en même temps que le soleil. L'hiver, il le devance même de quelques heures. Il vient sur le pas de sa porte, et regarde la cime du rocher. Il n'a pas besoin de lever la tête. Son tour de reins la lui tient juste à l'inclinaison qu'il faut. C'est pour regarder ce qui est à son propre niveau, et au-dessous, qu'il doit faire effort. Il regarde le haut du rocher pour savoir le temps qu'il fera. Si le Trou du Chevalier est tout illuminé de rouge des reflets du rubis, il fera beau. Si le soleil est jaune ou blanc sur la pierre, il pleuvra. Mais il ne pleut pas. Et Maluret, et tous les vieux du Désert et de Saint-Sauveur-Neuf, et ceux des autres villages et des fermes de la vallée continuent de regarder chaque matin si le rocher indique la pluie ou le beau temps. Et même quand il indique la pluie, il fait beau. Un jour viendra où il aura indiqué la pluie, et la pluie tombera. Et les vieux seront satisfaits.

En attendant, la fontaine du Désert a tari, et la serve a séché. La fontaine coulait sur la place du Château. Depuis des années, elle ne donnait plus qu'un fil, sauf les jours d'orage, où elle retrouvait une abondance boueuse. La conduite qui amenait l'eau de près d'un demi-kilomètre, tout le long du rocher, une vieille conduite en tuiles provençales, posées les unes sur les autres sans maçonnerie, devait être cassée ou disjointe en maints endroits. L'eau s'est perdue. Personne ne cherchera sa fuite. Ce n'est pas un travail pour des vieux. De la fontaine, une rigole conduisait l'eau à la serve. C'est un grand bassin en contrebas de la place, où l'eau croupissait, se chauffait au soleil, devenait vivante, remuée de germes et de bêtes et de bulles de gaz, aussi riche qu'un bon fumier. Elle nourrissait en les arrosant les melonnières et quelques jardins sur la pente de la montagne. De longues herbes cachaient le fond de la serve, venaient fleurir en surface. Parfois un têtard montait en ondulant, venait coller sa bouche à l'air, et redescendait dans l'obscurité verte où ondulait la lanière dorée d'un serpent d'eau. C'était à la serve qu'on prenait l'eau pour remplir l'abreuvoir des moutons, quand le troupeau du village rentrait, au soleil couchant. L'eau du puits, trop fraîche et trop pure, faisait tousser les bêtes, qui en crevaient. Cette année, le puits lui-même est à sec. De mémoire de vieux, cela ne s'est jamais vu. Cela a dû pourtant se produire d'autres fois car des ancêtres prévoyants ont doté le village d'une troisième source d'eau. C'est une caverne creusée dans le flanc de la montagne, un peu plus bas que la plus basse maison du Désert. Elle s'enfonce en pente douce jusqu'à une grande profondeur. Jean, pour y entrer, doit baisser un peu la tête, mais les hommes du Désert, qui ne sont plus jeunes, peuvent y entrer sans se courber plus que leur âge. D'ailleurs ils n'y entrent point. Si c'est pour la soif, quand ils sont arrivés là, ils sont à mi-chemin de la Bégude, et la descente est facile, et à la Bégude, ils trouvent de la bière et des apéritifs. L'eau pour le ménage et pour les bêtes, c'est aux femmes de venir la chercher. Elles emportent leur fichu de laine et s'en couvrent au moment d'entrer dans la montagne, sans quoi le froid de la terre leur mordrait les épaules et leur donnerait le mal de la mort. Au premier pas, quel que soit le sec du dehors, on marche sur de la glaise humide, jaune, qui colle aux semelles. On s'enfonce dans le silence et on perd peu à peu la lumière. On trouve l'eau au moment où les bruits du dehors sont devenus très légers, cachés derrière une épaisseur de calme transparent. Une rangée de pierres marque le commencement de l'eau, car elle est si claire, tellement immobile, elle continue si parfaitement la demi-lumière verte et le silence et la fraîcheur qu'on ne la distingue pas du sol et qu'on entrerait à plein pas dans sa transparence. Pour la puiser, il faut s'agenouiller sur une dalle marquée d'une croix presque effacée. Les gouttes qui retombent font résonner l'argent de l'eau jusqu'au fond de la caverne. On ne voit pas le fond. Il est quelque part plus loin, dans le noir de la montagne. Les femmes remontent le chemin en escalier, les bras étirés par le poids des seaux où le sang de la montagne reflète le bleu du ciel qu'il n'a pas vu depuis des ans et des ans, quand il tombait en pluie sur la cime du rocher. Elles posent un des seaux sur la pierre de l'évier, et les hommes harassés qui rentrent de travailler au soleil décrochent la louche, la plongent dans le seau, et boivent à pleine bouche l'eau qui se garde fraîche plus d'un jour.

Sur les parois de la caverne pousse en bouquets fragiles une herbe que le vent jamais ne caresse, dont les tiges sont minces et noires comme des cheveux, et les feuilles en dentelle pâle doublée de grains de velours. Quand on cherche à la cueillir, elle se brise entre les doigts. Il faut la couper avec un ciseau, l'emporter entre deux pages d'un livre. Toutes les Bibles du Désert en ont quelques feuilles parmi leurs versets, aux passages qu'on lisait plus souvent que d'autres. Maintenant, on ne les lit plus.

Jacqueline s'est mariée à l'Église. Albert Charasse, qui était protestant, a dû, en une semaine, se faire baptiser, se confesser et communier. Il a parlé au prêtre pendant près d'une heure. Il s'est soulagé de tant d'années de célibat sauvage. Il lui a surtout parlé de Jacqueline. Il a dit qu'il avait envie d'elle depuis qu'elle était fillette. Il a déposé le fardeau de ce péché. Le prêtre essayait de le calmer, de le faire bifurquer vers des fautes d'un autre ordre. Il revenait sans cesse vers Jacqueline, et disait comment il avait usé de son image le jour et la nuit. Le prêtre toussait. Dans l'église froide et sombre, le confessional brûlait. Pour sa pénitence, Albert Charasse a récité le *Pater* en français, et il a trouvé nouveau de dire vous à Dieu qu'il avait tutoyé dans son enfance. Il ne priait plus depuis longtemps. Puis il a répété derrière son confesseur, mot à mot, l'*Ave Maria*. Il est sorti soulagé, léger, presque gai. Ils se sont mariés le lendemain. Trois jours après la fugue de Jacqueline, il était entré de nouveau dans la boutique des Vibert, et il avait dit : « Alors, vous me la donnez, votre fille ? » Le soir, Mᵐᵉ Vibert avait dit à Jacqueline : « Albert Charasse t'a encore demandée... » Et Jacqueline avait haussé les épaules et répondu : « Si ça vous fait plaisir !... » Ils ont eu peur qu'elle change d'avis, ils ont décidé de ne

pas perdre un jour, ils ont précipité les formalités.
Albert Charasse est venu chaque matin et chaque après-
midi. Avec M. Vibert, il parlait un peu, il parlait de
son métier, des prix de revient. Dès qu'arrivait Jacqueline, il se taisait, il la regardait. Jacqueline lui tendait
la main puis s'en allait. Il écoutait le bruit de ses pas
dans les autres pièces. Elle, dans la chaleur des nuits,
essayait d'imaginer celle de la noce, gémissait d'impatience. Et le matin, quand elle voyait Charasse, elle
souhaitait que cette nuit-là ne vînt jamais.

A cause de la guerre, on n'a fait qu'un repas avec
une dizaine d'invités, des proches parents. Jacqueline
est en tailleur gris, et son mari, à côté d'elle, en costume noir dont les manches sont un peu trop courtes.
On s'est mis à table à deux heures. On mange. Les
invités mangent comme ils ne l'ont pas fait depuis
longtemps. Des plats de viande, des omelettes, des
mayonnaises, des petits pois, des asperges, des frites.
Au milieu de la table, sur une grande coupe en verre
fumé, des oranges et des bananes. C'est Charasse qui
les a eues, par les Allemands. On boit. On parle. Souvent, les conversations s'arrêtent. C'est quand on
touche à des sujets dangereux, à la guerre, au maquis,
à l'occupation. Chacun se méfie. On a beau se connaître,
on ne sait jamais. Charasse mange peu. Il regarde sa
femme. Elle est à lui. Ses parents la lui ont donnée.
Elle a dit oui devant eux, puis devant le maire et à
l'Église. Il mâche une bouchée, il ne sait pas quel goût
elle a, il ne pense qu'à sa femme. Il boit pour avaler, il
se tourne vers Jacqueline, il la regarde, il pose sa main
sur son genou. Jacqueline est pâle et mince dans sa
veste grise. Ses yeux sont immenses. Elle répond
quand on lui parle. Parfois elle frissonne brusquement

255

mais nul ne s'en aperçoit. On mange. Il fait chaud. Les hommes deviennent rouges. Mme Vibert regarde sa fille, tout à coup la voit, s'arrête de manger, met sa serviette sur sa bouche, éclate en sanglots. Elle se lève, elle renifle, elle s'excuse. Elle dit : « Je suis si contente, je suis si contente... » Elle sort de la salle à manger. Les invités plaisantent. Ils mangent. Jacqueline sourit, gentiment. M. Vibert s'essuie le front, débouche le champagne. Mme Vibert revient avec la bonne. Elles apportent les gâteaux noyés de crème au chocolat. Les invités s'exclament. Ils se servent. Ils en reprennent. Ils n'en peuvent plus, ils se hâtent. Certains habitent loin. Le couvre-feu, maintenant, est à sept heures. A sept heures on a battu la dernière gerbe. Tout le blé de la vallée dort maintenant dans des sacs. C'est un blé à petits grains très durs, un peu ridés, presque translucides à l'endroit du germe. Les minotiers le recherchent parce qu'il rend les farines nerveuses. Le dernier repas de l'équipe des battages va se prolonger tard dans la nuit. Jean est parti quand les étoiles ont été bien installées dans le ciel. Il monte vers le Désert par l'escalier de pierre, lentement, à grands pas calmes. Il doit faire deux pas pour couvrir chaque marche avant d'atteindre la suivante. Chacune est un petit palier en pente. Jean s'est tressé des sandales de paille, des semelles épaisses attachées par des ficelles aux orteils et aux chevilles. Il marche sans bruit sur les dalles de granit usées par des siècles de pas. Il atteint le village endormi que l'escalier coupe en deux jusqu'au rocher dressé dans la lumière de la lune. Jean monte entre les murs des maisons mortes. Des cavernes d'ombre indiquent un mur écroulé, une ruelle, une porte ouverte sur l'abandon. La lune coule du marbre sur les façades de pierre. L'ombre est bleue. Jean monte vers le rocher plus haut, plus droit, plus proche et plus inaccessible à chaque pas. Sa longue et haute muraille barre maintenant tout le ciel, domine la terre en repos, le sommeil des hommes. Jean, aux premières maisons, s'est senti délivré de toute présence. Il est entré dans un monde de pierres glacées et de nuit bleue et de silence. De la vallée, au-dessous de lui perdue, plus irréelle à chaque marche gravie, montent quelques bruits fantômes. L'escalier s'arrête entre deux maisons. Celle de gauche est celle de Marie, celle de droite est morte. L'une et l'autre silencieuses. Devant le pas de Jean s'étend la place nue, dallée de grandes pierres. Les maisons qui l'entourent sont presque toutes éventrées par la nuit. Jean traverse la place, s'engage dans le sentier qui conduit à la chapelle. Arrivé dans l'ombre du figuier, il s'arrête et il attend, debout, immobile. Marie arrive par le même chemin. Elle sait qu'il est là, mais elle ne le voit point. Lui la voit, blanche de lune. Il ouvre les bras, il appelle très doucement : « Marie... » Elle vient droit vers lui, sans le voir, droit vers sa voix, et s'arrête sur sa poitrine. Il pourrait l'appeler ainsi dans le feu, dans l'enfer, dans la nuit de la mort, elle viendrait droit vers lui.

— Marie, qu'y a-t-il, mon amour ? Pourquoi pleures-tu ?

Le petit visage blotti contre son cou est glacé de larmes, et des sanglots secouent le corps chéri qu'il serre dans ses bras. Elle dit :

— Ils viennent me chercher. J'ai reçu une lettre. Les trains remarchent. Ils viennent demain. C'est notre dernier soir...

· A l'aube, Mme Vibert se dresse dans son lit. La sonnette de la rue tinte, résonne, emplit les couloirs, l'escalier, la maison.

— Qu'est-ce que c'est? grogne M. Vibert.

Il mâche sa langue épaisse, deux ou trois fois, se retourne contre le mur. Mᵐᵉ Vibert se lève en chemise, cherche du bout des pieds ses pantoufles, les enfile à moitié, court à la fenêtre. Elle entrouvre un volet, regarde.

— Mon Dieu! C'est pas possible!...

Elle court vers l'escalier. La sonnette sonne toujours, sans arrêt.

— Qu'est-ce que c'est, qu'est-ce qu'il y a? grogne M. Vibert.

Il s'assied, se frotte les yeux, essaie de se réveiller. Il écoute les bruits du bas. Il entend Mᵐᵉ Vibert tirer les verrous. La sonnette s'arrête. Mᵐᵉ Vibert ouvre. Devant elle, sur le trottoir, se tient Jacqueline, la jupe mal boutonnée, la veste sur son buste nu, les cheveux en mèches, le visage bouleversé. Elle se jette dans les bras de sa mère et pleure, pleure comme une petite fille. Mᵐᵉ Vibert pleure aussi. Elle serre d'une main sa fille contre sa chaude et molle poitrine toute libérée pour la nuit, et de l'autre main repousse la porte.

— Mon Jacqui, mon Jacquou, ma petite fille, mon trésor, qu'est-ce qu'il y a? Viens, viens ici, viens, ne réveille pas ton père, viens...

Elle l'entraîne dans la salle à manger, l'assied dans un fauteuil, lui tamponne les yeux, court mettre la cafetière sur le réchaud.

— Qu'est-ce que c'est? crie M. Vibert, de son lit.

— C'est rien! Dors!...

Elle revient, elle baigne le visage de Jacqueline d'une serviette trempée dans l'eau fraîche. Jacqueline se calme, se renverse en arrière contre le dossier du fauteuil. Deux grosses larmes glissent de ses yeux fermés. Mme Vibert ne demande plus rien. Elle est assise sur le bras du fauteuil, elle caresse le front tourmenté, les mains brûlantes, boutonne la veste sur les seins nus. Jacqueline gonfle, gonfle sa poitrine, soupire et tout à coup recommence à sangloter, le visage dans ses mains. Entre ses doigts coulent les larmes, et entre ses doigts et entre ses larmes elle parle :

— Maman... c'était ça?... Dis, c'était ça?... Si j'avais su... Si j'avais su...

M. Vibert s'est rendormi. Marie se réveille entre les bras de Jean. C'était leur dernier soir, ce fut leur première nuit. Elle est restée près de lui. Ils ont dormi dans l'herbe, sous le figuier. Ils se sont aimés, ils ont dormi, et maintenant le ciel clair est plein de chants d'oiseaux.

— Tu es là, tu es là!... dit Marie.

Elle couvre de baisers le visage de Jean, elle se couche sur lui. Jean doucement se dégage, se lève.

— Marie, il faut rentrer, ta tante va s'éveiller... Vite, vite!...

Elle s'accroche à ses épaules.

— Jean, garde-moi, emmène-moi, ne me laisse pas... Jean, mon amour, je ne veux pas partir!... Je ne veux pas te quitter!...

Il la regarde avec un amour infini. Ses longs cheveux sont mêlés de brins d'herbe blonde, ses yeux levés vers lui brillent de larmes, ses lèvres roses gonflées, entrouvertes, attendent une réponse ou un baiser. Il se penche il l'embrasse. Elle frissonne, ferme les yeux, crispe ses bras autour de lui. Il parle d'une voix très douce :

— Il faut partir, mon amour, il faut rentrer. Où

259

irions-nous, tous les deux ? Je n'ai pas de quoi nous faire vivre plus de quelques semaines. Tu sais bien qu'il faut que tu rentres. Tu m'attendras auprès de tes parents. Tu sais bien que je reviendrai te chercher, quand je pourrai te faire une belle vie, une vie digne de toi. Ma Marie, mon amour, tu sais bien... A Noël je reviendrai te voir. Dans trois mois...

— Trois mois, trois mois sans toi...

Elle n'a plus de force, elle pleure. Elle sait bien qu'il faut qu'elle rentre.

Mme Vibert a dit à Jacqueline :

— Maintenant, il faut que tu rentres, que tu rejoignes ton mari. Tu sais bien qu'il le faut. Tu verras, c'est pas si terrible. Tu t'habitueras. C'est la première surprise. Ce garçon t'aime. C'est un brave garçon. Il te rendra heureuse. Il faut y mettre du tien.

Jean s'étire, les deux bras levés vers le ciel. Ses jointures craquent, ses muscles s'allongent, une joie physique se tend dans son corps de la pointe aux orteils. Il baisse ses bras, soupire. Marie est partie. Il n'est pas triste. Il sait qu'il la retrouvera. Il va travailler pour elle. Il ne pense qu'à l'avenir. Devant lui s'étend un immense paysage. Il se tient debout au bord de la faille qui domine les vergers et toute la vallée jusqu'au fond de l'Ouest. La chapelle est à quelques pas derrière lui. A vingt mètres au-dessous de ses pieds se dressent les cimes des derniers amandiers. Ils sont secs et noirs. Les chenilles ont mangé leurs feuilles. Ils vont crever. Très loin, Jean voit les fermes éparses sur les pentes, grosses comme des grains de blé. Au fond de la vallée, sur la route qui suit la rivière, une voiture de foin semble un insecte gris. Quelque part aux échos résonne le gazogène de Sabret. Tout ce coin de nature paraît

260

encore frais sous la lumière douce du matin, mais quand les rayons du soleil d'été auront dissipé les derniers fards de l'aube, il apparaîtra tel qu'il est, près de la mort, comme un vieillard qui a dépassé le temps du travail, qui n'a plus sur les os qu'une peau desséchée. La chair s'en est allée en innombrables récoltes, le sang a coulé avec l'eau des orages, le long des cailloux, des rochers, en vagues boueuses. Les hommes avaient gagné là leur domaine à coups de hache. Ils l'avaient taillé dans la forêt qui protégeait la terre des ruissellements du ciel. Maintenant la terre est épuisée, et les hommes replantent des arbres pour lui redonner un manteau de richesse. Jean voit les bataillons carrés des jeunes pins monter déjà à l'assaut de la montagne en masses sombres. Peu à peu, ils couvriront toutes les pentes. Ils chasseront les hommes, abriteront les sangliers, accueilleront de nouveau toutes les bêtes qui avaient fui devant la charrue et le fusil. Au pied du rocher, leur peuple innombrable et patient en quelques milliers d'années rendra sa richesse à la terre.

TROISIÈME PARTIE

LES FRUITS DE L'AUTOMNE

Je donne mon ticket à l'homme du métro. Il est
assis, enfoncé dans le mur, tête basse. Devant lui, d'un
bord à l'autre de sa niche, passent des hommes et des
femmes. Il ne les voit que des pieds jusqu'au ventre.
C'est l'essentiel.

Je vois le dessus de sa casquette, moirée d'usure et
de crasse. Elle lui sert la semaine et le dimanche, et les
jours de pluie elle reçoit la pluie. La visière me cache
son visage. De son corps vivant je ne vois que sa main
qui tient la pince, la machine à faire le petit trou. La
pince s'avance vers mon billet et le mord. La main
qui tient cette pince est la main de l'homme qui fait
des trous huit heures par jour, mille trous par heure,
tous pareils, de la même taille, huit mille petits trous
ronds. Chaque trou qu'il perce vole dans ses yeux en
image de petit trou rond, papillote et tourbillonne et
entre dans sa tête, et derrière elle viennent d'autres
images pareilles, et l'intérieur de sa tête est creusé,
rongé, par cette fourmilière de petits trous ronds. Un
trou carré! Un seul! Si la pince, tout à coup, perçait
un trou carré! Il s'éveillerait brusquement du sommeil

des habitudes et des certitudes. Il ne pourrait plus croire à sa pince, plus croire à rien.

Il se demande à qui sont ces deux jambes devant lui, qui ne passent pas comme les autres, qui demeurent, avec leurs poches aux genoux, et ces chaussures mal cirées, ce pardessus entrouvert, cette longue main qui tient par la poignée une serviette de cuir culottée. Inquiet, il lève la tête et me regarde. Et j'ai vu ses yeux, glauques, pareils à des huîtres, froids comme de l'eau, avec, au milieu, un petit trou rond.

Une femme est venue s'asseoir sur la banquette en face de moi. Elle est vêtue d'un manteau d'étoffe mince noire, dont les bords se joignent à peine, tant il est coupé à l'économie. Elle est montée à la Bastille. Elle revient peut-être de faire un ménage. Elle est laide. Elle cherche humblement à s'embellir, elle enferme ses cheveux dans une résille, elle porte des clips aux oreilles, achetés chez le coiffeur de son quartier, deux nœuds de velours noir. Elle est laide et triste de pauvreté, de sa pauvre vie que rien ne viendra jamais peindre en couleurs. Son manteau noir, sa résille noire, ses nœuds noirs aux oreilles, et sa vie noire. Elle était pauvre avant de naître, personne ne lui a appris, quand elle était petite, à reconnaître ce qui est beau, à aimer la joie. Maintenant, elle peut gagner le gros lot, elle ne quittera jamais son manteau noir. Quand elle était petite, on lui a seulement appris à travailler. De son cabas de toile cirée posé sur ses genoux, sort le bord ondulé d'un moule à tarte. Elle vient de l'acheter, il brille. Il lui restait quelques tickets de pain. Elle a obtenu de la farine. Elle va faire une tarte sans beurre.

Une tarte... L'homme était aplati comme une tarte. Le char lourd a écrasé son canon, l'a écrasé lui-même.

266

Il était peut-être déjà mort, ou seulement blessé. Il n'a pas pu fuir, il n'a pas eu le temps de hurler. Soixante tonnes d'acier l'ont aplati, à toute vitesse, sans s'arrêter, déjà loin. Il ne reste de lui que l'apparence, son uniforme repassé. Il a giclé en bouillie par les manches et les boutonnières. Sa tête a éclaté comme une groseille, et s'est enfoncée dans la terre avec les herbes et les petits cailloux. Je viens de le voir au cinéma.

Il était le frère de cette femme, et de l'homme qui conduisait le char, et de celui qui perce les petits trous. C'est leur travail qui a construit le char, et qui a construit aussi l'obus qui, un peu plus tard, a fait flamber le char et cuit son conducteur. C'est leur travail qui a construit le métro brillant qui emmène la femme vers un autre moment de sa vie noire. Grâce à lui, elle va plus vite vers ses peines. Dans le filet au-dessus de sa tête, j'ai posé ma serviette, qui contient mon manuscrit. Je ne la quitte pas des yeux. Si on me la volait, je devrais tout recommencer. Et ce serait certainement un autre livre. Ces trois pages que je viens d'écrire aujourd'hui n'auraient pas été les mêmes si je les avais écrites hier ou demain. Je ne pourrais pas retrouver les mêmes humeurs, les mêmes facilités, les mêmes obstacles. Le métro n'emporte jamais les mêmes voyageurs. Il y a dix-huit mois, Jean était peut-être assis à cette place. C'est pourtant peu probable. Il venait rarement sur la rive droite. Dieu seul sait où il est aujourd'hui.

Le train s'est enfoncé lentement au cœur du silence noir de la ville. Il est maintenant à l'extrémité des rails, au dernier mètre des milliers de kilomètres. S'il ne s'était pas arrêté là, il descendait par l'escalier sur la place, dans la rue. L'énorme machine luit et craque, et crache des gouttes d'eau grasse, des jets de vapeur qui s'épanouissent en gerbes blanches. Le mécanicien essuie ses mains à un torchon, penche vers le quai son visage de cirage aux yeux blancs.

Il pleut. Jean, debout, seul sur le trottoir, essaie de deviner ce que cache devant lui la nuit. La foule pressée sortie de la gare l'a déposé là, seul. Juste au-dessus de sa tête, une ampoule, du haut d'un grand lampadaire, laisse tomber une demi-clarté bleuâtre déjà éteinte avant d'atteindre le sol. La pluie ne parvient pas à éclairer les pavés. Il faudrait pourtant bien peu de lumière. Quelques gouttes d'eau, la moindre clarté, et les pavés font le dos rond luisant. Mais la nuit à travers laquelle tombe la pluie est vraiment noire. Jean ne s'est jamais trouvé au milieu d'une nuit si noire. A la campagne, ou dans les rues de province aux maisons basses, les plus obscurs minuits gardent

268

un souvenir du jour. Ici, les murs cernent l'obscurité et pèsent sur elle, l'écrasent, en font une matière dense contre laquelle Jean lève les mains de peur de s'y heurter.

Un œil de lumière brusquement la perce : une lampe de poche qui surgit au poing d'un passant invisible s'avance en ondulant, regarde les pieds de Jean puis sa figure, retourne au trottoir, révèle une flaque frisée de la chute des gouttes, accroche un coin de mur, tourne, disparaît. Une bouche déjà éloignée tousse. Jean est fatigué. La pluie a traversé sa veste de coutil, délavé sur son visage la crasse du voyage. La poussière de charbon roule dans les ourlets de ses oreilles et lui pique le coin des yeux. Devant lui et derrière lui, et à sa gauche et à sa droite, cette nuit, autour de lui, c'est Paris. Il sait tout ce que dit ce mot : des espaces de maisons accumulées, des siècles de vie grouillante, et les fumées des usines autour des cathédrales ; et quelles chances, et quels risques. Mais il ignore ce qui se trouve trois pas devant lui. Il n'a pas trouvé d'hôtel. Les hôtels proches de la gare ont fermé leurs portes, éteint leurs enseignes pâles. Ils sont pleins. Le train est arrivé dans la ville endormie, après l'heure du couvre-feu. Jean serre dans sa main, au fond de sa poche, un laissez-passer qu'on lui a donné à la gare, et sur un morceau de papier une adresse où il veut se rendre, avec la station de métro. Mais le métro est fermé, comme les hôtels.

Jean est seul dans la nuit énorme de la ville. Il ne voit même pas ses pieds, ses yeux ne distinguent pas son corps de la masse des ténèbres, mais il se sent dur au milieu d'elles, dur et lourd d'angoisse.

Il est au bout du voyage. Derrière son dos se dresse la distance qui le sépare de Marie.

Il a quitté Saint-Sauveur un jour après elle. Lorsqu'il est monté dans le train, il ne pensait qu'à l'avenir qui les réunirait. Il sautait par-dessus la séparation, il ne la mesurait pas, il était déjà dans l'avenir. Mais le train l'a emporté, et le voici arrivé au bout du voyage, et Marie est restée à l'autre bout. Maintenant cette séparation est là derrière lui et devant lui, en kilomètres et en jours entassés, que rien ne pourra faire fuir plus vite que le temps.

Il a voulu retourner à la gare, pour dormir quelque part dans une salle, sur un quai. Il ne l'a pas retrouvée, il s'est enfoncé dans la nuit qui se ressemblait partout, dans l'épaisse présence de la ville close par le ciel noir. Le dos un peu courbé sous la pluie, le col de sa veste de coutil relevé, une main devant lui ouvrant son chemin, l'autre tenant par un nœud de corde sa valise, il s'avançait à pas hésitants, entre les maisons invisibles, accroupies ; et le cercle des millions de présences silencieuses autour de lui dans l'ombre se déplaçait lentement, avec lui au centre de leur foule noire ; et lui courbait un peu plus le dos, arrondissait ses épaules, se fermait autour de l'image apportée de l'autre bout du voyage, se faisait abri, cuirasse autour d'elle, contre l'assaut de cette énorme nuit, de cet entassement sous ce poids de ciel.

Il a enfin rencontré deux agents, qui l'ont conduit au poste pour attendre l'aube. En ce temps-là, c'était un lieu d'asile.

Il a mis six jours pour venir de Millebranches à Paris, dont cinq jours dans le même train. Les couloirs sont bloqués par un mortier d'êtres humains et de bagages qui déborde sur les marchepieds. Jean a pu s'asseoir, après Lyon, sur la valise que lui a vendue le père Maluret. Il l'a dressée dans le couloir, et il est à moitié assis sur elle, d'une fesse, près de la porte d'un compartiment où des voyageurs se tiennent debout entre les genoux de ceux qui se serrent sur les banquettes. Une grosse femme, près de la fenêtre, s'est mise à gémir. Elle devenait verte, elle poussait des petits cris, elle se tenait le ventre, comme si elle allait accoucher. C'était autre chose. Elle ne pouvait plus, elle ne pouvait plus. Elle s'est accroupie sur un papier, entre les banquettes et les jambes. Des larmes coulaient sur son nez, de honte, et, en même temps, du plaisir de la délivrance. Les hommes ont tourné la tête et chacun a mis son mouchoir sous son nez. Une petite rigole a serpenté entre les pieds, baignant, de-ci, de-là, des coquilles d'œufs, des croûtes de fromage, des journaux froissés, les semelles.

Avant Dijon, le train s'est arrêté, en pleine cam-

pagne. Les rails avaient sauté. Six heures de réparation. Les voyageurs, résignés à tous les retards, heureux de se dégourdir, se sont répandus dans les champs,
sauf les assis, qui ne voulaient pas perdre leur place.
Un représentant de commerce est revenu avec une
poule, il a dit qu'il était allé l'acheter dans une
ferme, mais il l'avait eue simplement à la course.

Quand Jean est remonté, il avait changé de voisins. Un petit homme était pressé contre sa poitrine.
Il n'a vu d'abord que ses cheveux argentés, et le
haut d'un front brun. Le train est reparti avec précautions. Sur les ballasts, les ouvriers qui avaient
replanté la voie faisaient des gestes de bon voyage
avec leurs outils.

L'homme avait son nez planté dans la veste de
Jean. Il a pris tout à coup une crise de rage, et s'est
mis à jurer, à agrandir sa place, à chercher de l'air,
en se démenant, en agitant de tous côtés ses coudes,
sa tête, ses pieds, son derrière. Pour un peu, il aurait
mordu.

Une telle fureur vibrait dans le corps de ce petit
homme que ses plus proches voisins, imbriquant de
leur mieux leurs aigus dans les creux d'autrui, par-
vinrent à lui donner un peu d'aise. Il a soupiré,
enfin, et levé la tête pour regarder Jean. Jean a vu
un visage tourmenté, des joues creuses fardées de
la crasse et de la barbe du voyage, un nez courbe,
coupant, une grande bouche aux belles lèvres, des
yeux noirs farouches sous des sourcils froncés.
L'homme regardait Jean avec une curiosité furieuse.
Jean se demandait s'il devait sourire ou tourner la
tête. Mais à gauche il avait une valise, et à droite
un chignon. Il a souri. Quand le train est arrivé à

Dijon, ils se connaissaient. Bazalo est peintre. Jean n'a jamais entendu parler de lui, mais il ne connaît en vérité que quelques noms classiques. Celui de Bazalo commence à faire courir les marchands et les amateurs. Il gagne beaucoup d'argent mais il continue de voyager en troisième parce qu'il en a l'habitude depuis trente ans. Il est fils d'ouvrier tailleur. Il a grandi dans une petite rue sale près de la République.

Lorsqu'il a regardé Jean, il a été frappé par l'évidence de sa jeunesse. Les écharpes de vapeur et les arbres fugitifs jetaient dans le wagon, entre les piles des valises, des reflets blancs et verts, qui blêmissaient les autres visages, et palpitaient en coups d'ailes sur celui de Jean. Jean a souri à Bazalo avec une franchise tranquille, les paillettes d'or de ses yeux brillaient, et Bazalo lui a aussitôt adressé la parole en le tutoyant. Il est aussi impatient dans ses sympathies que violent dans ses colères.

Après Dijon, le convoi s'est arrêté de nouveau. Une douzaine d'avions, en carrousel, laissaient tomber leurs bombes sur une gare, un peu plus loin. Des champignons de poussière poussaient sur l'horizon.

On est revenu à Dijon, machine arrière. On est reparti vers l'ouest, on a bifurqué plusieurs fois, on s'est engagé sur une voie unique. Au bout de trois heures, le train s'est trouvé bloqué au milieu d'une plaine, entre quatre trains qui le précédaient à la queue leu leu, et trois autres qui l'ont rejoint. Bazalo a donné son adresse à Jean, sur une feuille de carnet. Il lui a dit : « Viens me voir dès que tu seras arrivé. » Puis il est descendu par la fenêtre.

Il va rentrer par la route, il arrêtera les autos, les camions, il marchera. Tout plutôt que de continuer à mijoter dans cette étable roulante qui ne roule pas assez. C'est son adresse que Jean serrait dans sa poche. Il s'y est rendu le lendemain. Bazalo n'était pas rentré. Jean comptait sur lui pour trouver du travail. Il a dû se débrouiller seul. Il s'est d'abord fait inscrire aux Beaux-Arts. Il a acheté les journaux. Une petite annonce lui a fourni l'adresse de l'Imprimerie Billard, impasse de Nantes, rue Louis-de-Nantes. On demandait un correcteur. L'annonce disait : « Trav. fac. conviendrait étudiant. »

Voici Billard, l'imprimeur. Il est planté sur la porte de son atelier, jambes écartées, les mains dans les poches de son pantalon, la tête un peu baissée, les sourcils froncés. Il se demande qui le regarde ainsi. Il est rouge de visage, aussi un peu dans le blanc des yeux, et vers le milieu de son crâne la peau rougeoie à travers les cheveux devenus rares. Ce sont des cheveux blonds, très fins. Ils blanchiront tard. Billard sort de sa poche sa main droite, qui tient un paquet de gauloises. Les dernières phalanges de l'index et du majeur manquent. Il les a perdues sous un massicot, à seize ans. Il les a depuis longtemps oubliées. Sur les autres doigts, il a de petits bouquets de poils.

Il scrute encore une fois l'impasse où jouent seulement quelques gamins, cherche à voir à travers la vitre du café qui se trouve à l'intérieur. Est-ce de là qu'on le regarde? Il allume sa cigarette à son briquet, et crache un bon coup sur les pavés. C'est pour ceux qui le regardent. C'est pour nous.

C'est ainsi que Jean l'a vu, ainsi exactement

planté sur le pas de sa porte, le jour où il s'est présenté, tenant à la main sa valise.

Maintenant Billard se retourne, pousse la porte, rentre dans son atelier. Les machines sont immobiles. Elles ne roulent que la nuit, à cause des restrictions de courant électrique. Quelques ouvriers manipulent des formes, intercalent des corrections. Billard sent monter en lui la mauvaise humeur. Ces machines immobiles, ces débris de personnel, ce travail incohérent!

Il a envie de jurer, il prend l'escalier de gauche, il va se soulager en secouant Mlle Bédier, sa secrétaire.

Jean est arrivé là, au bout de son voyage, entre ces trois murs. Il s'est arrêté à l'entrée de l'impasse. Son pantalon de velours, trop court, dégageait le haut de ses brodequins, et un centimètre de ses chaussettes de laine blanche. Sa valise cordée pendait au bout de son bras droit, étirait son poignet nu, au-dessous de sa manche. Il a vu en face de lui le mur de ciment gris, avec le mot « Imprimerie » au-dessus de la porte, et un homme planté sur la porte, les jambes un peu écartées, les mains dans les poches. A sa gauche, il a vu la vitre triste d'un café désert, et à sa droite une ouverture noire dans le troisième mur, avec une femme en train de raccommoder, assise sur une chaise. Au milieu, sur les pavés, des enfants pâles et sales jouaient. Il a hésité un instant, puis il s'est avancé. La place était encore libre. Il l'a eue.

Maintenant, il travaille là, il y mange, il y dort, il y vit. Il est un habitant de plus dans l'impasse de Nantes. Il sait ce qu'il y a derrière la vitre du café. Il sait qui est la femme qui raccommode. Les enfants continuent de jouer sur les pavés de l'impasse. C'est une voie privée. Quand Billard s'y est installé, elle était deux fois plus profonde. Il a fait de bonnes affaires, il a loué toutes les boutiques autour de lui, et l'impasse elle-même, jusqu'au café. Il a dressé un mur en travers de la chaussée, et posé une verrière au-dessus. Tout le fond de l'impasse est sous le toit de verre. Les anciennes boutiques ont gardé leurs enseignes. Les linotypes sont chez le bougnat, les marbres dans la crémerie, la clicherie dans la cave, les piqueuses chez le concierge, et les rotatives entre les trottoirs sur lesquels s'alignent les bobines de papier.

Billard a dit à Jean : « Quand j'ai débuté, comme ouvrier, je gagnais cent sous par jour! » Il trouve normal, à son tour, de mal payer ceux qui commencent, qui ne savent pas bien se défendre. Il pense que ça les dresse. Il ne donne pas grand-chose à Jean, mais il le nourrit et le couche chez Gustave, patron du café. Pour la chambre et les repas, Gustave fait payer à Billard presque les mêmes prix qu'avant guerre. Il y a vingt ans que sa chambre sur la cour est réservée au personnel de l'imprimeur. Ce sont deux vieux amis.

Gustave pèse un peu plus de cent dix kilos, bien souvent cent douze dans l'après-midi, le poids des litres en plus dans sa panse. Il a montré à Jean sa chambre. Il lui a dit, en s'asseyant sur le bord du lit qui a gémi :

— Vous avez un bon patron. Il faudra pas vous en faire s'il gueule un peu, de temps en temps. Il est excusable. C'est à cause de sa femme, elle est infirme depuis la naissance de leur fils, ça va faire bientôt vingt-cinq ans. Elle s'est dérangé quelque chose dans le bassin, dans les hanches, elle peut plus marcher depuis. C'est pas drôle pour un homme.

Il a ajouté, après un silence :

— Pour elle non plus bien sûr.

Jean prend son travail le soir à huit heures. Il traverse l'atelier en mâchant une dernière croûte de pain. Les ouvriers commencent à le connaître. Il entre dans la crèmerie. Sur la devanture demeure en lettres d'émail l'annonce du lait frais et des œufs du jour. Près de la caisse, l'apprenti déjà noir jusqu'aux coudes, son visage de rat maigre maculé de virgules d'encre, tire des épreuves à la presse. Jean grimpe sur son tabouret. Quelques feuilles humides l'attendent. Les rotatives démarrent, s'emballent. Leur vacarme de tank ébranle les murs, monte du tabouret dans les os de Jean, lui emplit la cervelle et s'y dissout, y devient normal, habituel comme le battement du sang. Dans le grondement des machines qui lui emplit la tête demeure l'image silencieuse de Marie. Il fait son travail avec ses yeux et les réflexes de sa main. Il reprend parfois une ligne qu'il a suivie sans la lire, donne pendant quelques minutes une attention précise à la suite des lettres. Même pendant ces courts instants, la pensée de Marie reste en son esprit, prête à reprendre bientôt toute la place. S'il parvient à gagner du temps sur l'apprenti, s'il dispose d'un peu d'avance, il met ses mains sur

279

son visage, les coudes appuyés sur la caisse qui tremble, et la lumière de son amour et le poids étouffant de l'absence l'emplissent tout entier.

Son pantalon a perdu son odeur d'herbe sèche et de velours chauffé au soleil. Le cal de ses mains s'attendrit.

Il a appris les quelques signes bizarres par lesquels on signale les fautes. Il lui arrive d'en laisser passer. Il ne sait pas bien lire les mots lettre à lettre. Mais si Billard avait voulu s'attacher un correcteur professionnel, il aurait dû le payer plus cher. Il n'emploie à ce travail que des amateurs. Il les renvoie dès qu'ils demandent une augmentation

Les cours des Beaux-Arts ne commencent qu'en novembre. Jean dispose de toutes ses journées. Le matin, il dort. Il dort plus de huit heures, comme un enfant. La porte de sa chambre donne sur la salle du café, et sa fenêtre sur la cour de l'immeuble. Le premier jour, quand Gustave l'eut laissé seul dans la chambre, Jean est allé à la fenêtre, l'a ouverte de ce grand élan avec lequel, au Pigeonnier, il invitait à entrer l'air et la lumière. La fenêtre a grincé, s'est ouverte en résistant. Jean est resté immobile, stupéfait. La cour, large de cinq ou six pas, sur laquelle n'ouvre aucune porte, où personne jamais ne marche, est recouverte d'une couche de poussière grasse, molle, tissée de cheveux, soudée de crachats. Quelques objets morts, noyés, angles effacés, font des bosses sous son tapis. Une lumière verdâtre se perd sur le bas des murs. A leurs aspérités s'accrochent çà et là une mèche de crasse pétrifiée. Une odeur de champignons, de latrines et de choux, pèse sur ce lieu perdu. Si l'on prenait par un coin, avec des pinces, cette couche innommable, on pourrait la rouler comme une couverture, et peut-être dénuderait-on un peuple de larves, d'insectes blancs et aveugles, de vers lents.

Jean s'est reculé lentement, a fermé la fenêtre. Il ne la rouvrira plus. Il a écrit à Marie, il lui a décrit la cour, ce déchet d'espace au milieu de la ville, plus perdu, plus retranché de la vie qu'un désert. Il a dit à Marie : « Mon amour, mon amour, j'ai vu là ce que deviendraient mon cœur et mon âme si quelque destin abominable devait un jour me séparer de toi... »

Il a été long à se débarrasser de l'angoisse. Parfois, lorsqu'il rentre, fatigué, son travail fini, lorsqu'il ouvre sa porte, son regard se fixe sur la fenêtre, en face de lui. Derrière les rideaux, les vitres, les volets, il sent peser la nuit accablée au visage de poussière. Il frissonne, se hâte de se déshabiller.

Son lit de cuivre a perdu trois de ses boules. La quatrième, empalée sur son pas de vis rongé, s'agite en sonnette quand il se couche, tandis que le sommier s'agite et grince. Jean éteint, ferme ses paupières entre ses souvenirs et le présent. Il retrouve en lui la lumière des nuits de Saint-Sauveur, et Marie radieuse, son parfum, sa chaleur, sa faim d'amour. Il cherche dans les draps vides les douces cuisses. Peu à peu il se réchauffe. Le sang lui frappe les tempes. Il se souvient, il se souvient... L'odeur d'amour de Marie, l'odeur de sa peau moite et de l'herbe froissée, la chanson d'amour de Marie, et la douceur, la chaleur d'elle autour de lui en elle plongé... Il se tourne et se retourne, enfonce sa tête dans l'oreiller, crispe ses mains sur les draps vides. Son dur désir lui meurtrit le ventre, lui brûle les oreilles. Il rejette tout à coup les couvertures, allume, il va se baigner le ventre et les cuisses et tout le visage d'eau glacée. Il se recouche, prend un livre, s'endort sur la troisième page.

Le bruit du café l'éveille, un peu avant midi. Il se lave des pieds à la tête. Il se gifle de son gant, se frotte, siffle. Il est bientôt rouge, il fume. Il dispose d'une cuvette en émail, écaillée, percée d'un trou qu'il a obstrué avec une allumette enrobée de coton. Sous ses pieds, à l'endroit où il fait sa toilette, le plancher, peu à peu nettoyé, retrouve la couleur du bois. Une humidité molle coule des murs. Le papier s'en va par couches.

Jean s'habille en hâte et sort.

— Bonjour, monsieur Tarendol, dit Gustave, de son comptoir, vous avez bien dormi?

— Très bien, merci, et vous? dit Jean.

— Oh! moi, dit Gustave, y a longtemps que j'ai fini!

Il se lève vers huit heures, bien qu'il se couche rarement avant deux ou trois heures du matin. Mais de temps en temps, dans la journée, il dort un peu sur une chaise.

Jean va marcher, prendre l'air avant de se mettre à table. C'est le moment de la journée où il se sent le mieux. La vague et morne angoisse qui pèse sur lui depuis son arrivée à Paris fait trêve pendant ces premières heures. Il a plaisir à marcher à grands pas. C'est la seule dépense physique qu'il puisse faire ici. Il choisit les rues calmes du quartier. Les clous de ses souliers grincent sur les pavés, sur le ciment du trottoir. Il ne regarde rien, il marche, c'est un besoin.

Au premier étage du numéro dix-neuf de la rue
Louis-de-Nantes, à la fenêtre de gauche, un rideau
a bougé. Derrière ce rideau se tient Mme Billard, la
femme de l'imprimeur. Depuis vingt-cinq ans.

Elle ne peut plus marcher du tout, depuis la naissance de son fils Léon. Elle est écrasée sur ses hanches
inertes. Son mari la porte du lit au fauteuil, du fauteuil à la chaise percée. Il la laisse seule pendant qu'il
est à l'atelier. Quand il revient, parfois, il faut qu'il
la nettoie.

Elle n'est plus sortie depuis vingt-cinq ans. Elle est
là derrière son rideau, assise, elle ne vit que du buste,
qui se déplace, à gauche, à droite, et de ses mains
grises, moites, qui effleurent le rideau, le soulèvent,
le rabattent, reprennent les aiguilles à tricoter. Ses
yeux brillent, guettent ce qui passe. Elle se nourrit
de la rue.

Elle connaît mieux que n'importe qui les événe-
ments du quartier et la vie intime des voisins. Elle
tricote, elle guette de son œil aigu les allées et venues,
elle reconnaît chacun, surprend les rencontres furtives,
devine les premiers symptômes des adultères et prévoit

leur dénouement. Depuis qu'il n'y a plus de laine, elle défait de vieux tricots et les recommence, pendant que la T. S. F., sans cesse, du matin au soir, bourdonne à portée de sa main. La mère Delair vient faire le ménage, le matin, et la cuisine pour toute la journée. Elles échangent et complètent leurs renseignements. Rien ne leur échappe.

Mme Billard laisse retomber son rideau, éloigne son visage de la fenêtre. Elle a vu son mari qui sortait de l'impasse. Elle entend ses pas dans l'escalier, elle entend ouvrir la porte. Ses yeux s'éteignent, les coins de sa bouche s'abaissent, les mèches de ses cheveux gris tombent plus raides, plus tristes, jusqu'à ses épaules. Elle commence à gémir.

Il ne lui demande pas comment elle va, elle n'attend pas qu'il le demande. Elle a mal aux reins, elle a mal à ses pauvres fesses, et ses pauvres jambes sont pleines d'aiguilles, et ses pieds doivent être enflés, regarde s'ils sont pas enflés, tu peux pas savoir ce que c'est de ne pas pouvoir bouger, quel supplice d'être clouée là, pendant que tout le monde va et vient, et qu'il fait si beau, j'aimerais tant aller me promener ou faire des courses, une rendre utile, au lieu d'être bonne à rien, une charge pour tout le monde, une infirme, pourquoi Gustave vient jamais me voir ? Tout le monde m'abandonne, et le Bon Dieu aussi ; il devrait bien me délivrer, qu'est-ce que j'ai pu lui faire pour mériter ça ? Ah ! mon Dieu, donnez-moi la mort ! Et pourquoi Léon est pas rentré avec toi ? Je le vois plus, il aime plus sa mère, il arrive, il mange trois bouchées et il se sauve, et pourquoi tu dis pas à Gustave de venir me voir ? Et ton petit employé, ton correcteur, comment tu l'appelles, Tarendol, pourquoi tu me l'envoies pas, il doit être bien seul, il connaît personne, ah, mes pauvres pieds, ils sont en plomb ; il est bien mal habillé, ce petit Tarendol, il a l'air d'un paysan, il corrige bien ? Non, ça c'est les pois cassés pour ce soir, les nouilles sont dans le buffet, non, pas là, sur la planche du haut, ah ! mon Dieu, de ne pouvoir bouger, ah ! mon Dieu, d'être là...

Billard ne dit pas un mot. Léon arrive, va embrasser sa mère sur le front. Elle le retient par sa veste, elle pleure un peu, il se dégage doucement, pousse le fauteuil vers la table. Elle mange beaucoup, elle n'a jamais perdu l'appétit, bien qu'elle se plaigne aussi de son estomac. Et en mangeant elle parle, une bouchée, une phrase. Elle voudrait bien que Tarendol vienne la voir. Elle se demande ce qu'il est venu faire à Paris, quand on est si bien à la campagne, pour le ravitaillement.

Billard grogne :

— Laisse donc ce garçon tranquille...

Léon s'en va. Son père reste encore un moment avec l'infirme. Elle a besoin de lui. Puis il l'installe de nouveau près de la fenêtre et retourne à l'atelier, vite.

Il est plus heureux parmi ses machines que chez lui. Il pense sans cesse à son travail, pour ne pas penser à l'autre moitié de sa vie. C'est peut-être la cause de sa réussite.

Léon, son fils, avait été fait prisonnier en juin quarante. Il est rentré avec les sanitaires, sur une civière, il était à moitié mort. Quand il s'est relevé, Billard l'a envoyé trois mois chez son frère, qui cultive des fruits à Saint-Germain-au-Mont-d'Or. Maintenant il est redevenu presque comme avant guerre. Il fait les travaux soignés de la maison. Il conduit une machine précieuse, installée au sous-sol, tout automatique. Il la soigne comme une maîtresse, il passe ses dimanches à l'astiquer. Il l'a montrée à Tarendol, il lui a expliqué ce qu'est une machine « en blanc ». Depuis, il serre la main de Jean quand il traverse la crèmerie pour descendre à son sous-sol, mais il ne lui parle guère. Pour tout ce qui n'est pas son métier, il est timide. Il est mince, grand, ses cheveux blonds bien collés à la raie sur sa tête. Il est un peu trop sérieux, presque triste, peut-être parce qu'il n'a jamais vu sourire sa mère, même lorsqu'il était enfant. Il a l'air toujours pâle comme s'il relevait de la typhoïde.

Jean s'intégre peu à peu au monde de l'impasse. Il va de l'imprimerie au café, du café à l'imprimerie, il dérange les jeux des gosses du cordonnier italien, qui habite en face de chez Gustave. Ils ne rentrent que pour manger, ça ne leur demande pas beaucoup de temps, puis ils ressortent, c'est trop petit chez eux. Après avoir failli tomber trois fois, Jean a appris à éviter, la nuit, le trou au milieu de la chaussée, où les pavés se sont enfoncés sur la largeur de deux pas, quelque chose qui a cédé en dessous, un des mystères du sous-sol.

Il lui semble qu'il est là depuis des mois. Il a quitté Marie, Marie est loin de lui, loin de ses mains, loin dans le temps. Il est arrivé là, et l'impasse s'installe autour de lui, grise. Il y dort, il y travaille, il y mange, il y vit.

Un jour, où le ciel gris au-dessus de l'impasse était plus bas que d'habitude, Jean a éprouvé une envie panique de s'en aller, tout de suite, sans attendre une seconde, de partir en courant pour ne revenir jamais, jamais dans ce piège, dans ce puits. Le morne, l'affreux danger sans visage était là près de lui, prêt à le happer, à l'entraîner au fond des abîmes, sans lui laisser une chance, un geste, une respiration. Il s'est secoué, il s'est dit que c'était stupide, pas du tout raisonnable. Il est resté. Il a pensé que c'était un effet de l'ennui, et de la déception. Il avait imaginé qu'il arriverait à Paris, qu'il ferait un grand effort pour gagner Marie, que ce serait un travail joyeux, comme les gerbes au bout de sa fourche. Mais il n'y a rien à soulever, pas d'effort, pas de sueur. Cette besogne de petite plume sur des morceaux de papier, ces heures assises, et les cours qui vont durer des années, qui ne sont pas encore commencés...

Et cette ville, autour de lui... A la campagne, tout était simple. Il connaissait le monde qui l'entourait, il y tenait sa place. Ici, il faut qu'il apprenne tout. Il a des moments de dépaysement où il se sent aussi étranger, malhabile, qu'un chien de berger soudainement transporté et lâché dans le tumulte des boulevards.

Il a cru que cette angoisse subite qui l'avait tout à coup frappé, cette envie de fuir qui l'avait secoué comme elle secoue les bêtes à la veille d'une inondation ou d'un séisme, était un effet du mal du pays. Il s'est raisonné, il s'est ressaisi. Il est resté. On n'obéit pas à des enfantillages. L'homme est un être raisonnable. Jean s'est appliqué, au contraire, à connaître, à aimer les ouvriers de Billard, les gens du café, à se construire là un petit univers familier.

Les habitants de l'impasse savent qu'une fille de son pays lui écrit chaque jour, mais il ne pouvait parler d'elle à personne. Et parfois il avait tellement besoin de parler d'elle qu'il allait s'enfermer dans sa chambre, pour pouvoir dire son nom à voix haute, plusieurs

Tarendol. 19

fois de suite, pour le caresser dans ses lèvres, dans ses oreilles, et il levait les mains pour le sentir passer entre ses doigts.

Il est moins malheureux depuis qu'il a retrouvé Bazalo. Il s'est souvenu du bout de papier avec son adresse, il y est allé. Bazalo était rentré. Le peintre a été content de le revoir. Jean s'est épanoui devant sa sympathie. Au bout d'un quart d'heure, il lui a parlé de Marie.

Le café de Gustave est presque une annexe de l'imprimerie. Les ouvriers de Billard, entre deux tirages, ou à la fin d'une mise en train difficile, viennent chez Gustave se laver le gosier de la poussière de papier. Parfois, ils appellent Jean, qui les accompagne, si ses épreuves lui en laissent le temps. Ils acceptent rarement de le laisser payer. Ils savent qu'il ne gagne pas grand-chose. Gustave n'a guère d'autres clients qu'eux, sauf quelques habitués. Il reste parfois une heure sans voir personne, surtout depuis que les imprimeurs ne travaillent que la nuit. Après l'heure obligatoire de fermeture, ils passent par le couloir. Ils trouvent Gustave en train de faire la belotte avec Vernet, le sergent de ville qui quitte l'uniforme après son service, avec le père Delair, le plâtrier-peintre, et Mme Empot, qui vend, en temps normal, des légumes de saison dans sa petite voiture au coin de l'impasse. En ce moment, elle n'a que du thym et de la ciboulette. Elle les dispose en maigres bottes. Elle n'en vend guère. Assaisonner quoi, avec ce thym ? Quand on ne sait plus ce que c'est qu'un lapin, à Paris. Mais Mme Empot porte à domicile de la viande, du beurre, du sucre, tout ce qu'elles veulent, aux clientes qui ont les moyens de payer.

Elle dit à Billard :

— Il est joli garçon, ton correcteur.

Billard a grogné :

— C'est pas pour toi, vieille taupe. Il est amoureux...

Elle a haussé les épaules. Elle a dit à Jean :

— C'est dommage que ma fille se marie la semaine prochaine... Mais il est bien aussi son fiancé, c'est un pompier.

Mme Empot a quarante-huit ans. Elle est solide, courte. Sa figure rouge est barrée de gros sourcils noirs, et d'une grande bouche un peu moustachue. Ses cheveux de corbeau se dressent en indéfrisable barbelée autour de sa tête.

Elle secoue le père Delair, son partenaire.

— Pourquoi tu jettes ton roi de cœur ? T'es pas maboul ? Si tu le gardes, on faisait la dernière ! Tu joues comme un saladier !

Le père Delair s'excuse d'une voix éteinte. Il a une maladie interne qui le tracasse et qui l'empêche de bien penser au jeu. Elle l'empêche aussi de travailler. Il ne fait plus que quelques petites réparations, chez des amis, pour rendre service. Cette maladie lui donne des tremblements. Les médecins ne savent pas ce que c'est. Dès qu'il se met debout, ses genoux se cognent. Il mange de moins en moins, et digère de plus en plus mal. Parfois, un renvoi lui vient. Il met ses cartes devant sa bouche, poliment.

— Ce qu'il te faudrait, dit Mme Empot, moi je le sais, c'est des biftecks.

Elle n'en dit pas plus long. Elle ne lui propose pas de lui en vendre. Elle sait qu'il ne peut pas en acheter.

Elle pourrait lui en donner un, de temps en temps. Mais elle-même les paie cher. S'il fallait nourrir tous les pauvres! Et ça serait peut-être sa femme qui les mangerait.

De plus, le pauvre vieux, il lui pousse, assez souvent, une plaque rouge sur la joue gauche, une sorte d'eczéma qui s'en va et qui recommence. Avant la guerre, c'étaient le poisson ou les fraises qui le lui faisaient venir. Maintenant, il ne sait plus.

— C'est cette saloperie de pain! lui dit Mᵐᵉ Empot. Avec tout le son qu'ils y fourrent, et peut-être aussi de la sciure de bois, forcément, ça vous irrite de partout. Moi, mon gamin arrête pas de se gratter.

Elle se gratte aussi, mais c'est parce qu'elle a des puces. Jean a beau se tenir propre, il en attrape chaque fois qu'il prend le métro. Il y a beaucoup de puces à Paris, depuis l'occupation. Ces bêtes ne respectent personne. De temps en temps on voit, en première, une femme élégante, sans avoir l'air, en regardant ailleurs, du bout d'un ongle carminé pointu, se gratter la hanche.

Jean ne prend guère le métro que pour aller voir
Bazalo. Le peintre a plus de deux fois son âge, et Jean
s'est attaché à lui avec une affection presque filiale.
Il lui parle du Pigeonnier, de Marie, de sa mère, de
Marie, du collège, de Marie, de ses projets, de Marie...
Bazalo, une mèche grise sur le front, les sourcils
barbelés, hoche la tête, écoute ou n'écoute pas, continue de peindre. Il manifeste au garçon une amitié
bourrue. Il lui dit :

— Des comme toi, on n'en fait plus. Heureusement,
qu'est-ce qu'on deviendrait, avec des ahuris pareils ?

Il est heureux de le voir arriver. La présence de
Jean le calme. Il lui fait paraître la vie plus simple.
Il a été séduit par la beauté rayonnante et solide de
Jean, qui ressemble, dans ses gros vêtements usés,
trop courts, à une statue de jeune dieu emballée dans
des étoffes grossières. Il a été surtout séduit par sa
fraîcheur et son innocence. Jean ignore qu'il est beau
qu'il est miraculeusement jeune, et que l'ardeur, l'élan
d'amour et de vie qui le portent sont aussi invraisem-
blables, aussi menacés qu'un arbre fleuri au milieu
d'un champ de bataille. Bazalo sait tout ce que Taren-

dol ignore, il a les tempes blanches. Il se demande où, dans combien de temps, dans quelles circonstances, ce miracle prendra fin. Il sait que ça ne peut pas durer. Ce n'est pas possible. Il faut vivre.

Il bouscule un peu Jean, il le traite à la fois en copain, et comme un gamin. Il s'étonne, par instants, de la force de l'affection qu'il lui porte. C'est à ces moments-là qu'il se montre le plus bourru. Il se dit qu'un jour ce garçon deviendra pareil à tout le monde, et que la vie est une saloperie.

Il lui explique les problèmes élémentaires de la peinture. Il est obligé d'employer des termes clairs. Cela l'aide lui-même à rechercher l'essentiel, à éviter les complications. Et puis il s'arrête parce que ça le rase de parler peinture.

Françoise a reçu enfin une longue lettre de son fils.
De Saint-Sauveur il n'avait envoyé que des mots très
brefs. A cause du maquis, qui surveille peut-être le
courrier, il écrit au nom de Camille, le cantonnier,
poste restante à Saint-Mirel. Et Camille rapporte les
lettres chaque fois qu'il descend au bourg. C'est lui
aussi qui emporte les colis pour Jean. Françoise lui
fait des gâteaux de farine blanche, des pâtés de volaille
et de lapin. Morceau par morceau, il va recevoir tout
le cochon. Elle aurait voulu expédier de bons colis
solides, cousus dans de la toile, comme elle en envoyait
à son André quand il était soldat. Mais il n'y a plus
de vieux torchons, plus de draps usés à couper en
morceaux. Heureusement elle a dans un pot des réserves de vieux bouts de vraie ficelle. Pour le papier, c'est
plus difficile. Elle est allée à Saint-Mirel exprès pour
en trouver. Elle en a obtenu quelques grandes feuilles
du marchand de journaux, en échange d'une douzaine
d'œufs. Il lui en a promis d'autres si elle lui apporte
un poulet.

Dans sa lettre, Jean dit qu'il est bien, qu'il a un
bon lit, et qu'il travaille avec de braves gens. Il lui

parle à peine de Marie, juste à la fin. Il lui dit : « Pour Marie et moi, tout va bien. » Françoise n'est pas satisfaite. Elle relit la lettre. Elle est venue s'asseoir près de la fenêtre, pour y voir plus clair car le jour baisse. Elle hoche la tête, elle est inquiète de ce peu de mots, et de cette assurance. Ce n'est plus un langage de collégien. Elle parle toute seule, en patois, et ce qu'elle dit signifie : « Pourvu qu'ils n'aient pas fait de bêtises!.. » Elle a peur pour son Jean, pour la petite qu'elle ne connaît pas. Elle sait que des enfants qui s'aiment ne pensent à rien d'autre qu'à s'aimer, et n'envisagent pas les conséquences. Et l'amour n'est pas facile dans le monde. Il n'y a pas de place pour lui tout seul. Il faut qu'il s'accorde avec le reste. Et moins facile maintenant que jamais, avec cette guerre.

Françoise voudrait bien savoir. Si son Jean était là, près d'elle, sûrement il lui parlerait. Elle saurait le faire parler, lui poser juste les questions qu'il faut, quand ils seraient tous les deux près du feu, quand le jour s'en va et qu'un garçon éprouve le besoin de parler à sa mère, parce que c'est l'heure où, quand il était tout petit, il commençait à avoir peur, quand le jour rassurant, le grand jour clair qui montre toute chose, s'en va, et que la lampe qui fait vivre le dedans de la maison — la maison intérieure qui ne vit que la nuit sous la lampe, le jour c'est le dehors qui vit — quand la lampe n'est pas encore allumée. Peut-être elle ne demanderait rien, et il parlerait quand même, parce que c'est l'heure où, quand il était petit, il se rapprochait d'elle, et mettait sa tête dans sa jupe, sur ses durs genoux. Sa jupe sentait l'herbe et les bêtes, et rien que cette odeur, maintenant qu'il est grand, cette odeur que le feu avive, le rendrait tout tendre, tout ouvert, et il dirait ce qu'il a envie de dire et qu'il n'ose pas, parce qu'il se croit grand. Mais il est loin, et elle ne peut pas lui demander cela par lettre. Elle ne sait pas bien écrire. Même si elle savait, elle ne pourrait pas. Sur une lettre, il faut poser une question avec tous ses mots.

— Attends-moi, dit Gustave. Nous irons ensemble jusqu'au métro.

Il se sent trop beau, il a un peu honte de traverser le quartier tout seul, dans cette tenue. Sa femme lui a fendu la ceinture de son pantalon noir, derrière, lui a mis une pièce en V, large comme la main, pour qu'il puisse le boutonner. Mais pour le veston, rien à faire, il le laissera ouvert. Il a une chemise blanche, un col dur avec une cravate papillon, noire, à système. Il n'a pas pu mettre le gilet. Il est invité au repas de noce de Louise, la fille de Mme Empot.

Jean, prêt à partir, a refermé la porte. Il attend. Gustave prend son pardessus. Il le garde sur son bras, il a déjà trop chaud, il souffle.

Le repas a lieu aux « Noces réunies », un restaurant spécialisé pour les banquets. C'est Mme Empot qui a fourni la viande et les matières grasses. Le rendez-vous est au métro, à quatorze heures, devant le guichet des billets. C'est là qu'on attend les invités qui n'ont pas pu venir à l'église et à la mairie. Mme Empot, en robe de satin noir, est partie devant, au restaurant, pour surveiller. La mariée, appuyée contre le mur, rit et roucoule avec son mari. Sur le mur, derrière son dos, est collée une affiche orange encadrée de noir, en gros caractères français et allemands. Elle annonce qu'un certain nombre de Français ont été fusillés. Le mari, c'est un pompier, tout jeune, rose et or. Les boutons de son uniforme brillent. Elle, elle est en tailleur gris clair, avec un chapeau blanc derrière lequel pend un soupçon de voile. Par le temps qui court, on ne se marie plus en robe. Elle porte un bouquet blanc dans les bras, comme un bébé. Elle n'est pas belle, mais elle éclate de bonheur. Les invités arrivent, se groupent, bavardent. Les femmes sont grasses, pour la plupart, et les hommes rouges. Ce sont presque tous des commerçants.

Gustave sort de sa poche un mouchoir bien repassé, le déplie et s'essuie le front. Il s'approche de la mariée et l'embrasse.

Il dit :

— Je vous souhaite beaucoup de bonheur...

Elle rit, elle répond :

— Moi pareillement...

C'est ce qu'elle a répondu à tout le monde. C'est poli.

Elle le dit aussi à Jean, qui la félicite et lui présente ses vœux. Elle ne le connaît pas, ça n'a pas d'importance, elle a serré beaucoup de mains depuis ce matin. Mais elle s'arrête de rire. Elle regardait Jean sans le voir, et tout à coup elle l'a vu. Elle regarde son front, ses yeux bleus et dorés, sa bouche, surtout sa bouche. Puis elle regarde son mari. Jean est déjà parti. Il est dans la queue pour les billets. Il va chez Bazalo. Devant lui, deux jeunes filles chuchotent et rient. Elles jettent des coups d'œil en coin vers la mariée. Elles se moquent d'elle. Elles la trouvent laide, mal habillée, empruntée, gourde. Elles l'envient.

Le mois de septembre a passé. Un mois si long, où le temps fut si lourd à traîner, le bout des heures si lent à venir, et tant de jours mornes et tant de nuits brûlantes dans les semaines, tant de semaines dans ce mois... Septembre a passé, et octobre a montré ses premières journées pleines d'eau. Jean s'est rappelé les éclatantes pluies de Provence, qui tombent de haut, gonflent les torrents et s'enfuient en laissant le ciel bleu. Le ciel gris qui couvre Paris reste accroché à la Tour Eiffel, et fond sur la ville en brume innombrable. Dès qu'il s'éveille, Jean fuit sa chambre dont les murs suintent. Dehors, il serre les épaules, courbe le dos, les mains enfoncées dans les poches, la tête basse sous la pluie. Il a un peu froid aux pieds. Il a jeté ses chaussettes irréparablement trouées. Il attend que sa mère lui en envoie d'autres. Pour le moment il marche nu-pieds dans ses brodequins. Il a pensé à s'acheter un pardessus. Il possède quelque argent : les billets qu'il a gagnés aux battages, et ceux de sa mère. Il s'est renseigné sur les prix. On lui a dit un chiffre qui l'a effrayé. Il y a cinq ans, pour cette somme, on aurait obtenu une auto. Il n'a pas insisté, il passera l'hiver ainsi. D'ailleurs il n'a jamais porté de pardessus et Françoise lui a envoyé un pull-over tricoté avec de la laine brute qui sent encore le mouton. Il le mettra pendant les grands froids. Quand le paquet est arrivé, il l'a ouvert sur une table du café. Gustave, essoufflé par sa graisse, se penchait familièrement, regardait.

— Si c'est du jambon salé, je t'en retiens une tranche.

Maintenant, il le tutoie. Tous les hommes le tutoient dans l'impasse. On l'aime bien. Même ceux qui se sentent toujours menacés par chacun savent qu'il n'y a rien à craindre de lui parce qu'il n'a rien à envier à aucun d'eux. Les habitués du café le plaisantent un peu, sans méchanceté, sur les lettres qu'il reçoit et celles qu'il écrit. Mme Empot lui a dit : « Ça te passera avant que ça me reprenne. » Elle est la seule femme qui le tutoie. Les autres n'osent pas. Elles se sentent bizarres devant lui, un peu gênées. Elles n'ont pas l'habitude de l'innocence.

Jean s'étonne de ces plaisanteries. Il se demande pourquoi tous ces gens sont fatigués, sceptiques. Ce sont pourtant de braves gens. Il cherche ce qui les intéresse, pour la plupart il ne trouve rien, ils se plaignent de tout, ou ils en rient. Ils n'ont pas même l'amour de la vie, plutôt l'habitude de vivre, une habitude qu'ils ont peur de perdre. Ils passent leur vie à créer les conditions nécessaires pour que continue leur vie qui n'a pas de raisons. Ils plaisantent Jean un peu pour se défendre contre lui, pour ne pas le prendre au sérieux, pour ne pas y croire.

Gustave pense qu'il faudra qu'il dise à Tarendol d'écrire à sa mère pour lui demander si elle voudrait pas lui tricoter un pull-over, à lui. C'est vrai qu'il y faudrait bien la laine de trois moutons! Il va faire un tour à la cuisine où l'attend sa bouteille de beaujolais. Il se sert dans un verre à pied. Il en boit deux de suite, soupire de plaisir, et comme la bouteille est près de sa fin, il la termine. Il ne peut pas en laisser comme ça ces deux doigts, juste au fond.

Il est lyonnais, il a apporté de sa ville son amour pour ce petit vin clair. Il a essayé de le faire apprécier aux Parisiens, mais ils préfèrent le vin blanc. Il boit presque tout seul les barriques qu'il reçoit directement d'un propriétaire de Villefranche.

Depuis que le vin manque à Paris, son beaujolais aurait bien des amateurs, aussi le dissimule-t-il. Il monte chaque jour sa provision pour lui, dans la cuisine. Aux clients, il sert du bordeaux blanc et des jus de fruits, sauf à Billard, ce vieux copain. Billard a mieux réussi que lui. Lui, il a trop bu, il le sait bien. A force de boire, il a pris la forme d'une bouteille. Il s'est épaissi en même temps du ventre, des fesses et des hanches. A la hauteur du bassin, il a la même forme dans toutes les directions.

Vers minuit, les belotteurs partis, il reste seul, derrière ses volets fermés. De temps en temps, un ouvrier de Billard vient par le couloir, boire un canon, ou bien deux agents du quartier, qui font leur ronde.

Il commence à mettre les chaises sur les tables. Il jette à terre quelques poignées de sciure. Mme Gustave, comme il dit, balaiera en se levant. Il range les dernières soucoupes, regarde ce qui reste dans les bouteilles, bâille, quitte son veston, défait ses bretelles, enfile une main dans son pantalon par la ceinture, se gratte longuement le ventre et les reins, bâille de nouveau, de plaisir. Il ouvre la trappe de la cave, empoigne ses deux paniers de fer, s'enfonce dans le plancher. Une seule ampoule pend au plafond, sous un abat-jour de toiles d'araignée. Il s'assied sur un tabouret, devant la barrique. Ses bretelles lui pendent au derrière. Il tourne le robinet de bois qui grince. Le vin mousse dans les goulots. Quelques gouttes lui coulent sur la main. Il prend dans un trou du mur le verre qu'il a descendu là il y a bien des années, et, dans la merveilleuse odeur du vin au tonneau, de la cave fraîche, il boit son dernier pot de la journée. Il replace dans sa niche le verre jamais rincé qui a pris la couleur du vin. Il pense que son gosier, et son ventre, à l'intérieur, doivent être culottés comme ce verre. Il remonte péniblement l'échelle de bois raide. Il souffle. Il ne veut pas se rappeler qu'il la montait sans peine il y a seulement trois ou quatre ans. Sa femme lui répète tous les jours que s'il continue à boire ainsi il en périra. Mais elle lui dit ça depuis qu'ils sont mariés.

305

Comment va-t-il faire pour aller chercher son vin à Villefranche, cette année ? Le camion de Teste, le déménageur, est réquisitionné. L'an dernier, il lui avait transporté ses barriques entre des matelas et des buffets. Et quel prix va-t-il le payer ?

Il referme la trappe. Il va mettre ses bouteilles au frais.

Sa femme est déjà couchée. Je ne vous l'ai pas encore montrée, c'est qu'on la voit à peine à côté de lui. Elle est tout juste aussi grosse que la cuisse de son mari. Elle a le visage blême, des cheveux d'un blanc jaunâtre, en chignon. Quand on en trouve un dans la soupe, on n'en finit plus de le tirer de l'assiette. Elle est polie avec tout le monde, mais sans sourire. Elle semble accablée par le poids de Gustave, on dirait qu'elle le porte sur les épaules. Elle ne lui parle que pour le secouer. Elle va et vient, de la cuisine au café, toute la journée en pantoufles. Quand Gustave dort sur une chaise, elle essaie de le pincer, sans y parvenir, tant la peau est tendue par la graisse. Alors elle lui crie dans l'oreille :

— Gustave ! Tu dors !

Il sursaute, il dit : « Moi ? C'est pas vrai ! » et il se rendort.

A la voir faire, on croirait qu'elle le déteste, mais lorsqu'il s'absente, ce qui est bien rare, elle ne sait plus comment penser.

Elle est couchée depuis longtemps. Elle dort mal, en l'attendant. Elle a pourtant toute la place. Elle ne dormira bien que dans quelques minutes, dès qu'il commencera à ronfler près d'elle. Elle s'accroche au bord du lit, d'une main, pour ne pas lui rouler dessus.

Il arrive à Jean, parfois, quand il est seul, de réfléchir à ce qu'il a vu chez Bazalo. La peinture de son ami le déroute. Au collège, il a fait un peu de dessin, la tête d'Archimède en plâtre, des frises décoratives avec des feuilles d'acanthe stylisées. Il a vu dans le Larousse des reproductions de chefs-d'œuvre, des paysages avec des grands arbres, des scènes antiques bourrées de guerriers en cuirasse ou de bacchantes si grasses que leur ventre fait trois plis. Il a vu sur des divans des femmes nues moins belles que Marie, et des volailles mortes sur des tables, avec des fruits et des cruches. Il n'aimait pas beaucoup tout ça, mais il ne sait pas s'il doit aimer davantage ce que fait Bazalo. On est d'abord saisi par les couleurs qui vous éclatent aux yeux. On cherche le sujet, et on le trouve difficilement.

Jean voudrait comprendre. Il voit Bazalo, ses yeux noirs brillants, travailler comme un bûcheron, peiner, suer. Il perçoit son angoisse affamée, il se dit qu'il doit avoir ses raisons, mais il lui semble, il ose à peine le dire, il ne sait pas, peut-être il se trompe, que cette femme serait plus belle si elle n'avait qu'un seul nez.

— Plus belle! Plus belle! hurle Bazalo. Est-ce que tu sais ce que c'est, la beauté? Ça fait trente ans que je lui cours après! Espèce d'âne! Et tu veux te faire architecte! Qu'est-ce que tu bâtiras, dis? des camemberts ou des Saint-Honoré?

Il n'en dit pas plus long. Il ne s'explique jamais sur ses tableaux.

Jean se rend compte qu'il ignore encore trop de choses pour juger. Peut-être finira-t-il par trouver cette peinture à son goût. Il ne s'émeut plus des colères de son ami. Il attend qu'il ait fini de crier. Il dit doucement :

— La beauté? J'ai mon idée...

Il ferme les yeux et sourit.

Et Bazalo grogne :

— Amoureux, imbécile...

Et puis un jour, il lui a mis dans les mains un crayon et un carnet à croquis, et il lui a dit : « Va te promener un peu dans Paris..., vas-y..., va..., toi qui sais ce que c'est la beauté..., c'est si facile..., mets-la un peu sur le papier... »

Jean, naïvement, est allé vers ce qu'il estime le plus beau. Il est assis sur le quai, ses pieds pendent au-dessus de l'eau, ses souliers de gros cuir râpent la vieille pierre, ses chevilles sont nues. Devant lui, Notre-Dame dresse ses tours et la pointe de fumée de sa flèche. Il tend son crayon à bout de bras et ferme un œil. Ainsi lui apprit à faire le professeur de dessin du collège, que ses élèves nommaient d'un nom irrévérencieux, parce qu'il avait les joues aussi roses que le derrière d'un nourrisson. La manche de sa veste de coutil arrive à peine au milieu de son avant-bras tendu.

Il trace quelques traits sur la feuille blanche. Avant même d'avoir esquissé son dessin, il se demande ce qu'en pensera Bazalo. Il ne pourra jamais faire tenir sur cette surface plate les dimensions infinies du vaisseau. Ce qu'il fera ne sera ni Notre-Dame ni autre chose, ce sera rien. Et puis, qu'importe! Il plie son carnet, soupire...

Un vertige le prend, un besoin déchirant de voir Marie, de tout laisser pour la rejoindre, sans que plus rien ne compte, de s'accrocher à elle de ses deux bras, de verser sa tête sur elle, de la respirer, de la serrer, de la boire, de se cramponner à elle, de ne plus la laisser partir, jamais.

Il essuie ses yeux devant lesquels un prisme de larmes boursoufle le fleuve. Il se mouche. C'est un moment de faiblesse, c'est fini, c'est stupide.

Il recommence à voir la Seine tranquille, Notre-Dame sereine, et les nuages à peine dessinés, effacés les uns dans les autres, gris et légers comme cendre d'herbes.

Sous sa peau plate qui s'émeut à peine, le fleuve roule ses longs muscles lourds. Un puissant voyage coule son chemin, depuis l'éternité pareil à lui-même et au ciel, entre les pas des hommes arrêtés à ses rives. Les maisons de pierre, les palais et les cathédrales surgissent, tombent, s'effacent et renaissent, les printemps de révolte succèdent aux hivers accablés, les mouettes chassées par la rage de mer remontent l'eau paisible, l'ombre des corbeaux traverse le miroir gris, la respiration des foyers diffuse sur sa joue la tendresse du crépuscule, le fleuve nu, toujours en marche, sans cesse parti et présent aux mêmes lieux, déplie, efface, dissout une lettre froissée, use mollement un éclat de granit, comble de mort la bouche d'un noyé, frissonne tout à coup parce qu'un poisson gros comme une aiguille a happé une poussière.

Le fleuve coule dans les yeux de Jean, emporte de sa lente main de soie les images noyées de la ville. A la place du reflet de la cathédrale, Jean voit s'enfoncer la masse aérienne d'un palais de dentelle. Des nervures de ciment blanc cernent des murs de verre, le soleil éclate sur d'immenses fenêtres, caresse de longues lignes de couleurs d'été, la pluie se brise en étincelles sur des surfaces d'émail et d'or...

Jean se redresse, toute son impatience transformée en certitude... Ce n'est pas la peine d'aujourd'hui qui compte, l'attente grise, la laideur de l'impasse, les efforts interminables, c'est demain, c'est le monde qui va surgir, le monde de son amour, qu'il va bâtir de son amour et de ses mains. Il en est sûr, il le voit, il est plein de pitié pour la ville plate, peuplée de misère, rongée de crasse, écrasée au sol sous sa propre masse. La cité future jaillira, dansera, plus près du ciel que de la terre. Nul n'a osé la délivrer du poids qui plonge son visage dans la boue. Moi j'oserai, je le peux, je le sais, moi et Marie près de moi, dans notre ville dressée comme un bouquet...

La Seine coule, ainsi, depuis des âges oubliés, toujours jeune, nonchalante, plus lente que le pas de l'homme, et à chaque seconde parvenue au terme de son voyage. Jean n'a plus peur du temps ni de la distance. Les lieues ni les années ne séparent deux êtres qui s'aiment. S'il a besoin un jour de rejoindre Marie, si tous les véhicules sont figés, il partira à pied, il marchera, il marchera, il arrivera auprès d'elle, avec ou sans souliers.

Il passe ses doigts dans ses cheveux. Ses yeux sont encore humides d'une larme. Il sourit. Il jette un caillou à la Seine, par amitié. A quelques pas de lui, couchés à même le quai, dans une échappée de soleil, une fille brune, sa robe légère froissée, relevée jusqu'au milieu des cuisses, et un garçon boucher ou boulanger, à pantalon à petits carreaux, s'embrassent, se touchent. se serrent l'un contre l'autre. Il enfonce une de ses jambes entre celles de la fille. Elle sent son désir à travers les vêtements. Il lui prend la tête à deux mains pour l'embrasser plus profond. A côté de lui est posé son vélo, une pédale en l'air.

Mme Empot a fini sa vente. C'est pas trop tôt. Elle étend sur sa voiture une petite bâche qui recouvre la balance, les poids et l'étiquette en carton simili-ardoise au bout de sa tringle. Elle va chez Gustave prendre un petit quelque chose pour se remonter.

Elle se laisse tomber, harassée, sur la banquette.

— Salut ! dit Gustave. Alors la mariée est rentrée de voyage ? Elle est pas trop fatiguée ?

Il cligne de l'œil, il rit, sa panse secoue sa serviette. Il finit de déjeuner, avec sa femme, Jean et Valdon. Mme Gustave se lève, va chercher le fromage à la cuisine, le pose sur la table.

Valdon, sans rien dire, se sert. Il ne dit pas vingt mots dans la journée ; mais on peut lui demander une cigarette. Tant qu'il en a, il en donne. C'est un lino, le plus ancien ouvrier de Billard. Il déchiffre les écritures illisibles, tape le latin et les langues étrangères sans en comprendre un mot. Si le travail n'est pas fini à l'heure de la fermeture, il reste. Billard, de temps en temps, lui donne un paquet de tabac. Il le paie au-dessus du tarif syndical. Les autres ouvriers, il les paierait plutôt au-dessous, s'il le pouvait.

— T'en fais pas pour ma fille! dit Mme Empot. En Normandie, ils ont bien mangé. Et c'est plutôt mon gendre qui a les jambes molles!

Gustave pouffe. Il s'essuie la bouche, ôte sa serviette enfoncée par un coin dans le col de sa chemise. Il se calme, il souffle.

— Ouf! dit-il, ça va mieux!

Il dit toujours ça quand il a fini de manger. Beaucoup de gens le disent, généralement des gens qui n'ont jamais eu très faim, pour qui ça n'est jamais allé très mal, et pour qui, par conséquent, ça ne va pas tellement mieux.

Pour Gustave, ça va plutôt mal. Il mange trop, et se congestionne. Voilà qu'il s'endort sur sa chaise.

— Quel métier! dit Mme Empot. Je commence à en avoir assez! Vivement que ça finisse! Il paraît qu'ils ont dit à Londres que la paix serait signée pour la Toussaint... Jeanne, donne-moi un petit calva...

Valdon se lève, porte un doigt à sa casquette, sans un mot, et s'en va. Il est célibataire. Il mange chez Gustave depuis les restrictions. Avant, il faisait sa cuisine tout seul. Maintenant, c'est trop compliqué.

— Oh! ce Gustave, dit Mme Empot, on dirait un avion! Jeanne, tu m'oublies?

Mme Gustave arrive avec la bouteille et un verre minuscule.

— Attends! » dit Mme Empot.

Elle le vide et le tend de nouveau.

— Je me demande où tu les as achetés, ces verres! Tu les as fait faire exprès, dis? La prochaine fois, avec, tu me serviras une loupe!

— Jeanne! Jeanne! crie Gustave, où es-tu? »

Il s'est réveillé en sursaut. Il transpire, angoissé.

Il a dormi cinq minutes, il a rêvé d'une chose affreuse, il ne sait plus ce que c'est. Il regarde autour de lui, reprend conscience, s'essuie le visage avec sa serviette.

Mᵐᵉ Gustave hausse les épaules sans répondre. disparaît dans la cuisine.

— Mon pauvre Gustave, tu deviens maboul! dit Mᵐᵉ Empot.

Elle se lève.

— Allez, je m'en vais.

— Apporte-moi un peu de saindoux, quand tu en auras, crie de la cuisine Mᵐᵉ Gustave, j'en ai bientôt plus!

— Je vais en recevoir, crie Mᵐᵉ Empot, du fameux!

Jean n'a pas reçu de lettres de Marie depuis près d'une semaine. Les courriers sont irréguliers, à cause des bombardements et des attentats sur les lignes. Jamais, pourtant, il n'est resté si longtemps sans nouvelles. Il ne quitte plus le café, il attend le facteur, il n'a que cette image dans la tête : l'homme au képi, sa boîte sur le ventre, ouvrant la porte et jetant une enveloppe sur la table la plus proche... Mais le facteur passe tranquillement devant la vitre, sans s'arrêter, va tout droit à l'imprimerie. Personne n'écrit à Gustave. Une facture, de temps en temps.

Le dimanche, il n'y a pas de distribution. C'est une journée sans espoir. Jean est allé voir Bazalo.

Bazalo lui a crié, furieux : « Assieds-toi ! », et a continué de travailler. Jean s'est assis sur le divan, dont les draps ouverts sentent la sueur du peintre et l'huile de lin.

Pendant la nuit, une pluie glacée a verni la neige d'une croûte de verglas. Le soleil se traîne derrière un ciel bouché, le traverse d'une lumière rose et grise, que le sol de verre mat diffuse dans l'espace, jusqu'au plafond bas des nuages.

Le chemin désert monte vers la colline, s'y dissout quelque part entre l'air et la terre.

A gauche, un fil barbelé entoure un cimetière immense, dont les tombes sont gainées de glace translucide. Deux fossoyeurs ont creusé un trou et rejeté sur les bords la terre noire. Appuyés sur leurs bêches, ils regardent leur travail.

A mi-chemin entre la fosse et la porte de bois, un corbillard automobile a crevé la croûte gelée et s'est enfoncé dans la neige jusqu'aux essieux. Un croque-mort, assis sur le marchepied, dort. Au-dessus de lui pend une couronne de perles violettes.

Une maison en ciment est accroupie au coin d'un terrain vague où des marbres taillés et d'autres bruts sont dressés, couchés, ou les uns sur les autres appuyés en oblique. Un ouvrier, agenouillé, une casquette verte enfoncée sur ses cheveux blancs, grave une pierre d'un adieu éternel. La marchande de tombes, figée sur le seuil de sa maison carrée, guette les clients.

De l'autre côté de la colline, le chemin réapparu s'enfonce dans un désert de givre.

Au milieu du chemin, une jeune femme, seule, sourit. Elle est là pour renseigner les passants, pour leur dire des paroles agréables. Elle est belle, ses cheveux fauves roulent sur les épaules de son manteau de fourrure qui s'entrouvre sur ses seins et son ventre nus. Mais personne, jamais, ne lui demande rien.

Tout à fait au bout du chemin, venant de l'usine dont le toit en scie s'efface au bord des nuages, un homme vêtu de bleu, droit comme un cyprès, porte sur son épaule un sac de charbon...

Bazalo, livide de fatigue nerveuse, écrase son mégot sur le dossier d'une chaise et le jette. Il s'assied et regarde sa toile. Il ne s'est pas rasé depuis trois jours, le noir de la barbe lui creuse les joues, un fragment de papier à cigarette est resté collé à sa lèvre, ses yeux sont rouges, l'arête de son nez courbe paraît presque coupante, ses cheveux gris portent au-dessus de la tempe gauche une large trace de vermillon à demi cachée par une mèche qui tombe.

Il se relève, reprend ses brosses, dresse au premier plan un poteau de ciment, à la cime duquel s'amorcent, pour se perdre aussitôt dans le bord supérieur du tableau, rognés comme des ailes, deux vols de fils légers.

Bazalo se retourne, cligne de l'œil vers Jean, sourit : Jean s'est endormi. Il est étendu sur le divan, il respire calmement, sa bouche bien fermée, ses traits baignés de repos. Ses boucles brunes brillent sous la lumière qui vient de la large verrière, et font des ombres rondes sur son front.

Quand Bazalo lui a crié : « Assieds-toi! », il s'est assis sur le divan, il a regardé un moment le dos du peintre, les toiles accrochées, celles qui montrent leurs envers blancs, entassées en bas des murs, et, par la verrière, les toits de Montparnasse hérissés de cheminées. Bazalo n'a pas voulu quitter cet atelier qui a vu ses débuts difficiles. Le robinet d'eau est sur le palier et les waters à l'étage au-dessous. Un placard dans le mur contient le réchaud à gaz et la boîte aux ordures. Bazalo mange au restaurant, un jour bien, un jour mal, il s'en moque, il ne fait pas attention à ce qu'il mange. De temps en temps, il accompagne chez elle une fille, se débarrasse comme un oiseau de son besoin physique, bavarde, fume, crayonne la fille qui rajuste ses bas, lui laisse un billet et son paquet de cigarettes, s'en va en sifflant.

Jean a saisi un journal qui traînait, l'a parcouru sans même se rendre compte qu'il était vieux de trois semaines, l'a rejeté d'ennui. C'est dimanche, il n'y a pas de courrier, il faut attendre jusqu'à demain, attendre, attendre... Il s'est allongé sur le divan, et l'attente et l'ennui lui ont fermé les yeux.

Bazalo met ses mains en porte-voix, crie :

— Tarendol !

Jean saute sur place, s'assied.

— Oh ! excuse-moi, dit-il d'une voix blanche, je dormais...

— Tu crois, innocent ? Réveille-toi, et viens voir ça.

Il le prend par la main, le conduit devant le chevalet.

Jean regarde, les yeux encore troublés et l'esprit embrumé du sommeil et de l'attente. Il voit un monde noyé dans un gris glacé aux reflets de sucre rose, à la fois écœurant et tragique de fadeur, et d'étranges personnages raides, une tombe noire qui attend son mort, une marchande qui guette les siens, une femme fleurie du sourire de ses lèvres et de la pâleur de son ventre, un homme bleu qui porte sur son épaule tout le poids du ciel...

Jean frissonne, secoue la tête, regarde autour de lui, voit enfin l'atelier, le ciel bleu léger, les cheminées qui fument... Il s'éveille. Il va parler.

— Tais-toi, dit Bazalo, tu dirais une bêtise. Viens, on va manger un morceau, j'ai faim.

Il rit, il s'étire. Il est délivré de son tableau, il est

soulagé. Après-demain, demain peut-être, de nouveau impatient, il tournera la toile achevée contre le mur.·

La patronne du « Petit Brestois » ne s'étonne pas des horaires imprévus de l'appétit de Bazalo. Pendant des années, il est venu manger·chez elle quand il n'avait plus le sou pour aller ailleurs. Elle s'est bien remboursée depuis. Jean a déjà oublié les détails du tableau, mais il en a gardé une impression qui lui serre l'estomac. Il voudrait s'expliquer.

— Ecoute, dit-il, la fourchette en l'air, je voudrais te dire, je crois que si tu peins des choses pareilles...

— Tu es gentil, dit Bazalo, clignant de l'œil, la bouche pleine. Tu choisis bien tes mots — il avale — des choses! C'est gentil! — Il vide son verre — des choses pareilles!... Pourquoi pas de la chose, hein? Pourquoi pas de la merde?

— Laisse-moi parler, pour une fois, dit Jean. Ta peinture est belle, sûrement, elle me bouleverse, mais elle me fait mal... Tais-toi, laisse-moi parler... Et je vais te dire pourquoi, je sais pourquoi. Si tu peins comme ça, c'est que tu n'es pas heureux!...

Bazalo allume une cigarette, regarde Jean, hoche la tête, doucement, avec une indulgence de grand-père. Il est décidément de bonne humeur. Il dit :

— Heureux, hein? Toi tu l'es peut-être? Tu as pourtant une drôle de gueule, aujourd'hui. Qu'est-ce qui t'arrive? Elle t'aime plus?

Jean sourit. Il dit :

— Tu sais bien que c'est pas possible.

— Bébé! dit Bazalo. Tiens, finis ces crêpes.

Les lettres sont arrivées le mardi matin. Trois à la fois. Mme Gustave les a glissées sous la porte de sa chambre. Encore endormi, il a entendu leur bruit furtif. Il est resté quelques secondes à la surface d'un sommeil léger, puis il a ouvert les yeux, et il a vu les rectangles des trois enveloppes trouer de clarté le plancher sombre. Il s'est offert un peu de merveilleuse impatience, un peu d'attente qu'il pourra faire cesser quand il voudra, à la seconde. Les enveloppes sont là, sous ses yeux, il a une envie folle de les ouvrir, en les déchirant pour aller plus vite, et il attend, il se retient, il les regarde de loin, il recule encore un peu la joie, pour la rendre plus grande encore. Puis il n'en peut plus, il cède, il saute de son lit, il se baisse, les mains tremblantes.

Jean n'a pas pu se rendormir. Il s'est levé, il a fait
une toilette hâtive, sans y penser, sans penser à quoi
ou à qui que ce fût autre que Marie. Et il s'est installé
à la table du café la plus proche de la vitre, pour répondre tout de suite à Marie, pour rester avec elle. La
lumière grise de l'impasse lui parvient à travers le
rideau de filet pendu là depuis si longtemps que la
fumée et la poussière grasse ont enrobé chacun de ses
fils d'une gaine raide. Dehors, sur les pavés, quelques
moineaux se disputent des miettes de pain. Chapelle,
l'accordeur qui habite au troisième, au-dessus du café,
leur jette chaque jour de sa fenêtre ces nourritures
infimes, ramassées sur sa table, après son repas, du
tranchant de sa main soignée. Parfois, quand il y a une
croûte un peu grosse, c'est un des enfants du cordonnier qui la ramasse et la mange.

Mais Jean, ce matin, ne voit rien de tout cela. Il est
avec Marie. Elle lui demande, dans ses lettres, de lui
parler de la vie qu'il mène, des gens qu'il connaît. Elle
veut partager de loin le déroulement de ses heures.

Il lui en dit quelques mots, puis il lui dit qu'il l'aime,
il reprend son récit, il lui répète qu'il l'aime, et bientôt

321

il ne peut plus écrire autre chose, et il sait bien que c'est la seule chose au monde qui compte pour elle et pour lui. Il lui écrit chaque jour, emporte dans sa poche la lettre commencée, la poursuit à n'importe quel moment, chez Bazalo pendant que le peintre travaille, à l'atelier entre deux épreuves, au café, dans sa chambre. Ce sont les mots qu'il dit à Marie présente dans son cœur à chaque seconde de sa vie, les mots qu'il ne lui dirait peut-être pas s'il était près d'elle, car alors il suffit d'être ensemble et de se taire pour tout dire et pour tout entendre, mais qu'il a besoin d'écrire sur le papier parce qu'elle est loin, parce qu'il faut qu'elle sache encore combien il l'aime, combien il a besoin de son amour, besoin d'elle, faim et soif d'elle avec son corps et avec son cœur ; et parce que sa propre voix qui s'adresse à Marie par la lettre lui fait croire, pendant qu'il écrit, qu'elle est assez proche pour l'entendre, assez proche pour qu'il puisse se pencher sur elle, la toucher...

Le mardi, il n'est pas très à l'aise pour écrire, bien qu'il n'y ait pas de clients dans le café, parce que c'est le jour de la femme de ménage, la femme du plâtrier-peintre, Mme Delair, celle qui fait aussi le ménage chez Mme Billard. Elle vient d'arriver. Mme Gustave lui sert une tasse de vrai café. Mme Delair le boit avec une gourmandise de chatte. Elle le veut très chaud, et bien sucré. Elle le happe à petites aspirations, et chaque goutte lui parcourt toute la langue. Au bout de cinq minutes, elle commence à trépigner. Elle est longue et sèche. Quand elle s'agite, Jean s'étonne de ne pas l'entendre craquer de tous ses nœuds. Elle se précipite, bouleverse en un quart d'heure la chambre de Jean, tourne le matelas, secoue les couvertures, lave le café, la cuisine, les deux pièces de l'appartement de Gustave sur la rue, si petites que les meubles s'y entassent comme dans un débarras. Elle lave un monceau de vaisselle, écorche les cuivres, passe à la pierre tous les couteaux. Vient un moment où elle faiblit. Mme Gustave lui sert sur un coin de table un morceau de fromage et du pain et lui fait un second filtre. Elle s'en va, à midi, complètement épuisée. Toute la semaine, elle va rêver aux prochaines tasses de café.

— Monsieur Tarendol, vous voulez pas soulever un peu vos pieds, s'il vous plaît? Comme ça, ça va, merci. Vous êtes encore en train d'écrire à votre amoureuse, hein? Oh! c'est pas moi qui me moquerai de vous, allez! Moi, je vous comprends. Je suis une femme qui a beaucoup souffert, moralement et physiquement, et qui souffre encore. Je me demande dans quoi ils peuvent bien marcher, toute la semaine, ces cochons, pour salir comme ça le carrelage. Bientôt, je pourrai plus le ravoir...

Maintenant elle va laver la vitre. Elle pousse le rideau au bout de sa tringle, doucement. Elle retient sa force, parce qu'un jour elle l'a tiré par le coin, et le coin lui est resté dans la main. Grimpée sur son escabeau, elle frotte, et parle. Jean ne répond pas, entend à peine.

Mme Delair, tout à coup, interrompt le va-et-vient de son torchon. Elle dit :

— Regardez-moi cette charogne!

Comme Jean ne répond pas, elle descend de son escabeau, elle lui pousse le bras du bout des doigts.

— Regardez-la, elle en ramène encore un! Je me demande où elle les racole! Vous feriez tout Paris pour en trouver un plus moche...

Elle appuie son nez à la vitre. Mme Gustave s'approche, regarde aussi dans l'impasse. Elle dit :

— C'est pas propre!

— Pas propre! dit Mme Delair. Vous voulez dire que c'est dégoûtant!

Elle remonte sur son escabeau. Son torchon vole sur la vitre.

— Et dire que son mari est prisonnier! Heureusement qu'elles sont pas toutes comme elle!

— Oh! dit Mme Gustave, elle lui faisait déjà des cornes quand il était là. Il s'en fichait pas mal...

— Oui, mais dites, au moins elle couchait pas avec des Fridolins!

— Ça, c'est sûr, dit Mme Gustave.

Jean a vu la mère Bousson s'engouffrer dans le couloir de l'immeuble, suivie d'un grand vieux benêt d'Allemand qui porte le brassard de l'organisation Todt. Il a bien cinquante ans, une grosse tête cabossée rasée de frais, coiffée d'un calot noir trop petit, des oreilles décollées un peu déchiquetées sur les bords. Il sourit. Il croit que tous les gens qui l'ont vu passer l'ont admiré parce qu'il était en bonne fortune. La mère Bousson n'en ramasse jamais d'autres. Rien que les déchets de l'armée occupante, ces vieillards, ces exemptés que l'Allemagne mobilise depuis quelques mois pour remplacer dans les besognes tous les combattants possibles.

— Et par-dessus le marché, dit Mme Delair, ça se permet d'être insolente! L'autre jour, elle m'a traitée de chipie, en plein dans la rue. Je me suis retournée, je lui ai dit : « Je vous réponds pas, vieux fumier! mais si je vous répondais, je sais ce que je vous dirais, salope! »

— Il faut faire attention, dit Mme Gustave, avec ses relations, elle pourrait vous faire arrêter.

— C'est bien pour ça, dit la femme, que j'y ai pas répondu.

Elle plie son escabeau, elle va astiquer le comptoir. Elle dit :

— Quand je pense à ma voisine qui habite en dessous, vous savez, Mme Piron ?

— Je la connais pas, dit Mme Gustave.

— Ça fait rien, si vous la connaissiez, vous en auriez de l'estime. Ça fait quatre ans que son mari est parti. Et elle est belle femme, elle pourrait s'en payer des hommes, des beaux, autre chose que cette vieille truie. Eh bien, y a pas ça à redire d'elle, avec ses deux enfants. Et encore elle se prive pour lui envoyer des colis...

Dans l'impasse, maintenant, il y a un enfant de plus. C'est Ginette, la fille de la mère Bousson, le fruit de la seule permission de son mari, en décembre 39. Elle est vraiment bien de lui, tout le quartier en a convenu, elle lui ressemble trop. Quand sa mère amène un visiteur elle envoie sa fille jouer sur le trottoir. Ginette descend les quatre étages sur le derrière, et vient rejoindre les gosses du cordonnier.

Jean plie sa lettre. Il reconnaît les cheveux de lin de Ginette parmi les cheveux noirs des enfants de l'Italien. Il se demande combien il en a, huit ou dix. Le père, il l'a vu deux ou trois fois, au comptoir. Il est maigre, il a l'air halluciné.

Le Todt vient de repartir. La mère Bousson, par la fenêtre, appelle Ginette. Jean va aller mettre sa lettre à la boîte. Tout ce qu'il écrit, chaque jour, il l'envoie une fois par semaine seulement, car Marie ne peut pas aller trop souvent chez Jacqueline. C'est à Jacqueline, devenue Mme Charasse, qu'il adresse l'enveloppe. Jacqueline lui a écrit une fois, une lettre courte, un peu triste. Elle disait : « Je suis heureuse. Il faut bien se faire un bonheur avec ce qu'on a. » Il a pensé : « Pauvre Jacqueline! Elle n'a pas l'air aussi heureuse qu'elle l'affirme... » Il en a éprouvé une sorte de remords, comme s'il avait pu faire quelque chose pour le bonheur de leur amie et qu'il l'eût négligé.

Madame Billard, l'œil à la fente de son rideau, a vu le cordonnier de l'impasse, une paire de chaussures à la main, descendre la rue Louis-de-Nantes en courant presque. Elle a haussé les épaules, elle a dit, pour elle seule : « Sûrement, Deligny a fait une bouteille de Pernod. Je me demande comment il le sait. Il doit le sentir... »

Le cordonnier se hâte, se hâte, vers son besoin. Depuis qu'il n'y a plus de Pernod, il a maigri d'une façon effrayante. Avant la guerre, c'était un bel homme. Il ne buvait que ça, une dizaine par jour, sans jamais se soûler. Pour la Toussaint, en 1939, il en a bu vingt-sept, sans perdre son sang-froid. Il ne faisait jamais de bruit. Il buvait, tranquille, debout au comptoir, il était sérieux. Il disait : « Quand on mélange pas, ça peut pas faire de mal. Ce qui fait mal, c'est de mélanger : un vin blanc, un demi, un apéro. Le mélange, ça détruit l'estomac. »

Il erre maintenant d'un café à l'autre, pâle, les yeux immenses au ras de sa casquette devenue trop grande. Il entre sans dire un mot, il s'approche du

comptoir, il regarde les autres boire, il ne boit rien,
Il regarde, il attend un miracle. Puis il s'en va sans
rien dire, comme un fantôme.

— Moi, il me fait peur, dit Mme Gustave.

Il ne travaille plus. Sa femme va chercher leur
nourriture à tous à la soupe populaire. Elle touche
des allocations familiales, des secours.

Dès qu'un patron de bistrot, dans le quartier,
fabrique une bouteille de pastis, pour la vendre par
dés à coudre, au poids de l'or, le cordonnier le sait
avant n'importe qui. Alors il vient chercher à domicile des chaussures à ressemeler. Ce n'est pas ce qui
manque. Il se fait payer d'avance. Les chaussures à
la main, sans s'arrêter, il va droit au café où l'attire
sa passion, et il boit comme un noyé qui retrouve
l'air, pour bientôt se replonger dans son tour-
ment.

L'aînée de ses enfants est une fille de quatorze
ans, belle et sale, mais les plus jeunes portent les
marques de l'alcool. Le dernier, âgé de dix-huit mois,
est aveugle. Dans la journée, toute cette nichée,
dont la crasse ne parvient pas à colorer le teint, joue
dans l'impasse avec autant de joie que des enfants
riches et roses. Assise près de sa porte, la mère, inter-
minablement, raccommode.

Le soir tout cela s'entasse dans trois ou quatre
lits, la fille aînée avec ses parents, le reste au petit
bonheur. Le petit aveugle dort dans une caisse, sur
des chiffons.

La femme, écrasée de misère, ne parle à personne.
Parfois la mère Bousson, ricanante, l'interroge :

— Et comment que vous couchez, dans votre lit,
tous les trois ? C'est du propre !

— Je couche entre ma fille et lui, dit la femme, d'une voix sans force, innocente.

— Mais quand il vous fait ça, hein, quand il vous fait ça?

— Oh! elle a l'habitude, depuis toute petite, elle sait ce que c'est.

Vous commencez à connaître quelques-uns des hommes et des femmes qui vivent autour de Tarendol. Il en est d'autres que vous n'avez encore jamais vus, que moi-même je soupçonne à peine, qui tentent de prendre forme, ombres dans le brouillard. Il ne savent pas où ils vont, j'essaie de les conduire comme un berger ses moutons, mais le berger lui-même n'est pas le maître du troupeau, le destin trie les victimes et les épargnés.

Vous vous demandez s'ils sont tous bien nécessaires à notre histoire, mais si l'on enlevait, autour de vous, tous les gens qui ne vous sont pas bien nécessaires, essentiels, ceux auxquels vous ne pensez qu'en les voyant, que resterait-il de vous-même? Ils occupent les trois quarts de votre vie.

Nous allons rencontrer de nouveaux compagnons de Jean dans cette rue Louis-de-Nantes qu'il descend, ce matin, le bonheur sur les lèvres. Ils occupent chacun leur petite place, ils mangent chacun leur morceau de temps.

Je vous ai déjà montré cette rue, un jour de neige. Imaginez-la maintenant sous le ciel tendre d'octobre.

sous la rivière du ciel entre les toits. Ses murs n'ont pas été ravalés depuis longtemps, ses magasins sont vides. Les voitures des quatre-saisons, qui débordaient jadis de fruits et de légumes, ne montrent plus que des racines grises ou verdâtres, des choux jaunis dont des vieilles furtives ramassent les feuilles tombées. Les poubelles restent de longues heures sur les trottoirs. Les chiens ne les fouillent plus, il n'y a plus rien pour eux dans les poubelles, mais les hommes en tirent encore des richesses, des papiers maculés qu'il entassent pour les revendre, des épluchures transparentes de pommes de terre, pour les lapins qu'ils élèvent dans une cage, sous le lit.

C'est la rue Louis-de-Nantes, pareille à bien d'autres rues de Paris. Les gens qui l'habitent sont humbles, prompts à croire ce qu'on leur dit, et à croire aussi le contraire, par esprit d'indépendance. Ils ne doutent jamais, ils nient ou ils affirment. Ils écoutent la radio de Londres. Et ils en rajoutent. Ils croient à la défaite de l'Allemagne pour le mois prochain. Ils y croient ainsi depuis trois ans. Ils finiront par avoir raison. Ils regardent les soldats allemands avec autant de pitié que de haine : ces pauvres idiots qui croient être vainqueurs!

C'est une bonne rue, peuplée de gens simples. Ils sont capables du meilleur et plus souvent du pire, comme vous, comme moi. Ils habitent dans ces vieilles maisons aux murs épais, aux étroites fenêtres. Leurs enfants sont pâles. Au temps où tout était si facile, leur rue était riche si eux ne l'étaient point. Et ils pouvaient y acquérir, pour quelques francs, des fruits d'or venus de l'autre bout du monde, ou une tranche de viande qui embaumait leur cuisine et leur chambre à coucher en grillant sur le gaz. Ils n'ont plus de gaz, ils n'ont plus de viande, ils ont même oublié cette odeur. Quand ils disent « avant la guerre », cela réveille en eux une vague impression de couleurs, de lumières, de bruits gais. Mais c'est confus, mélangé, déjà trop loin, comme leur enfance. Ils disent surtout « après la guerre ». Ce sera un jour prochain. Brusquement, tout sera là de nouveau, tout ce qui existait « avant ». Ils vivent, entre ce regret et cet espoir, une sorte de temps mort, qui ne compte pas, c'est pour ça qu'on le supporte.

Jean, depuis son arrivée à Paris, se sentait pareil à eux, perdu entre le bonheur qu'il avait quitté et celui qu'il espérait. Mais aujourd'hui, c'est peut-être à cause des trois lettres à la fois, c'est peut-être à cause du soleil, il a rejeté cette attente étouffante, cette passivité. Il a pris conscience que son avenir dépend de sa volonté. Désormais il va vouloir résister au cafard, à ses brusques assauts et à son morne siège. Il va vouloir travailler, nuit et jour, à hâter la venue de ses espoirs.

— Bonjour, mon petit Jean! lui crie Mme Empot, par-dessus les têtes.

Elle l'a aperçu, elle lui fait signe, puis elle l'oublie, elle n'a pas le temps. Debout, derrière sa voiture, elle fait front aux affamés. Elle a reçu dix cageots de raisins. Pour une fois, elle va vendre quelque chose de bon. Il faut bien qu'elle fasse sentir à ses clients comme elle est bonne de consentir à leur vendre ces bons raisins! Et la meilleure façon, c'est de les engueuler.

— Si vous vous bousculez, j'arrête la vente! Non, madame, une livre seulement, une livre à chacun.

332

Je m'en fous de vos enfants, les autres aussi en ont des enfants, moi aussi j'en ai des enfants, tout le monde en a des enfants! Bande de sauvages, vous avez fini de pousser comme ça! On dirait que vous en avez jamais vu, des raisins!

Ils en ont déjà vu, mais il y a si longtemps! Combien d'années, combien de siècles? Résignés, ils attendent, les uns derrière les autres. Ils se reposent sur un pied, puis sur l'autre, ils voient diminuer le tas, ils comptent le nombre de personnes à servir avant eux, ils racontent leurs soucis les plus intimes, leurs maladies, leurs histoires de famille aux inconnus qui attendent à côté d'eux. Pour tuer le temps. Une femme enceinte, pâle, les yeux creux, poussant son ventre, affronte leur colère, sa carte à la main. Toute la queue grince des dents. « Encore une priorité! Elles raflent tout! C'est tout pour elles! »

Jean a répondu par un geste de la main à Mme Empot. Elle est rouge, son indéfrisable hérissée. Il descend la rue lentement, les mains dans les poches, le col de sa chemise ouvert. Il s'arrête devant la boutique d'une fleuriste. Il sourit aux fleurs, et la fleuriste lui sourit. Il reprend sa promenade. Il dit « pardon! » quand on le bouscule. Les femmes le regardent, il en regarde une, de temps en temps, et il est content quand elle est belle. Il regarde les murs, les boutiques, les journaux aux étalages, les couloirs qui s'ouvrent entre deux magasins, le visage de Paris.

Aujourd'hui, il se sent chez lui. Il lui semble qu'il pourrait demander un service à n'importe qui, et il a raison, on rend plus volontiers service aux gens qu'on sent heureux qu'aux misérables.

Il passe à côté de Mlle Bédier sans la voir. Mlle Bédier, son cabas au bras, s'arrête et le regarde s'en aller. Elle essuie ses lunettes pour le voir plus longtemps et les remet sur son nez. Elles font paraître ses yeux plus petits. C'est la secrétaire de Billard. Elle travaille avec lui depuis quinze ans.

Chaque fois qu'un client réclame, qu'un travail traîne, qu'une erreur est commise, en somme chaque fois qu'il se sent en faute, Billard invente une mauvaise raison pour en charger sa secrétaire et lui crier des reproches. Il la fait pleurer au moins une fois par semaine. C'est une habitude dont ni l'un ni l'autre ne pourraient plus se passer.

Elle habite à cinq minutes de là, une chambre et une cuisine, au septième étage d'un immeuble du square Saint-Rambert. Le jour, le square grouille d'enfants. Un garde et des écriteaux leur défendent de jouer sur les pelouses. Ils doivent se contenter de la poussière. La nuit, les amoureux franchissent les grilles et viennent faire l'amour sur le gazon. Ils se moquent des pancartes et du couvre-feu.

Parfois, en rentrant du travail, Mlle Bédier s'attarde dans la nuit près du square. Elle entend des soupirs, des râles, elle frissonne, elle s'appuie contre la grille, crispe ses mains sur les barreaux.

— Ah! je vous y prends! dit Chapelle.

Mlle Bédier sursaute. Elle était encore là à rêver, Tarendol déjà loin.

— Faut vous marier, ma belle! Faut vous marier, dit Chapelle.

Il rit d'un bon gros rire. Mlle Bédier hausse les épaules.

— Qu'est-ce que vous avez trouvé de bon, ce matin?

Il s'équilibre sur ses béquilles, ouvre des deux mains le cabas de Mlle Bédier.

— Des betteraves cuites. Pouah!

— Moi j'aime bien ça, dit Mlle Bédier, c'est sucré.

Chapelle est l'accordeur qui habite au troisième, au-dessus de chez Gustave. Il a perdu la jambe droite, au ras de la hanche, à l'autre guerre. Il marche avec deux béquilles. Il porte une grande barbe et une moustache grises qui se mélangent, et une pipe plantée au milieu des poils. Il a un fort nez rouge, les yeux rieurs, de gros sourcils. Il est vêtu de velours, coiffé d'un béret alpin. Il aime la plaisanterie.

— Qu'est-ce que vous fumez, qui sent si mauvais? demande Mlle Bédier, en se reculant.

— C'est de la barbe de maïs mélangée avec du tilleul. C'est pas si mauvais. J'attends que vous m'offriez un paquet de tabac, pour mes beaux yeux...

— Vous pouvez toujours attendre! dit Mlle Bédier.

Jean est arrivé au bas de la rue Louis-de-Nantes. Il est passé devant une porte cochère où des clients tristes marchandent des légumes à demi pourris. Le marchand, dans la rue, tout le monde l'appelle Napoléon.

C'est un méditerranéen noiraud, on ne sait pas au juste grec, syrien, arabe ou maltais, sans doute un mélange. Dans une douzaine de cageots, il étale des marchandises qui sont à la limite de la pourriture. Il vend moins cher que n'importe qui, il draine la clientèle la plus misérable, celle qui compte encore à quelques sous près. Il parle quatre ou cinq langues, et le français avec l'accent de toutes. Deux fois la Gestapo l'a emmené, pour savoir s'il n'était pas juif, ou d'un pays en guerre contre l'Axe. Il a été relâché sans qu'on sache bien pourquoi. Mme Billard a dit que c'était louche. Il a montré ses papiers à tout le quartier, des papiers de bon Français naturalisé depuis au moins dix ans. Et pas Juif. Il s'indignait qu'on l'eût pris pour un youpin. Il les aime pas. Il crachait à terre.

Jean est passé, tranquille, devant la porte cochère. Napoléon pèse des poireaux visqueux. Il n'a pas levé la tête. Jean n'a pas tourné la sienne. Ils ne se connaissent pas. Ils se rencontreront à peine, dans quelques jours, et Napoléon ne fera même pas attention à Jean.

Jean traverse la rue et met sa lettre dans la fente de la boîte bleue. Maintenant, il sent qu'il a faim. Il remonte plus vite vers le déjeuner qui l'attend.

De sa fenêtre, derrière son rideau, Mme Billard l'a vu entrer dans l'impasse. Elle se demande pourquoi dans ses vêtements ridicules, il a l'air si beau, si rayonnant. Elle se tasse sur ses hanches mortes. Elle trouve qu'il n'est pas normal.

Entre deux doigts de ma main gauche se consume ma cigarette. C'est une cigarette américaine. Je vais tousser toute la nuit. Il y a cinq ans que je n'en avais plus fumé. Elle fume et se consume et se réduit en cendres. Sous la peau de mes doigts, mes veines emportent le sang usé, les cellules mortes. Ma cigarette, entre mes doigts, brûle, et fume et parfume pour mon plaisir, mais au plaisir de quoi, de qui, brûlent ma chair et mon esprit ? Qui nous a mis le feu de la vie ? Qui se chauffe à notre flamme ? Voici de quoi faire une belle flambée, ce garçon tout droit, lisse, neuf, et les femmes et les hommes autour de lui, un peu tordus, un peu cassés, le cordonnier et sa torture, Gustave et son vin dans son ventre, l'infirme aux aguets, Billard parmi ses grondantes machines, la marchande et ses clients, eux affamés, elle repue, ces enfants pâles, et tous les autres, et Napoléon et son venin... Maintenant, ces hommes et ces femmes dont nous venons de faire la connaissance vont se prendre par la main, et la danse va commencer. C'est une danse comme on en voit sculptées dans les vieilles églises. Chacun, grimaçant, ne s'applique qu'à son propre

337

pas, à réussir ses entrechats, et par la main, sans y penser, sans le savoir, entraîne son voisin. On sait où mène cette danse. Mais qui la mène?

Les grands marronniers, sous mes fenêtres, ont sorti tous leurs cierges blancs, s'efforcent de les dresser, plus haut encore, vers le ciel qui les confond avec la mousse. Le printemps est venu pendant que j'écrivais ce livre. Les abeilles entrent par ma fenêtre, se heurtent à la glace, cherchent déjà la nourriture de leur génération prochaine. Ces abeilles parisiennes, d'où sortent-elles? De quelle ruche dissimulée dans quel jardin secret enfermé dans les murs de la ville?

Des bouquets de lilas ont poussé dans tous les foyers. Leur parfum sort sur les trottoirs. Quand la nuit tombe, des milliers de lumières piquent de nouveau le soir de Paris. On attend la paix pour un jour prochain. La mort va interrompre ses carnages et continuer son travail d'artisan.

La cigarette me brûle les doigts. Les orgues ni l'encens ne répondent à ma question. On célébrait ce matin un grand mort, et les prêtres et les fidèles du monde entier demandaient à Dieu de lui accorder une vie nouvelle. C'est tout ce que nous avons su trouver dans notre angoisse, cette foi un peu trop simple que la flamme éteinte se rallume dans un autre lieu. Il faut vivre, même si le feu de notre sang, si la passion de notre cœur ne chauffent que le vide effrayant de l'inexplicable. Cette cigarette sent bon. Ce sera peut-être une tâche suffisante, de s'efforcer de ne point puer.

Lundi. La rue Louis-de-Nantes est calme, ses magasins clos. Le crémier a ouvert de dix heures à midi. Ce jour-là il ne sert que le lait, un demi-litre aux bébés, un quart aux enfants, et rien pour les autres.

Gustave a fini son petit somme d'après déjeuner. Il fait la belotte avec Valdon, contre Chapelle et Mme Empot. Jean, invité à boire la fine avec eux, assis sur la banquette, regarde vaguement le jeu auquel il ne comprend rien. Mme Gustave épluche des pommes de terre pour ce soir. C'est jour de fermeture. Ils sont seuls dans la salle.

— Et la dernière pour nous, dit Mme Empot. Vous êtes dedans !

Chapelle a accroché au-dessus de lui, à la patère, ses béquilles et son béret. Ses longs cheveux sont bien peignés et ondulés en grandes vagues. Mais il ne doit pas les laver très souvent, il a des pellicules sur le col de sa veste.

Gustave bâille.

— Jeanne, dit Mme Empot, tu nous remettras ça quand tu auras fini tes patates.

— Je dis : je passe, dit Valdon.

— Deux fois, dit Chapelle.

— Ça sera du pique, dit Gustave.

Valdon ramasse le talon et le distribue. Chapelle tire de son gilet une montre d'argent suspendue à un ruban de moire orné d'une breloque en forme de lyre.

— Deux heures vingt. Et cette garce de Bousson qui est pas encore rentrée. Quand je suis descendu, sa gosse pleurait, toute seule dans l'appartement depuis ce matin. Ça me fait mal au cœur. Cinquante.

— Où c'est qu'elle est partie ? dit Valdon.

— Tu sais jamais rien, on dirait que tu es pas du quartier, dit Mme Empot. Le lundi, elle va chez Napoléon.

— Pas possible ! dit Valdon.

Il joue, il fait deux levées. Il ajoute, réflexion faite :

— Ça m'étonne pas.

Napoléon habite en bas de la rue, dans une pièce sans fenêtre, une sorte de remise, entre la loge du concierge et les poubelles. Le lundi, il ne vend pas. Il en profite pour recevoir la mère Bousson, le matin. L'après-midi, il va aux Halles.

Les quatre joueurs tout à coup détournent en même temps leur regard de leurs cartes, et dressent la tête. Mme Gustave reste la bouche ouverte, un mot coupé au ras des lèvres, son couteau immobile sur la pomme de terre à demi épluchée. Jean blêmit et tourne la tête, comme tous les autres, vers la rue. Un cri horrible, un cri de peur, de mort, un cri d'enfant, est né quelque part du côté du ciel et tombe. Un paquet rose passe devant la vitre. Un choc sourd, mou, un bruit que Jean n'oubliera jamais. Le cri s'est tu.

— Ginette ! hurle Chapelle.

Il est déjà debout sur sa seule jambe. Il oublie ses

béquilles, il bondit d'une table à l'autre, s'agrippe aux marbres des deux mains. Gustave essaie de se soulever, retombe. Valdon a rejoint Chapelle. La porte est fermée. A travers le rideau, ce qu'ils voient sur le trottoir est bien ce qu'ils imaginaient.

— La poignée, la clef, nom de Dieu, quelque chose! crie Chapelle.

Jean arrache des mains de Mme Gustave, qui tremble et n'ose s'approcher, le bec-de-cane qu'elle a tiré de la poche de son tablier.

Ils ouvrent, ils sortent. Chapelle s'appuie à la vitre. Valdon se baisse. Jean se sent devenir léger, léger, c'est étrange, et les couleurs de la rue changent, les maisons tournent, le ciel va basculer. Il se mord la langue, tout reprend sa place, et le petit corps à ses pieds continue de saigner doucement.

Les enfants du cordonnier qui s'étaient sauvés comme des moineaux commencent à se rapprocher. Leur mère arrive, gémissante. Quel malheur! Quel malheur! Et voici des voisins et des voisines, et des passants. Il n'y a pas une minute que c'est arrivé, et déjà Mme Billard, de sa fenêtre, voit des gens courir vers l'impasse.

Ginette s'est penchée trop fort à la fenêtre, peut-être pour voir si sa mère revenait. Elle est tombée, bien à plat. Mme Gustave, qui a enfin osé sortir, pleure et ne sait pas bien ce qu'elle dit : « J'avais lavé mon trottoir ce matin, au moins, heureusement, pauvre petite, heureusement qu'il était bien propre. » Et elle pleure encore.

Le tablier rose retroussé par la chute cache le visage de l'enfant. Elle ne porte là-dessous qu'un tricot de laine verte, et une chemise qui n'a pas dû lui être changée depuis des semaines. Son petit ventre nu est blanc, avec quelques points roses de piqûres de puces. Ses jambes sont frêles, grises, ses genoux et ses pieds presque noirs. La cuisse gauche est cassée et repliée sur l'autre cuisse. L'os pointe sous la peau, prêt à percer. Du tablier rose dépassent quelques mèches de cheveux couleur de chanvre, et le commencement d'une langue de sang qui peu à peu s'allonge.

Valdon a soulevé le tablier, et l'a rabattu bien vite.

Il se relève. Il dit :

— Elle est morte. N'y touchez pas, Gustave, téléphone à la police, moi je vais chercher sa mère.

Il a parlé d'une voix dure. Il part à grandes enjambées. On sait qu'il était un ami de Bousson, et tous les gens du quartier qui sont là savent où il va chercher la mère.

Il commence à pleuvoir. Les longues aiguilles de la pluie piquent le petit ventre nu, et chacun en frissonne.

— On peut pas la laisser comme ça, dit Jean.

Il court vers l'imprimerie. Près de la rotative offset se dresse une pile de papier imprimé. Il en prend une feuille, grande comme un drap d'enfant. C'est du papier solide, destiné à faire des sachets pour graines. Il revient, écarte la foule, pose sur la petite fille nue la feuille qui porte les images vives de capucines, de pois de senteur, de carottes, de laitues et de choux pommés. La pluie douce frappe le papier avec le bruit de caresse qui endort si bien les enfants, le soir.

Valdon a trouvé la mère Bousson ronflant sur le grabat de Napoléon. Celui-ci était parti. Il l'a secouée, lui a appris en deux mots la nouvelle, l'a jetée dehors. Elle est en peignoir et pantoufles, un peignoir crasseux à grandes fleurs vertes. Elle remonte la rue en courant, elle hurle : « Ma fille! Ma Ginette! Mon trésor! » Valdon lui répond : « Saleté! c'est bien temps de crier! » Il ne peut pas résister, après ce qu'il a vu, il lui donne un grand coup de pied dans les fesses. Elle hurle plus fort : « Salaud! Ma Ginette! Brute! Laissez-moi! Mon trésor!... » Dix, vingt, cinquante personnes courent derrière la mère Bousson. Elles ne savent pas ce qui s'est passé, elles l'insultent, elles lui crachent dessus, deux femmes l'empoignent, commencent à lui déchirer son peignoir et à lui arracher les cheveux. Valdon la dégage, la pousse, la foule s'engouffre en tourbillon dans l'impasse. Des poings se lèvent, la mère Bousson hurle, un grand remous se ferme sur elle. On entend l'avertisseur à deux notes du car de Police-Secours qui arrive à toute vitesse.

Les agents ont ramassé, à quelques mètres de la petite morte, la mère Bousson couverte de traces boueuses de coups de pied, le front et la bouche fendus, le nez cassé. Elle tenait dans sa main crispée un reste de combinaison. Ses gros seins mous pendaient de chaque côté de son buste.

Sortie de l'hôpital, elle changera de quartier. A la libération, elle se fera une clientèle de Nègres américains. Quand son mari rentrera, s'il rentre, elle verra bien. Elle ne pense pas si loin.

Gustave sert à la ronde des petits verres d'arque-
buse. Tout le monde en a besoin. Il se fait payer,
puis il pousse les gens dehors :

— Allez, allez, vous allez me faire attraper une
contravention, aujourd'hui je suis fermé, vous le
savez bien.

Chapelle et Jean sont penchés vers la banquette.
Chapelle tient une serviette mouillée dont il bassine
le visage d'une femme couchée. Une femme ? A peine,
mais déjà plus qu'une grande fille. C'est l'aînée des
enfants du cordonnier. Elle s'est évanouie au milieu
de la foule, Jean l'a transportée dans le café. Dieu,
qu'elle était légère ! Il l'a étendue sur la banquette.
Ses cheveux noirs pendent en mèches sur la moles-
kine, la peau de son visage est aussi blanche que le
marbre, une ombre creuse ses joues et ses tempes, ses
longs cils courbes, immobiles, frangent des paupières
presque bleues de pâleur, à travers lesquelles on
devine le cercle sombre de l'iris. Son bras a glissé et
sa main repose à terre. La banquette n'est pas assez
large. Chapelle jette la serviette sur une table. Il dit :

— Pour être dans les pommes, elle y est bien !

— Laissez-la tranquille, dit Mme Gustave, elle va revenir.

Chapelle s'assied et prend dans ses mains la main de la jeune fille. Les doigts maigres sont très longs, les ongles cassés et sales. Il hoche la tête de pitié, il regarde avec plus d'attention le corps mince étendu. Une robe imprimée, délavée, le recouvre, trop étroite, tendue sur une gorge qui commence à pousser.

— Elle sera belle, dit Jean.

— Si elle a le temps de le devenir, dit Chapelle. Ça doit être tuberculeux. Regarde ça : rien dans le ventre, rien dans le corps. Comment ça peut vivre ?

— Comment elle s'appelle ? demande Jean.

— C'est Titou, dit Mme Gustave.

— Titou ?

— Du moins, c'est comme ça que sa mère l'appelle, et sa marmaille. C'est sûrement pas son vrai prénom. Tenez, essayez de lui faire boire ça.

Gustave s'est effondré sur une chaise. Ça ne va pas. Il est vert, il a de grandes poches sous les yeux, et le front et le cou baignés de sueur.

Jean, après sa première faiblesse à la vue de Ginette, s'est défendu contre l'horreur, et la pitié et le dégoût. Quand la foule s'est jetée sur la femme, il est demeuré immobile près du petit corps, les dents serrées.

Titou, revenue à elle, s'est assise. Elle regarde tour à tour les gens, les tables, les murs, la porte. On voit qu'elle a déjà envie de partir. Ses grands yeux noirs n'ont pas le courage de sourire.

Jean pousse Mme Gustave vers la cuisine. Il dit à voix basse :

— Je vais vous donner une tranche de jambon. Faites-la lui cuire avec des œufs, je vous les paierai.

Mme Gustave hausse les épaules et pose la poêle sur le fourneau.

Au moment où Valdon, ayant dîné, sortait de chez Gustave pour aller prendre son travail. Napoléon, qui le guettait, lui a sauté dessus. Jean, sorti avec Valdon, a entendu le bruit mat d'un coup de poing, accompagné de toute une phrase d'injures. Valdon a riposté, sans un mot, puis empoigné l'homme à bras-le-corps.

Jean attrape Napoléon par les cheveux, mais quelqu'un le prend aux épaules et le tire en arrière. C'est Brunon, un typo de Billard. Il dit :

— Laisse-les s'expliquer. T'en mêle pas.

Une vague lueur grise tombe des nuages dans l'impasse. La lune est quelque part derrière eux.

Les deux hommes roulent sur les pavés. Les ouvriers de l'imprimerie, qui arrivent, font cercle, se reculent ou s'avancent selon les phases de la lutte.

Les voilà de nouveau debout. Ils se tiennent si fortement serrés qu'ils ne peuvent plus ni l'un ni l'autre bouger. Ils halètent. Napoléon dégage un bras et frappe. Mlle Bédier arrive en courant :

— Qu'est-ce que c'est? Qu'est-ce que c'est?

Elle voit deux hommes qui se battent, elle ne les reconnaît pas. Elle crie :

— Séparez-les, voyons! Mais séparez-les! Il faut les séparer! Ils vont se faire du mal!

— La ferme! dit Brunon.

Ils tombent. Billard, sur la porte de son atelier, indifférent, fume une cigarette. Il allume son briquet, regarde sa montre. Encore dix minutes avant le boulot.

Napoléon est dessous, mais il serre Valdon des bras et des jambes. Valdon, enragé d'une rage froide, brusquement le mord au cou. Napoléon hurle, puis gargouille. Mlle Bédier hurle plus fort que lui, trépigne, enfonce ses ongles dans le bras de Brunon, à travers sa veste.

Napoléon ne bouge plus.

Valdon se relève un peu essoufflé, passe ses doigts dans ses cheveux, resserre sa ceinture. Mais l'autre tout à coup bondit, lui dessine une croix luisante sur le visage, écarte la foule et s'enfuit.

Valdon ne comprend pas, il n'a rien senti, et le sang lui gicle sur les mains, tombe déjà à terre en pluie, et tout à coup une douleur atroce lui écartèle la figure, il veut crier, et sa bouche s'ouvre de tous côtés, jusqu'aux oreilles, jusqu'aux yeux...

Le fils Billard braque sur lui sa lampe électrique et les hommes gémissent d'horreur à la vue de son visage rouge, coupé en quatre par deux coups de rasoir.

— Le sale fumier! dit Brunon.

Il court déjà à sa poursuite. Une dizaine d'hommes le suivent.

Ils ont cherché Napoléon plus d'une demi-heure. Il n'était pas chez lui. Ils l'ont trouvé, presque par hasard, caché, tremblant, dans l'urinoir de la place Combes, juste sous le marronnier. Ils l'ont assommé.

— Quelle journée! soupire Gustave, assis dans sa cuisine, devant sa bouteille.

— Vous avez noté leurs noms? demande Billard, sa montre à la main, à Mlle Bédier qui tremble encore. Vous leur retiendrez trois quarts d'heure sur leur paie.

Jean est resté de nouveau cinq jours sans nouvelles
de Marie. Ce matin, il y avait une lettre sous la porte.
Il a sauté à bas de son lit. Tout de suite, au toucher,
il a senti que le papier n'était pas le même. A travers
la brume de sommeil qui lui demeurait dans les yeux,
il a reconnu l'écriture de sa mère. Il a posé l'enveloppe
sur sa chaise, sans l'ouvrir. Il s'est recouché.

La lettre de Marie est arrivée au courrier de l'après-
midi. M\ Gustave l'a gardée dans la poche de son
tablier, et quand elle a mis la table, l'a posée debout
devant l'assiette de Jean, appuyée contre son verre.
C'est une enveloppe de papier bleu clair, satiné. Le
verre qui la soutient est un ancien verre à moutarde.
Quelques bulles d'air sont prisonnières de sa pâte
terne. La lettre est dressée entre lui et l'assiette de
faïence blanche. Le marbre de la table est un peu gras.
Une mouche s'y promène, s'arrête, repart, s'arrête,
pose sa trompe sur une nourriture invisible, s'envole
fait trois tours et se pose sur le bord du verre, se frotte
les ailes et le derrière.

L'enveloppe bleue contient une feuille de cahier
d'écolier pliée en quatre. C'est une lettre courte, le

papier est bien plié, aplati, barré de lignes d'écriture toutes droites. Marie était si pressée d'écrire qu'elle a par endroits oublié les points au bout des phrases et des accents sur les mots.

Jean, je suis enceinte. Pardonne-moi de ne pas te l'avoir écrit plus tôt, je voulais être absolument sûre, je ne croyais pas que c'était possible. Je n'imaginais pas que cela puisse arriver, je ne pensais qu'à t'aimer. Jean, mon Jean, j'ai peur. D'abord je n'ai eu que de l'inquiétude, avant d'être sûre, j'espérais que j'étais malade, que c'était ton départ qui était la cause de ce qui m'inquiétait, mais la semaine dernière j'ai accompagné maman à Valence, elle allait voir l'inspecteur d'Académie. Pendant qu'elle attendait dans les bureaux, je suis allé chez un médecin. Oh! mon amour, j'avais honte. Il m'a dit qu'il ne pouvait pas absolument l'affirmer, mais qu'il n'y avait guère de doute que j'étais enceinte. J'ai été épouvantée. Jean, qu'est-ce que je vais devenir ? Qu'est-ce qui va nous arriver ? Et puis quand je me suis retrouvée seule dans ma chambre, j'ai pensé à ce petit de toi, à cette vie, à cet amour que tu as mis dans moi, qui vit déjà, qui est dans moi et qui est de toi. Et j'avais autant de bonheur que de peur.

Jean, mon amour, toi tu es fort, tu es grand, toi mon Jean, tu vas me dire ce que je dois faire, tu vas me rassurer...

La nouvelle a d'abord éclaté dans sa tête en un feu qui le brûle et l'éblouit. Une stupeur radieuse. Lui, Jean, il a créé un petit être qui vit ; avec son amour et son sang, il a fait ce miracle, cette vie déjà détachée de lui, un jour détachée de Marie, qui dansera et brûlera seule dans le monde, grâce à lui, par lui, par son geste à lui, lui, Jean!

Et puis, de ce trésor qui vient de lui être donné, il commence à deviner quel sera le poids dans ses mains. Il a encore le sourire d'étonnement et de joie sur les lèvres, mais ses lèvres commencent à trembler. Maintenant ce n'est plus l'exaltation de l'amour, la passion pure qui ne se soucie des réalités. Maintenant c'est la vraie vie qui commence. Il y a là-bas deux êtres qui dépendent de lui, entièrement. Tout ce qu'il fera ou ne fera pas les engage. « ... tu vas me dire ce que je dois faire... » Il va falloir qu'il décide, qu'il agisse. Il est responsable.

Voilà ce qu'il devine. Et une crainte le saisit, il se sent tout à coup très jeune, à peine sorti de l'enfance. « ... toi tu es fort, tu es grand... » Sera-t-il assez fort, assez grand? Le passé est un gouffre. Jamais plus il ne pourra revenir en arrière, vers l'insouciance. Il devra monter son chemin pierre à pierre, avec ce trésor, ce fardeau dans ses bras. Quelqu'un, quelqu'un pourrat-il l'aider? Maman... Il y a si peu de temps, c'était elle encore qui décidait de tout. Il était un enfant, il obéissait, il avait la sécurité, il avait chaud.

Maintenant il y a Marie qui compte sur lui, qui ne peut compter que sur lui. Son enfance vient d'être coupée de lui, net. C'est à son tour de devenir un abri, d'être celui auprès de qui on se rassure, celui qui prend tous les soucis.

Il s'étend sur son lit, les mains à la nuque. Longuement, il pense, et peu à peu il reprend son calme. Marie, son fils, et lui, Jean. Voilà, tout est simple. Il suffit d'agir droit et d'être fort. Il se lève et il écrit.

Marie, mon tout petit, mon si cher, si grand, si tendre amour, comme je voudrais être près de toi, et te prendre dans mes bras pour te rassurer, et te serrer contre moi pour que tu sentes ma joie et ma gratitude! Mais je sais déjà que tu n'as plus peur, parce que je vais faire cette chose impossible: t'aimer encore plus qu'avant.

Maintenant il va falloir que je vous aime deux, et déjà j'étais si plein de ta lumière! Déjà tu étais pour moi tout l'univers, le soleil dans le grand ciel bleu, et tous les oiseaux et les fleurs... J'étais jusqu'à présent un grand enfant fou d'amour, qui vivait dans ton éblouissement. Ta lettre m'a dressé dans ma force d'homme. Notre bonheur était un champ de mai, quand toutes les fleurs éclatent. Maintenant, il va falloir qu'il devienne comme une maison. Ce bonheur nous attendait depuis le début du monde. Nous avions été choisis l'un pour l'autre. Quand je t'aie vue la première fois, je l'ai su, comme un aveugle guéri qui découvre le jour et le reconnaît. Ma vie a commencé à cette minute. Je n'ai plus souvenir d'avoir vécu avant toi. J'étais une graine sur un caillou. Je n'éprouvais ni plaisirs ni peines, je n'avais rien vu, rien senti et mes doigts n'avaient rien touché... Tu es venue, et tu es à moi, et tu portes en toi un petit dieu, et je ne sais où mettre mes mains tant elles brûlent de bonheur...

Ma Marie, comment peux-tu avoir peur, comment peux-tu craindre qu'un malheur nous arrive, quand nous sommes portés par un tel amour, et quand notre amour va devenir un petit être qui aura une chair, des yeux, un visage qui te ressemble?

Tu me demandes ce qu'il faut faire? Il n'y a qu'une chose à faire. Il faut avertir tes parents. Si tu n'oses pas le leur dire, si tu veux, je leur écrirai, mais il vaut mieux

Tarendol.

qu'ils l'apprennent par toi. Ils seront surpris, et sans doute mécontents, mais quel mécontentement pourrait résister à l'image du petit enfant qui va naître ? Nous nous marierons à Noël. Nous irons nous marier à la Chapelle du Chevalier, à l'endroit même où tu es devenue ma femme. Nous y ferons monter le curé de Saint-Sauveur-Neuf. Puis ma mère t'emmènera. Tu vivras auprès d'elle en attendant que j'aie terminé mes études. Mon fils viendra au monde dans le lit où je suis né, et grandira dans la chère maison où j'ai grandi.

Soigne-toi bien, mon amour, mange beaucoup, fais de bonnes promenades, et ne monte pas trop vite les escaliers. Moi je vais travailler comme un Nègre! Les cours commencent dans trois semaines...

Il a dix-huit ans. Il est entré tout droit de l'enfance dans l'amour, il n'a pas eu le temps de voir le monde. Il croit que l'envie et la haine, et la bêtise, sont seulement quelques chardons dans le champ de blé.

Il lui reste à apprendre à vivre. Si vivre c'est mener cette existence que mènent autour de lui ces gens, et celle que nous menons, vous et moi.

Il dort, il s'éveille, il rêve, il pense, il se rendort, son rêve se poursuit du sommeil à la veille, et de la veille au sommeil. Il voit un appartement inondé de soleil, avec des fleurs en gerbes sur les meubles, Marie assise l'attend, Marie à la cuisine prépare les nourritures et l'attend, Marie couchée l'attend, Marie derrière la porte l'attend, Marie à la fenêtre regarde la rue et l'attend, et sur ses genoux, à son bras, derrière elle trottant, voici un petit enfant... c'est un garçon, son fils, leur petit. Mais Jean ne parvient pas à voir son visage, l'enfant toujours tourne la tête. Jean, angoissé, en hâte, grimpe l'escalier, sonne à la porte. Marie accourt, elle tient son fils par la main, elle ouvre, Jean enfin va voir le visage de son fils... Il se penche, il regarde... il s'éveille, il ne l'a pas vu.

Il transpire. Il ne veut pas se rendormir, il ne veut pas retrouver ce rêve, cet enfant dont le visage le fuit, il ne veut même pas y penser. Il s'efforce d'oublier, il se redit les mots de la lettre de Marie, il prévoit tous les détails de ce qu'il devra faire, la vie de Marie dans la chambre haute du Pigeonnier, leur fils qui roulera sur les pentes de marne du vallon... Il le voit, courir, rire, oui, il le voit, il lui imagine un visage tout illuminé, sous des cheveux blonds... Il sourit. Il lui donnera le nom de son père, André. Puis ils viendront s'installer à Paris, en haut d'une haute maison.

Une alerte a sonné vers cinq heures du matin. Il ne l'a pas entendue.

L'orage, le dernier de l'année, mûrit depuis midi au sommet du Ventoux, d'abord écharpe légère, blanche soie que le vent emporte par morceaux dans le soleil qui l'absorbe, puis brume grise pétrie de remous, qui roule sur place et bascule, s'épaissit, se gonfle en ventres d'ardoise et d'acier, en têtes de feu, bouillonne et gronde ; et la montagne tremble, la vallée perd le soleil et frissonne, les volets claquent, le linge aux cordes s'envole d'une aile, les feuilles perdues montent vers les clochers, les chiens courent, la terre s'étire, craque, hérisse ses poils secs, s'ouvre, s'offre, et les hordes de nuages bousculées, froissées, culbutées, emportées au galop de la folie, traînent la herse de pluie ravageante, brisent les poignées d'éclairs, emplissent le ciel, débordent, roulent vers le nord, quelque part derrière Garde-grosse, par le chemin que suivent tous les orages, depuis toujours, Dieu sait pourquoi, et il sait seul où ils s'arrêtent, se perdent et meurent épuisés, au bout de leur bruit et de leur dernière goutte.

En passant, il a noyé l'allée de la Fontaine aux Trois-Dauphins, et jeté à terre les feuilles d'automne des grands platanes. Les fillettes qui jouaient ne l'ont

357

pas vu venir. Effrayées, elles se serrent autour de Marie, se bouchent les oreilles, ferment les yeux, se cachent le visage les unes contre les autres, et les grandes pâlissent et les plus petites pleurent.

Voici déjà le soleil. Il éclaire à travers les branches nues les enfants ruisselantes. La pluie et les larmes roulent sur leurs visages qui sourient. Quelques petits seins pointent sur les robes plaquées, de minces cuisses frissonnent au froid des étoffes, les cheveux coulent sur les épaules, et des feuilles d'or se sont collées sur des dos et des hanches.

— Vite, vite! dit Marie, frappant dans ses mains. Vite, vite! il faut rentrer vous changer.

Elles courent en criant de joie dans le sentier. Mme Margherite les attend sur la porte.

— Vite, vite! dit Mme Margherite, montez au dortoir vous changer. Dans dix minutes au réfectoire, pour boire une infusion chaude.

Elles se bousculent dans l'escalier. Mme Margherite, à la porte, retient Marie.

— Pourquoi ne les as-tu pas fait mettre à l'abri? Tu n'as pas vu venir l'orage?

— Nous ne l'avons pas vu, dit Marie, nous étions sous les arbres.

Le visage de Mme Margherite a repris son expression de calme sévère que l'inquiétude avait un instant dérangée. Elle dit :

— J'espère qu'aucune n'aura pris froid. Va vite te changer, toi aussi.

Un grand frisson secoue Marie de la tête aux pieds. Elle dit à mi-voix :

— Mon Dieu, pourvu que je n'ai pas attrapé du mal...

Mme Margherite s'étonne :

— Te voilà bien douillette, tout à coup.

— Ah! dit Marie...

Elle va parler, elle hésite, puis elle se jette d'un seul coup dans l'occasion se sortir cet aveu que la peur, depuis plus d'une semaine, lui retient à la bouche.

— ... c'est que je suis enceinte.

Elle a reculé de deux pas, et s'est adossée au mur, les bras un peu écartés du corps, les mains ouvertes contre la pierre. Elle fait face à sa mère, elle la regarde, elle attend. Maintenant c'est dit, c'est fait, elle ne pense plus qu'à se défendre.

Les yeux de Mme Margherite s'agrandissent. Elle n'a pas compris tout de suite. Il lui a fallu plus d'une seconde pour que le mot fasse image dans sa tête.

Pour se donner encore un peu de temps, pour respirer, pour faire face à tout ce que ce mot déchaîne en elle, elle demande :

— Quoi?

Elle jette sa question en avant, en coup de bec.

— Je suis enceinte, dit doucement Marie.

Elle est droite, la tête un peu basse, non de honte mais pour se protéger contre le monde entier. Et lentement, elle enlève ses mains du mur et les pose sur sa robe mouillée, la gauche juste sous sa ceinture et la droite au-dessous, toutes les deux bien à plat. Elle sent aussitôt sur sa peau la chaleur de ses paumes, et cette chaleur est un réconfort et un abri. Elle ferme les yeux, elle est toute fermée autour de son bien. Elle n'a plus peur.

Mme Margherite a suivi son geste. Elle n'a plus besoin de poser de question. Droite, raide, elle regarde le visage de sa fille, son front pâle, ses yeux clos soulignés d'un cerne mauve, ses lèvres qui tremblent un peu, ses cheveux que la pluie a éteints et qui s'égouttent. Et sur ce tendre et las visage elle ne lit ni désarroi ni honte, mais le reflet d'une satisfaction : celle que donne la certitude, la possession.

Elle se racle la gorge.

— Hum !

Elle regarde le frêle bouclier des deux mains posées sur la robe bleue. Marie a rouvert les yeux.

— Va te changer, je t'attends dans mon bureau.

Elle part d'un pas de sapeur. Il faut qu'elle dise à la cuisinière de servir le tilleul aux filles.

— Alors, qu'est-ce que me dit ta mère? dit M. Margherite en se laissant tomber dans le fauteuil.

Il est rouge, peut-être seulement parce qu'il a bu plusieurs vins blancs et parce qu'il a monté l'escalier trop vite.

Dès qu'elle l'a entendu ouvrir la porte, sa femme s'est précipitée vers lui, et lui a jeté la nouvelle à la figure.

— Va la voir, ta fille, va! va la voir, va la féliciter! Elle est dans sa chambre...

Il est monté, il s'est assis dans le fauteuil, il regarde Marie qui s'est levée de sa chaise quand il est entré. Elle était en train d'écrire, elle a fermé son cahier, et posé un livre dessus. Elle est debout devant son père. Il dit:

— Assieds-toi.

Elle s'assied sur son lit, sur le rebord du drap blanc, près de l'oreiller.

— Ta mère me dit que c'est ce petit Tarendol!...

Il hoche la tête, comme si c'était vraiment une chose inimaginable que ce soit ce petit Tarendol. Il ne semble pas en colère, mais plutôt scandalisé d'un tel enfantillage. Il lève ses deux mains posées sur ses genoux, les brandit à hauteur de son visage, les dix doigts en l'air.

— Mais comment as-tu fait ça ?

Il se rend compte aussitôt que sa question est saugrenue, repose ses mains sur ses genoux, hausse les épaules.

— Ta mère m'a dit qu'elle t'avait giflée. Elle a eu tort. D'un côté je la comprends, mais elle a eu tort, ça n'arrange rien. Et ce qu'il faut, justement, c'est arranger ça...

Il se lève, il s'approche de Marie qui s'est levée aussi, il ouvre ses bras, elle s'y jette et éclate en sanglots. Il est ému, il renifle, il sent Marie toute chaude et tremblante contre lui, elle sent bon, il pense qu'elle est vraiment belle, seize ans, c'est sa fille, comme ça grandit vite! C'était une enfant, et la voilà enceinte. Il lui caresse machinalement les cheveux, elle se calme peu à peu, il regarde devant lui, sans voir, il regarde le mur. Seize ans, et brûlante, ce gamin s'est offert un morceau de roi, il ne s'en est peut-être pas même rendu compte.

— Allons, allons, c'est fini, là, c'est fini...

Il lui tapote un peu le dos, il s'écarte d'elle, il l'embrasse sur le front, il la fait asseoir dans le fauteuil. Elle s'essuie les yeux, se mouche, elle le regarde avec reconnaissance et confiance. Il l'interroge, elle répond simplement, elle n'a rien à cacher. Il apprend ainsi le séjour de Jean à Saint-Sauveur, les rendez-vous près de la chapelle, soir après soir. Il imagine les jeux du jeune couple dans l'herbe parfumée. Il s'assied au bord du lit, allume une cigarette. Il est très rouge, et sa barbe plus blanche que neige. Sa fille! Il ferme à demi les yeux, et regarde Marie attentivement, soigneusement. Sa fille, si belle, et le premier garçon venu..

Maintenant, elle nous marcherait sur le visage, à sa mère et à moi, pour le rejoindre. Il l'a couchée dans l'herbe, elle a dû crier et gémir, et maintenant il compte pour elle avant toute chose, avant tout le monde. Un beau petit couple, sûrement, ils n'ont pas dû s'embêter, non, non sûrement, mais c'est pas le tout, c'est pas le tout, il va falloir arranger ça...

La cendre de sa cigarette est tombée sur son gilet, il a posé beaucoup de questions, à voix de confidence. Une bonne voix grave, basse, presque chuchotée, bien paternelle. Et les yeux brillants, il écoutait les réponses. Il s'est tout de même arrêté, juste à temps, avant que Marie se rendît compte qu'il y prenait plaisir.

Il sait maintenant qu'elle est enceinte de deux mois. Il tire de sa poche une boîte d'allumettes, y enferme son mégot, se lève, embrasse de nouveau Marie sur le front.

— Couche-toi, ma poulette, dit-il. Je vais te monter ton dîner. Il vaut mieux que tu ne descendes pas, que tu ne revoies pas ta mère ce soir. Et ne t'inquiète pas, et dors bien, nous allons arranger ça.

Quelques minutes après l'heure du couvre-feu, deux Citroën noires s'engagent l'une après l'autre dans l'impasse et s'arrêtent le long des trottoirs, une du côté du cordonnier, l'autre devant le café. Les portières claquent. La nuit est sombre. Chapelle qui n'était pas encore endormi vient en chemise à sa fenêtre et l'ouvre sans bruit. Il devine des silhouettes qui se massent devant la porte de l'imprimerie. La porte ouverte brusquement jette une lumière jaunâtre sur le groupe. Ils sont cinq ou six. Ils entrent, la porte se referme, la nuit règne de nouveau dans l'impasse. Chapelle frissonne. Il retourne vers son lit, enfile son pantalon, son veston et ses pantoufles, et vient se remettre au guet. En bas, Gustave guette aussi, de la fenêtre de sa salle à manger. Il a réveillé sa femme qui chuchote près de lui :

— Qui c'est? C'est la Gestapo?

— Je ne sais pas. Sans doute. Tais-toi...

Ils écoutent. Mme Gustave, pour la nuit, tresse ses cheveux en une queue étique, couleur de lard rance, nouée d'un lacet noir. Sa chemise de nuit lui descend jusqu'aux pieds. Ils écoutent. Peu à peu le grondement sourd de l'imprimerie, qui berçait le sommeil de l'impasse, se tait. Les machines, l'une après l'autre, se sont arrêtées.

Gustave est inquiet. Il a une raison de l'être, personnellement, une raison que sa femme elle-même ignore. Il lui dit :

— Reste là, et surtout ne bouge pas !

— Où vas-tu ?

— T'inquiète pas, reste là...

Il retourne à la salle du café, se dirige dans le noir vers le comptoir, tourne un commutateur. Le mur s'éclaire d'une petite ampoule rouge. Elle indique que la lumière de la cave est allumée.

Gustave hésite. S'il descend, il risque... Il se gratte la nuque. Et s'il ne descend pas, il risque autant. Alors, il vaut mieux qu'il soit en bas, il peut être utile. Il soupire, il n'est pas très courageux, mais il ne peut pas faire autrement.

Billard était près de la première rotative quand les hommes sont entrés. Les deux premiers portent sous le bras droit une mitraillette suspendue à l'épaule, braquée en avant, légère, terrible. Les deux qui suivent ont un revolver à la main et le dernier encore une mitraillette. Ils sont en pardessus ou en gabardine. Ils ont de sales têtes. Si on en rencontrait un dans la rue, en plein jour, on ne le remarquerait pas. Tant de braves gens ont, eux aussi, des sales têtes, à première vue... Mais là, tous ensemble, surgis de la nuit, hérissés d'armes, leurs bouches serrées, leurs sourcils froncés devant la lumière, groupés près de la porte, immobiles, ils sont l'image même de ce que l'innocent craint encore plus que le coupable : la force, au service de tous les droits qu'elle se donne.

Billard est devenu écarlate. Il a souvent pensé à une telle visite, sans, pourtant, croire vraiment qu'elle se produirait un jour. Il faut avertir Léon au sous-sol. Il crie, par-dessus le vacarme des machines :

— Qu'est-ce que c'est ?

Un des hommes s'avance. Il est jeune, mince et de petite taille, vêtu d'un pardessus gris à martingale tout neuf, en tissu épais. Un feutre marron cache un peu son visage. C'est le seul qui ne montre pas d'arme. Mais peut-être dans sa poche... Il crie :

— Police !

Il glisse sa main dans l'ouverture de son pardessus, sort une carte qu'il montre à Billard. Celui-ci voit une bande tricolore en travers, une photo, les mots : *Préfecture de police*, des tampons. Il crie :

— Qu'est-ce que vous voulez ?

— Perquisition, crie l'homme. Vous avez un dépôt d'armes ici. Nous avons été avertis...

— Dépôt d'armes ? crie Billard.

Il est étonné. Il craignait autre chose. Mais le danger demeure. Il se tourne vers l'atelier.

— Arrêtez les machines, qu'on s'entende un peu !...

Lui-même s'approche de la rotative, et rabat le rhéostat. Sa main gauche, en même temps, presse un bouton dissimulé derrière le bâti. Maintenant, Léon sait. Il ne s'agit plus que de gagner du temps.

Les ouvriers sont restés à leurs places. Ils chuchotent entre eux, essuient à des chiffons leurs mains maculées d'encre. Deux hommes à mitraillettes se tiennent près de la porte. Le troisième s'est approché de Billard. Jean, de sa caisse, à travers la vitre, a vu entrer les hommes. Il a blêmi. Il avait presque oublié cette histoire de Gestapo au collège. Est-ce lui qu'ils recherchent ? De toute façon, ils doivent avoir son nom sur leurs listes. S'ils vérifient les identités, il est fichu. Et comment faire ? Il n'y a pas d'autre sortie.

L'apprenti s'est laissé tomber à genoux derrière la presse. Les yeux au ras de la vitre, il regarde avec une curiosité passionnée, et, en même temps, claque des dents.

— Qu'est-ce qu'ils vont nous faire, dites, m'sieur Tarendol ? Vous croyez qu'ils vont nous tuer ?

— Non, non, sûrement, dit Jean. N'aie pas peur.

Il réfléchit, vite. Il tire de la poche de sa veste sa carte d'identité, saute de son tabouret, glisse le carton menu entre deux rames de papier, dans une pile. Il donnera un faux nom, dira qu'il a laissé sa carte d'identité chez lui. S'ils l'emmènent, il essayera de se sauver une fois la porte franchie. Dans la nuit, c'est peut-être possible. En tout cas, c'est la seule chose à essayer. Il faudra essayer, il faudra réussir...

Il met sa main sur l'épaule du gamin, le secoue, lui dit :

— Je m'appelle André Pigeonnier, tu entends ? André Pigeonnier !

Le gamin le regarde avec de grands yeux noirs ahuris et fait signe de la tête :

— Oui, oui...

— Répète : André Pigeonnier.

— André Pigeonnier...

Dans le silence qui s'est abattu sur l'imprimerie Jean s'entend appeler à voix basse. Il se tourne vers l'arrière-boutique, aperçoit Léon à demi sorti de l'escalier qui conduit au sous-sol. Il le rejoint.

— Qu'est-ce que c'est ? demande Léon.

— Je ne sais pas, la police ou la Gestapo. Plutôt des Français, je crois.

— Zut, dit Léon, viens m'aider, viens vite.

Il le suit dans la cave-atelier où est installée la machine automatique. Près du mur, un chariot bas est chargé d'une haute pile de papier imprimé. Ce sont des affiches pour l'impôt-métal.

— Pousse! dit Léon.

Lui-même s'attelle au timon du chariot, qui démarre lentement et démasque une planche dressée contre le mur. Léon enlève la planche. Jean aperçoit avec étonnement un trou bas dans la maçonnerie, assez pour qu'il y puisse passer à quatre pattes. De l'autre côté du trou, il y a de la lumière.

Léon a chaud. Il s'essuie le front d'un revers de main, se baisse, passe par le trou. Jean l'entend parler. Il revient déjà. Il dit :

— Vite, passe-moi les paquets, là, ceux-là...

C'est une pile de paquets quadrangulaires, fermés par du kraft gommé, grands comme des boîtes à chaussures, les classiques paquets d'imprimés tels qu'on en voit dans toutes les imprimeries. Jean les jette un à un à Léon qui les jette de l'autre côté du mur.

— Plus vite, vieux, grouille-toi, vite, vite!

Mais il manque un paquet qui tombe et se crève. Il jure.

— Tant pis, continue, on ramassera après!...

Voici les derniers paquets. Jean, maintenant, aide Léon à ramasser les feuillets qui se sont répandus sur le sol. Il voit un titre : « La France éternelle! » en lettres grasses les mots « Boche », « Traîtres », un portrait de général. Il a compris. Il entend de l'autre côté du trou dans le mur quelqu'un souffler. Léon passe le paquet défait, les tracts par poignées, froissés, en vrac. Il chuchote, la tête baissée vers le trou : « Ça y est, c'est fini, bonsoir! — Bonsoir!» dit une voix de l'autre côté. Tout à coup, en haut, une mitraillette crépite. Puis un coup de feu, isolé, puis de nouveau la mitraillette. Léon a pâli, mais sans dire un mot a redressé la planche contre le mur. Aidé de Jean, il décharge le chariot, dresse la pile d'affiches à même le sol, juste devant la planche. En haut, maintenant, c'est une fusillade générale. Les deux garçons, empoignant aux quatre coins les rames de papier imprimé, se regardent avec des yeux pleins d'angoisse. Avant tout, il faut finir cette pile, cacher le trou...

Billard a dit à l'homme :

— Je ne sais pas qui vous a prévenu, comme vous dites, mais c'est une blague, vous perdez votre temps, il n'y a pas d'armes ici.

— Ça va, ça va, dit l'homme. On va voir.

— Et d'abord, dit Billard, vous avez un mandat de perquisition?

L'homme ricane :

— Un mandat? Et puis quoi, encore? Peut-être, une autre fois, il faudra vous prévenir par lettre recommandée?

— Bon, dit Billard, d'un air résigné, alors allons-y. C'est grand, vous savez, ici. Si vous voulez, nous allons commencer par le fond.

Déjà il se dirige vers son ancien atelier, mais l'homme l'arrête.

— Minute!... Avant de tout visiter, je veux voir un peu vos papiers. Conduisez-moi à votre bureau.

— Mes papiers? Pourquoi pas, si ça vous amuse...

Il monte l'escalier. L'homme à la mitraillette, un rouquin, est juste derrière lui, et l'homme au pardessus ferme la marche. Les quatre autres sont restés en bas, près de la porte. Ils surveillent les ouvriers. Les ouvriers les regardent de coin, par-dessus les machines, entre les cylindres des rotatives.

Brunon a quitté la salle des marbres, s'est approché du premier rotativiste. Il tient dans sa main gauche sa clé à serrer les formes et dans la main droite un lingot. Ses manches sont retroussées jusqu'au-dessus du coude. Il dit à voix haute :

— Y en a qui sont courageux et bien armés, tu trouves pas, Baptiste ?

Baptiste se garde bien de répondre. Brunon reprend :

— Dis donc, tu sais où ils étaient, toi, ces costauds, en mai 40 ?

— Tais-toi, dit Baptiste à voix basse, ils vont t'emmener et te filer une danse, c'est tout ce que tu gagneras.

Mais les quatre hommes n'ont pas bougé. On dirait qu'ils n'ont pas entendu. Les mitraillettes sont braquées vers l'atelier : elles sont en métal mat, elles ont l'air de jouets.

Dans le bureau de Gustave, l'homme au pardessus prend un à un les dossiers des clients, sur la cheminée, les entrouve, et les jette à terre. Mlle Bédier pousse des glapissements.

— Mes dossiers ! Vous pourriez quand même faire attention ! Vous pouvez pas les poser sur la table, à mesure ?

Elle se baisse pour les ramasser. L'homme lui en jette un autre à la figure. Il ricane. Billard crispe ses poings. Mais il se calme. Pendant ce temps, Léon...

— Ça va, dit l'homme, tout ça c'est du paravent, ça m'intéresse pas. Ouvrez votre coffre.

Billard tire ses clefs de sa poche. Il sait qu'il n'y a

rien de compromettant dans son coffre. La lourde porte pivote.

— Ah! ah! dit l'homme, dites donc, vous en avez du fric, là!

Il y a plus d'un million en billets de mille et de cinq mille. C'est le volant indispensable pour acheter au marché noir tout le nécessaire, le papier, le charbon, le plomb, l'essence. C'est de l'argent qui ne va jamais à la banque.

— Je l'emporte, dit l'homme.

— Quoi? proteste Billard. Cet argent, c'est à moi!

— Amène-le! dit l'homme.

— Vous avez pas le droit! crie Billard. Si vous trouvez des armes ou n'importe quoi, vous pourrez l'emmener, l'argent, et moi, et toute la baraque, mais jusqu'à maintenant vous avez rien trouvé, et...

— Ta gueule!... Tant d'argent liquide, c'est suspect. Tu dois trafiquer. Je sais pas de quoi, mais on le saura bien. Je vais te donner un reçu. En attendant, j'embarque!

Il écarte son pardessus et son veston. Il porte une chemise bleu pervenche, et un pantalon beige tenu par une ceinture. Dans la ceinture est passé un sac de jute plié, un simple sac à pommes de terre ou à farine. Il le tire, resserre sa ceinture de deux crans, et s'approche du coffre.

Billard a compris d'un seul coup. C'est la même bande qui a opéré la semaine dernière chez un antiquaire de la rue de Seine. Ils ont emporté l'argent et les bijoux dans un sac à patates. C'est Vernet, l'agent, qui lui a raconté ça à la belotte. Des faux policiers. Alors toute sa crainte s'en va, et seule demeure sa folle colère. Ils se fichent de lui, ils veulent le dévaliser, et par-dessus le marché, ils lui ont fait peur! Ses yeux deviennent rouges, ses dents grincent, et avant que l'homme à la mitraillette ait compris, il s'est jeté sur lui, a saisi l'arme à deux mains. Une rafale part en oblique du sol au plafond : une balle dans la plinthe, une dans le genou de Mlle Bédier, deux dans le ventre de l'homme au pardessus, trois dans la glace. Mlle Bédier hurle, et rampe sous la table, traînant derrière elle sa jambe brisée. Le faux commissaire est tombé près du coffre. Il glisse sa main dans la poche de son pardessus. Il voit dans un brouillard les deux hommes serrés qui se battent. Il dit : « Salaud! » Il soulève sa main, il tire à travers l'étoffe, une seule balle. C'est son dernier effort. C'est le rouquin qui l'a reçue dans les reins. Billard le sent devenir mou, le laisse tomber en retenant la mitraillette. Quelqu'un monte en courant l'escalier, crie :

— Désiré, qu'est-ce qui se passe?

Billard glisse le canon de la mitraillette dans l'entrebâillement de la porte. C'est la première fois qu'il tient une arme pareille. Mais il est ancien fantassin. Un canon, une détente, ça suffit, c'est jamais tellement compliqué. Il appuie, l'engin lui danse dans les mains. L'homme roule dans l'escalier. Billard exulte. Il ouvre la porte, il crie :

— Il a son compte, votre Désiré, bandits! Et aussi le rouquin! Et vous allez avoir le vôtre!

Les trois survivants ont compris. Le coup est raté. Ils tirent à la fois, pour couvrir leur retraite. Les balles font tinter les machines, écaillent le mur. La glace de la crèmerie tombe avec un bruit d'argent. Les ouvriers se sont jetés à terre derrière les machines. L'apprenti s'est fourré la tête dans la caisse de la crèmerie.

Les voitures ronflent déjà dans l'impasse et démarrent tous feux allumés.

Billard est descendu voir Léon, avant de téléphoner au commissariat.

Léon lui a dit :

— Tarendol m'a aidé.

Billard a dit à Jean :

— Alors, tu es au courant maintenant ?

Jean a fait « oui » de la tête. Billard l'a regardé, il n'avait pas l'air très bon. Il a dit :

— C'est dangereux, quand on parle, c'est dangereux pour tous. L'essentiel, c'est de savoir la fermer.

Gustave, remonté de sa cave, buvait dans sa cuisine un grand coup de beaujolais.

Chapelle ne s'est couché qu'à l'aube, après le départ de la vraie police, de l'ambulance, tout. Avant de se mettre au lit, il est allé sur la pointe du pied et d'une béquille, jusqu'à la cuisine. Là, sur un lit pliant, entre la cuisinière et la fenêtre, couche Titou.

Chapelle a éclairé, une demi-seconde, juste le temps de la voir. Elle dort bien. Elle a déjà meilleure mine. Il sourit. Il est content. Quel appétit elle a ! Elle fait son ménage, il la couche et la nourrit, il va essayer de lui apprendre le piano. Pour l'hiver, il va lui faire faire un tailleur avec un vieux costume à lui, et un manteau dans une couverture de laine. Quand il a dit à Mme Empot qu'il prenait Titou comme bonne, elle lui a répondu :

— Tu as raison. Ça fait longtemps que tu es veuf.

L'homme au pardessus est mort, les deux autres sont à l'hôpital, et aussi l'apprenti, à qui la peur a donné la jaunisse. Mlle Bédier est dans une clinique. C'est Billard qui paie. Elle gardera la jambe raide pour le reste de sa vie.

Le commissaire du quartier a félicité Billard, mais le soir, Vernet l'a pris à part, chez Gustave, s'est assis en face de lui à une table et lui a dit à voix basse :

— Si tu as quelque chose à cacher, dans ta boîte, cache-le bien, demain la P. J. va venir perquisitionner, et cette fois c'est la vraie.

— Alors, a dit Gustave, c'est ça qu'ils ont trouvé pour me remercier ? Je fais leur métier, je démolis des gangsters, et ils vont venir m'emmerder ? Les faux policiers, les vrais policiers, et après, ça sera qui ?

Il a frappé du poing sur la table, il s'est mis à crier :

— Alors, tout Paris va défiler chez Billard ? Comme à l'Exposition ? Et peut-être tu viendras tenir le tourniquet ?

— Si tu gueules, je te dis plus rien, a dit Vernet.

Billard s'est calmé, et Vernet a continué :

— Tu comprends, évidemment c'étaient des bandits, ceux que tu as descendus, mais s'ils sont venus, c'est qu'ils savaient que tu avais quelque chose à craindre, et c'est comme ça qu'ils espéraient réussir. Ils pensaient que tu aurais trop peur pour te méfier. Moi je te demande rien, et je m'en fiche, et même je te félicite, mais je te préviens. Et ce qu'ils savaient, ces gars-là, ils le savaient peut-être par la P. J., ou bien c'est la P. J. qui le savait par eux. En ce moment y a de drôles de combines. Ce que je t'en dis, c'est pour te prévenir. Tu me diras que je suis un flic, c'est entendu, je l'admets, mais au commissariat, on s'occupe pas de tout ça. Heureusement parce que c'est un drôle de métier, en ce moment, qu'ils font, quelques-uns. C'est pour ça que je te dis si tu as quelque chose à planquer, planque-le, et pas plus tard que cette nuit.

Au moment de sortir, Vernet est revenu, et lui a dit à voix basse :

— Écoute, un conseil : méfie-toi de Napoléon...

— Napoléon ?

— Oui, Napoléon. Tes ouvriers lui ont filé une danse, l'autre soir. Tu devrais penser un peu... C'est peut-être pas sans rapports avec ce qui t'arrive, c'est un beau petit salaud.

— Napoléon ? Mais il est en tôle, ce fumier, tu sais bien, à cause de Valdon.

— En tôle, en tôle, on y entre et en sort, quand on bavarde.

Billard serre les poings.

— Attends qu'il me tombe sous la patte...

Vernet dit :

— Tu penses comme il va se montrer ! Mais je te le dis : fais gaffe...

Billard dit :

— Te fais pas de mauvais sang, y a rien à craindre. Je te remercie quand même.

Le lendemain matin, à la première heure, une camionnette s'est arrêtée devant le café, avant même qu'il fût ouvert, et Gustave, en bâillant, a montré à deux hommes le chemin de sa cave. Ils ont chargé les paquets fermés par du kraft gommé, la camionnette est repartie, il faisait à peine jour.

La perquisition a eu lieu l'après-midi. Ils n'ont même pas trouvé le trou derrière la pile. S'ils l'avaient trouvé, Billard avait une explication : c'était l'endroit marqué par la Défense passive pour faire communiquer le sous-sol de l'imprimerie avec celui de l'immeuble voisin.

Ils sont revenus le surlendemain, ils devaient tout de même être renseignés, et cette fois ils ont déclaré qu'ils fermaient l'atelier. Il ont donné deux heures à Billard pour sortir ce qu'il voulait, ils ont tout vérifié ce qu'il emportait, et ils ont mis les scellés. Billard, violet de rage, a déclaré que son personnel allait être au chômage, que lui serait ruiné, que son usine était pleine de papier qui appartenait à ses clients, et de travaux pour l'administration, et qu'il saurait bien faire rouvrir sa maison, et qu'il allait porter plainte, et que ça leur coûterait cher, et bien d'autres choses. Mais tout cela était inutile.

— Imagine qu'ils m'aient arrêté, dit Jean à Bazalo, imagine un peu ça, qu'est-ce qu'elle serait devenue?

Ses traits et son regard se sont durcis en quelques jours. Quand il se tait, Bazalo voit les muscles de ses mâchoires battre au bas de ses joues.

— Tu comprends, elle peut compter sur personne, absolument personne d'autre, que sur moi. Avec sa mère directrice de l'École des filles, tu vois le scandale? Encore toi, tu es parisien, tu peux pas deviner ce que c'est, une petite ville de province...

Il a eu plus peur après que pendant la visite des faux policiers, quand le temps lui est venu de réfléchir, d'envisager que les faux policiers auraient pu être des vrais, qu'ils auraient pu l'arrêter, le livrer aux Allemands. Déporté... fusillé... Marie seule, avec le fruit alors empoisonné qui pousse en elle...

Et il a compris que sa propre vie, sa propre liberté ne lui appartiennent plus, elles sont à Marie et à leur enfant. Il n'a plus le droit d'en disposer. Il doit se protéger, se garder, comme il protégerait et garderait Marie.

Il a reçu une lettre rassurante. Marie lui fait part

des bonnes dispositions de son père. Elle espère que sa mère se calmera. Tout ira bien, le plus difficile est fait, c'était d'avouer.

Jean n'était pas à l'imprimerie quand ont eu lieu les vraies perquisitions. Elles ont été opérées de jour. Mais puisque l'impasse est devenue un lieu suspect, il rompra avec elle. Il a abandonné sa chambre chez Gustave et transporté sa valise chez Bazalo. Il mange avec lui et couche chez lui. Mme Empot lui a dit qu'elle pourrait peut-être lui trouver une pension avec une chambre pas trop chère près des Halles, chez un de ses fournisseurs. Il faudrait seulement qu'il rende quelques services en échange. En attendant, le soir, il étend à terre un des deux matelas du divan de Bazalo. Ils se partagent les couvertures.

Il est obligé de retourner chez Gustave pour chercher ses lettres. Il y va le soir, dans l'obscurité de la Défense passive, il entre par le couloir, il prend la lettre s'il y en a une, il s'en va aussitôt, il ne reste même pas le temps de boire un verre. Même si le danger est passé, il ne veut pas courir le moindre risque.

Billard lui a donné une lettre pour un de ses confrères, Rozier, un linotypiste à façon installé rue Maltournée. Il lui a dit :

— Quand je rouvrirai, tu reviendras chez moi.

Il a casé ainsi ses meilleurs ouvriers, chez les uns et les autres, en attendant.

Mais Jean ne reviendra pas, il est décidé. Il s'en expliquera avec Billard quand le moment sera venu. Quand il aura sa nouvelle chambre, il en donnera l'adresse à Marie, il n'aura même plus à revenir à l'impasse pour le courrier. Il sent qu'un danger demeure entre ces trois murs. Il ne viendra plus dans le quartier. Il veut éviter la moindre possibilité de menace, froidement. Il n'a rien dit à Marie de ce qui est arrivé, il ne veut pas qu'elle s'inquiète, dans son état. S'il lui demandait de lui écrire chez Bazalo, elle ne comprendrait pas, elle soupçonnerait quelque trouble. Bientôt, il lui donnera sa nouvelle adresse, en lui expliquant qu'il a trouvé un nouveau travail mieux payé. Il faudra d'ailleurs qu'il en cherche un. Rozier le paie encore plus mal que Billard. Il y a douze linotypes dans son atelier, mais quatre sont sous bâche, faute d'ouvriers. Rozier est un petit homme bavard, nerveux, sans cesse pendu au téléphone pour calmer les clients impatients. Il accepte plus de travail qu'il ne peut en produire, il est embouteillé pour six mois, il se met lui-même au clavier, il saute au mur pour décrocher le téléphone, il crie :

— Oui, monsieur, je vous le promets. Vous aurez tout pour la fin de la semaine, vous pouvez y compter !...

Il retourne à la machine, il tape quatre pages de la commande urgente, l'abandonne pour composer un morceau d'un autre travail pressé, donne à chaque client une miette, ne satisfait personne, tous ses clients sont enragés, téléphonent, viennent par le métro, à vélo, à pied, pour le secouer, il entend les pires menaces, il donne sa parole d'honnête homme, il montre la copie sur la machine, cent lignes de plomb sur le marbre, il jure que ce n'est pas sa faute, que justement ce magasin s'est mis en pâte, que c'est l'affaire d'un après-midi de réparation, que demain soir, tout sera fini, ou presque, en tout cas bien avancé.

Jean, de neuf heures du soir à trois heures du matin,

corrige d'innombrables épreuves. Rozier, pour garder sa clientèle, consent à tous les rabais, et économise sur la main-d'œuvre. Il n'emploie que des apprentis à peine dégrossis, ou des femmes du quartier, presque analphabètes, qui composent sans rien comprendre à ce qu'elles lisent. Et Jean sabre à grands coups de plume des mots étranges sortis de leurs cervelles jamais étonnées, des pleines lignes de charabia. Il faut beaucoup de temps pour composer les corrections et les intercaler. Cela finit par coûter plus cher que de bons ouvriers. Rozier y mange de l'argent. Il ne s'en aperçoit pas, ses comptes sont encore plus en retard que son travail, et chaque jour le retard augmente, il n'en sortira jamais.

Jean s'est aperçu d'une chose dont il ne s'était pas encore rendu compte, ni chez lui, ni au collège, ni depuis son arrivée à Paris : qu'il était pauvre. Au collège, la fraternité entre jeunes garçons effaçait les différences de fortune. En dehors du collège, il était habitué à une vie très simple. Il était riche parce qu'il n'avait pas d'autres besoins que ceux auxquels il pouvait satisfaire. Il était comblé par l'amour de sa mère, et de la terre, comme lui magnifique et pauvre comme lui, dans laquelle est planté le Pigeonnier. Pour ses jeux il avait la rivière, les arbres et la montagne, pour sa faim, le lait, les fruits et les plantes poussées sous ses yeux, et les bêtes, pas toujours très grasses, élevées par Françoise. Et l'eau fraîche pour sa soif. Ses vêtements lui importaient peu, il n'était jamais si bien que demi-nu, une vieille culotte courte aux reins, aux pieds des sandales de corde. Telle était sa fortune, elle s'étendait jusqu'à l'horizon, il était le souverain de ces nuages, de ces pentes grises et rousses, et de cette eau ruisselante, et de tout ce qu'il pouvait toucher sur cette terre où rien n'était enclos, parce que rien n'était assez riche pour attirer les voleurs.

A Paris, rien ne l'a tenté. Il n'a d'autre désir, d'autre envie, d'autre source de joie que Marie. Il mange, il dort, il travaille, c'est pour préparer l'arrivée de Marie. Tout, autour de lui, n'est que décor ; il ne peut prendre possession de rien, puisque Marie n'est pas avec lui ; il ne peut rechercher un plaisir, puisqu'elle ne le partagerait pas.

Mais quand sera-t-elle près de lui ?

C'est ainsi qu'il s'est aperçu qu'il était pauvre. Car il faut de l'argent pour la faire vivre près de lui. Elle va devenir sa femme, il aura le droit de l'emmener partout et toujours, avec lui, de montrer à chacun Marie si belle et dans ses bras leur enfant, de dire à chacun : « C'est mon fils, c'est ma femme ! » et il ne pourra pas, parce qu'il ne sera pas en mesure de les nourrir et de les vêtir, et de leur assurer un toit.

Comment faire pour gagner tout de suite assez d'argent ? Il ne suffit pas de se conserver à eux, il faut encore les gagner, et le plus vite possible.

Il n'envisage pas une seconde de renoncer à devenir architecte, moins que jamais, après cette gloire d'avoir un fils. Et il ne supporte plus l'idée de les laisser attendre au Pigeonnier, tandis que lui-même continuera de vivre loin d'eux ses journées solitaires et ses nuits sèches, brûlantes, ses nuits rouges de désir, de famine.

Alors il serre les poings ; il serre les dents, il sent qu'il va faire tout craquer autour de lui, en morceaux cette contrainte qui veut le séparer de ceux qu'il aime, comme cette fine corde que Fiston s'amusait à lui serrer autour de la poitrine au collège, et qu'il faisait sauter à grand joyeux effort de ses poumons et de ses muscles.

Mais ce n'est pas si facile. Il n'y a rien à briser.

Ce sont les conversations entendues autour de lui, dans l'atelier, qui lui ont suggéré une solution possible. Il a entendu dire que de bons linotypistes sont très bien payés, surtout ceux qui travaillent de nuit dans les journaux. Ils gagnent plus qu'un fonctionnaire, autant que certains ingénieurs. C'est ce qu'il lui faut. Ne pourra-t-il pas devenir assez vite bon lino, si ces femmes-là, à ces machines, ces braves femmes qui ne savent même pas l'orthographe, arrivent à se débrouiller ?

Il a demandé à Rozier l'autorisation de se mettre au clavier, une fois ses corrections finies. Rozier ne demande pas mieux. Il a allumé la neuvième machine. Au bout de quelques semaines, Jean commencera certainement à tomber un peu de copie, ce sera toujours autant de fait. Il lui a donné les indications nécessaires. Jean s'est mis devant la machine, et le bruit des premières matrices tombées dans le composteur au poids de ses doigts sur les touches lui a semblé un gazouillis d'oiseau. Il a retrouvé confiance.

Il va faire le sacrifice de rester ici, à ce maigre salaire, tout le temps qu'il faudra pour apprendre convenablement ce nouveau métier. Puis il cherchera ailleurs du travail comme lino, il se fera payer de plus en plus cher à mesure qu'il se perfectionnera. La main-d'œuvre manque. Il n'aura pas de peine à réussir. Marie et leur enfant n'attendront pas longtemps au Pigeonnier. Les cours, à l'école des Beaux-Arts, commencent dans trois jours.

Il a acheté aussi, on ne sait jamais, un dixième de billet de la Loterie nationale.

Puis il a écrit à M. Margherite pour lui demander la main de sa fille.

Bazalo a bu. C'est la première fois que Jean le voit dans cet état. Il a vidé une bouteille de fine. Il l'a jetée sur le parquet, près du divan, elle a écrasé dans sa chute un tube de jaune de chrome, d'où un long ver d'or a giclé. Et Bazalo est assis sur le divan, la tête dans ses mains, les doigts plantés dans ses cheveux gris. Il grogne, il regarde le parquet entre ses pieds, il lève de temps en temps la tête vers Jean. Ses yeux semblent plus noirs, plus grands que d'habitude. Ce ne sont pas les yeux d'un homme ivre. Une de ses mains tremble un peu, par moments, sur sa tempe. Il ne s'est pas rasé ce matin, pas peigné, peut-être pas lavé. Jean le devine dans un état de grand énervement. Ce n'est sans doute pas l'alcool qui en est la seule cause.

Il dit à Jean :

— N'aie pas peur, je ne suis pas soûl...

Il donne un coup de pied dans la bouteille qui roule au milieu de l'atelier, et le tube de jaune jette une virgule de lumière sur son soulier noir.

— Assieds-toi et ne fais pas cette gueule. Tu n'es pas à mon enterrement... Assieds-toi !...

384

Il se tait quelques secondes, il reprend à voix plus basse.

— Ce matin, pendant que tu étais à ton cours, j'en ai fichu une fournée à la porte. Ils étaient venus cinq à la fois, comme au tombeau de Napoléon! Il y a des jours où je ne peux plus les supporter. Les gros, qui achètent mes toiles comme de l'or ou des fourrures, un morceau de fortune pour l'accrocher à leur mur, les maigres, les snobs, les intellectuels, qui se pressent les méninges pour trouver un qualificatif nouveau à mon « génie »; et les pires, les critiques qui ont besoin pour faire leur métier d'expliquer ma peinture à leurs lecteurs qui s'en fichent. Et qui me l'expliquent aussi à moi! A moi!... Et chacun donne sa solution, chacun me comprend bien!

Bazalo serre les poings et se frappe les tempes. Il allume une cigarette, crache un brin de tabac. Il dit :

— Tu comprends, je suis fatigué. Ça m'arrive de temps en temps. Trente ans que je peins. Je ne sais pas où je vais. Je sais tout faire. Tous les maîtres des temps anciens, je pourrais faire aussi bien qu'eux, chacun dans sa manière...

« Et après?...

« Inventer de nouveaux problèmes, accumuler les difficultés pour les vaincre, prendre une rage contre la nature, contre Dieu, contre l'homme toujours le même, lui planter les pieds dans la bouche, et trois yeux sous le menton, fracasser le paysage, semer de cornes la nue et mettre le ciel dans le pot!...

« Et après?

« Et ces extasiés imbéciles qui bavent d'incompréhension, comment pourraient-ils savoir où je vais, ce que je veux?...

« Voilà, je suis fatigué... »

Jean écoute, il s'efforce avec toute son amitié d'écouter Bazalo, mais vraiment c'est bien par amitié, par affection, et parce que Bazalo est dans un tel état. Mais la peinture, mon dieu, la peinture, comme ça ou autrement, qu'est-ce que ça peut faire? quelle importance? Marie enceinte, et tant de travail pour l'avoir près de moi...

Et Bazalo se soucie peu que Jean l'écoute ou non. Jean est là, et c'est un bon prétexte pour parler, c'est tout, et c'est bien la première fois qu'il en dit si long sur son art, c'est sûrement la fine.

« Quand ça me prend, je peux plus travailler, rien à faire, ça me dégoûte tellement, c'est tellement inutile, à quoi bon, ce barbouillage? C'est beau, c'est Beau, c'est BEAU! Qu'est-ce qu'on en sait, dis, qu'est-ce qu'on en sait, et moi, qu'est-ce que j'en sais?

« Alors, ce matin, je les ai fichus dehors, j'ai déchiré ma toile, je suis sorti, j'ai pris le métro. Je me suis frotté au populo. C'est lui qui m'a fait. Lui seul m'apaise.

« J'ai descendu les marches salies par ses pieds, et ces souterrains du métro, c'est comme les tripes du peuple, avec l'odeur de sa peine, du linge qu'il ne change pas, il n'en a point, il n'en a pas le temps, et de son haleine affamée, et de sa peau qui sue le travail sans fin autre que la mort. La vie, le travail, la mort, hier, aujourd'hui et demain toujours. Le tunnel, le quai, mille lampes, nues, glacées, piquées au mur mort ; mille et mille pieds, mille visages, mille souffles aigres, sourds et de poisson mort ; barbes poussées depuis l'aube, poussées à travers mille et mille trous de la peau blême, visages gris, prunelles mortes, mains éclatées, ils m'absorbent. Et ma peinture, dis, ma peinture, quelle importance devant tout ça?

« Je suis éreinté. Je m'assieds sur la banquette dure. Je pends autour de mes os. Mes bras, mes épaules, ma tête penchée, et mes idées et mon courage s'écroulent. Ce tas, c'est moi...

« Pauvres gens, braves gens, ils sont laids, ils sentent mauvais, et moi aussi. Je les aime, ils se fichent bien de moi, et si je leur montrais mes toiles ils auraient peur. Ou bien ils étoufferaient de rire. Est-ce qu'ils n'auraient pas raison? Je voudrais retrouver la simplicité de leurs soucis. Et pourtant ils aiment les dessus de cheminée!...

Bazalo lève la tête vers Jean. Jean sort tout à coup de son rêve, sourit d'un air de dire : « Bien sûr! » Bazalo baisse de nouveau la tête entre ses deux mains. Il dit :

— Je regarde mes pieds. Quand je suis assis, ma tête penche, et je regarde mes pieds, toujours, ou le sol entre mes pieds. Et quand je regarde mes pieds, mes orteils bougent. Essaie, regarde tes pieds, tu ne pourras pas t'empêcher de les bouger. Tiens, rien que d'y penser, tu vois, déjà, ils frétillent.

« Ma brave concierge avait bien ciré mes chaussures. Elle les cire tous les lundis. Elles brillaient, tu vois c'est du beau cuir, avec des petits trous assemblés en losange. Un gouffre d'ombre dans chaque trou minuscule. Je pourrais plonger dans un de ces trous, je traverserais mes pieds et le métro et le cœur de la Terre. J'irais jusqu'au Diable...

— Et après?

— En face de mes pieds, posés juste devant, pointe

à pointe, il y avait ceux d'une femme. Je les regarde aussi. Si elle s'en aperçoit, elle va aussi remuer les orteils. Oh! elle a de jolies chaussures, en daim, noires, simples, fermées comme des mains autour de ses petits pieds. Pas si petits : solides. Les chevilles sont belles, fines, mais pas fragiles. Si je n'étais pas si fatigué, je regarderais aussi ses jambes, et peut-être son visage. Les visages sont généralement plus laids que les pieds. Je préfère ne connaître que ses chevilles. Elle ignore qu'elle a des chevilles parfaites. Si elle le savait, elle y mettrait un écriteau : " Belles chèvilles à voir! " Les visages les plus laids sont ceux des plus belles, qui le savent...

« Elle se lève. Elle va descendre. Ses jambes aussi sont parfaites. Elle a peut-être les yeux bleus...

Il lève la tête, il la regarde. Elle le regarde. Elle s'en va. Elle a tout appris de lui en une seconde et elle lui a tout dit d'elle-même. C'est impossible quand on s'est déjà parlé — au premier mot commencent les mensonges — mais entre deux inconnus qui se regardent, la vérité peut s'établir comme une lumière. Une seconde de vérité suffit. C'est l'éternité.

Elle a été à lui toute nue et grave. Elle peut se permettre ce don. Elle a vu ce qu'il vaut. Et quelle pudeur, quelle défense nécessaires puisqu'elle ne le connaît pas, puisqu'il ne sait pas qui elle est? puisqu'elle s'en va? puisqu'elle est partie?

Brusquement il se lève. Brusquement il sait que cette femme est celle qu'il lui faut, celle qu'il a cherchée, ou peut-être pas cherchée, pas attendue, mais maintenant il sait qu'il la lui faut et qu'il l'attendait avec une effroyable angoisse de ne pas la trouver. Il court, trop tard, la porte claque, le convoi roule. Elle est sur le quai, elle marche, d'un bon pas équilibré, elle ne se détourne pas. Il a écrasé ses deux mains ouvertes et son visage sur la vitre. Le tunnel, les lampes piquées au mur, une, une autre, une autre, froides, tristes. D'un bon pas équilibré, vers son mari, son amant, sa famille, ses amis, son boucher, son coiffeur, ses mensonges, sa vie.

— Tu dors, hein, tu rêves, tu m'écoutes pas, tu t'en fous! Eh bien voilà, elle était comme ça. Lisse, comme taillée, polie, dans du bois fruitier. Pas un poil d'énervement sur elle, pas une ride d'incertitude. Lisse, pleine et ferme. Son corps de femme épanoui, elle a au moins trente ans, dur comme celui d'une adolescente. Je le sais.

« J'ai sauté sur le frein de secours, la sonnette d'alarme, le convoi s'est arrêté, bloc. J'ai bondi à terre, couru. Les voyageurs m'insultaient, les employés m'ont poursuivi. J'ai grimpé le petit escalier " Danger ", volé dans les couloirs. La sortie. Toutes les rues autour, je les ai parcourues vingt fois, regardé toutes les passantes, et dans les boutiques et les fenêtres. Je ne l'ai pas retrouvée.

« Six cent millions de femmes sur la Terre. Une, une seule de ces femmes est celle dont j'ai besoin, qui me comprend, qui répond à toutes mes angoisses, qui sait qui je suis, mieux que moi. Par la merveille du hasard, cette femme s'est assise en face de moi, à portée de ma main, là, comme ça, au bout de mon bras. Et j'ai regardé ses pieds. Ses pieds! Quand j'ai enfin levé les yeux sur ses yeux, quand j'ai vu qui elle était, elle partait. Et je l'ai laissée partir d'entre mes mains, couler entre

mes doigts, au lieu de l'empoigner, et de la garder!...

Il relève la tête, il regarde Jean, il sourit un peu, il
dit :

— C'est peut-être ta faute, ce qui m'arrive. Tu dois
être contagieux!...

Sur la route, au bas de la montagne flambée par l'automne, M. Margherite pédale. Dans les champs en pente, quelques paysans isolés font lentement leur travail. De temps en temps, un d'eux s'arrête, regarde passer M. Margherite, puis se remet à sa tâche. Et M. Margherite, et les paysans et leurs animaux, n'ont pas plus d'importance, dans ce grand paysage, que les fourmis. M. Margherite regarde la route devant sa roue. Il transpire. Quand la montée se fait trop rude, il cesse de pédaler, se laisse tomber sur un pied, et poursuit sa route en poussant sa bicyclette. Son pantalon de flanelle crème est serré aux chevilles par des pinces d'acier. Il a mis son veston d'alpaga gris, le plus léger de ceux qu'il possède, et un chapeau de panama. Ce pays est au diable. Voilà près d'une heure qu'il a quitté le train, à Saint-Mirel. Si la route ne montait pas tant, il serait déjà arrivé. Du reste, il sait que ce voyage est à peu près inutile. Il devine ce qu'il va trouver. Mais il veut avoir la conscience tranquille. La sueur coule dans sa petite barbe blanche pointue. Rien à se reprocher, rassembler tous les éléments du problème, et prendre une décision.

Il traverse le petit pont, il entre dans le hameau. La mère Espieu est sur sa porte, attirée par l'aboi d'un chien. Elle est en robe noire et tablier noir, jusqu'aux pieds, et le mouchoir sur la tête. Elle est ridée et courbée, et ses longues mains décharnées sont croisées sur son bâton, elle a peut-être cent ans. M. Margherite soulève son chapeau.

— Bonjour, madame!

— Bonjour, monsieur!

— La maison de Mme Tarendol, s'il vous plaît?

La mère Espieu fait deux pas au dehors, pour voir un peu mieux cet étranger. Sa vue se fait mauvaise. Elle plisse les yeux, elle met sa main devant son front, contre le soleil, elle regarde bien l'homme des pieds à la tête. Il est beau, il est bien habillé. Elle tend le bras.

— Tenez, c'est là-bas, au bout, la maison qui est toute seule, qui est haute. C'est le Pigeonnier. Mais vous y trouverez personne, la Françoise est pas là.

— Ah! dit M. Margherite.

— Eh non, elle rentre à la nuit. En ce moment, elle est à la journée chez Grandperrier.

Elle s'approche encore un peu, elle avance la tête. Il a une barbe bien propre, et un joli chapeau. Le chien maigre, sur le seuil, la queue entre les pattes, gronde, prêt à s'enfuir au premier geste.

— Je regrette, dit M. Margherite, je vais quand même aller voir, si par hasard...

Il n'attend pas la réponse, il soulève son chapeau, il pousse sa bicyclette, il arrive près du Pigeonnier. Il s'arrête quelques secondes près du mur bas qui ferme le pré. Il fait une grimace. C'est pire encore que ce qu'il imaginait. Cette bicoque, et ce pré grand comme un mouchoir, c'est cela que le petit Tarendol appelle dans sa lettre « la propriété de mes parents » ! M. Margherite est bien content que Mme Tarendol ne soit pas là. Ça suffit, il en a assez vu. Même en ce moment où la terre est hors de prix, ça ne vaut pas quatre sous. Il enfourche sa bicyclette, il soulève son chapeau en passant devant la mère Espieu. Elle crie :

— Qu'est-ce qu'il faudra dire à Françoise ?

— Non, non, rien, c'est pas la peine...

Il est déjà près du pont. Ça descend, ça ira mieux qu'à l'aller. Il est soulagé. Le chien maigre court derrière lui, à vingt mètres, aboie, s'étrangle de fureur et de peur. M. Margherite tient ses freins à pleines mains. Ça va tout seul. C'était évident. Il n'y a pas d'autre solution possible. Ce petit Tarendol a écrit. Une gentille lettre, bien sûr, mais c'est un miséreux, ça ne fait pas de doute. Cette histoire d'architecte ne tient pas debout. Il lui faudra dix ans, quinze avant qu'il soit en état de gagner la vie d'une famille. Et avec quel argent s'établira-t-il ? Ce qui paraît bien plus sûr, c'est qu'il sera toute sa vie ouvrier. Linotypiste ! Un bel avenir ! Allons, allons, Marie sera sûrement raisonnable.

— Oui, dit la mère Delair, c'est M. Bonhenri, le
marchand de couleurs, qui était en train de fermer sa
boutique, et tout à coup, il entend : " Boum! " au-
dessus de sa tête, comme un meuble qui aurait tombé.
Vous avez plus de lard, madame Billard ? J'en trouve
plus dans le pot, il reste plus que du sel et de l'eau.
Quelle saleté, ce sel dégrugé, ça fait pire que de la
boue... Alors M. Bonhenri se dit : " Voilà Mᵐᵉ Empot
qui a fait tomber un fauteuil! " puis il y pense plus.
Si vous avez plus de lard, avec quoi je vais faire revenir vos choux, madame Billard ? Avec ce restant de
beurre ? C'est dommage, il vaudrait mieux le garder
pour le manger cru. En le faisant cuire il perd ses
calories... C'est son garçon qui l'a trouvée en rentrant
du cinéma. Elle était étendue sur le tapis de sa salle à
manger. Ils l'avaient pas manquée! Sur la table, il
y avait encore trois verres de champagne vides. Et
la bouteille, ils s'en étaient servis pour l'assommer.
Et pour pas qu'elle crie, ils lui avaient enfoncé tout un
paquet de coton dans la gorge. Et quand elle a été
par terre, ils lui ont planté un grand coup de poignard
en plein cœur! Elle était bien morte! Et ils avaient

fouillé partout, tout sens dessus dessous. Ils ont dû trouver le magot, elle devait en avoir gros, avec tout ce qu'elle trafiquait au marché noir! A qui vous allez acheter votre viande, maintenant, madame Billard? Je crois qu'Émile, vous savez, le coiffeur, à gauche en descendant, en vend aussi. On se demande qui c'est qui a bien pu l'assassiner comme ça. C'étaient des gens qu'elle connaissait, sûrement, puisqu'elle a bu avec eux, mais c'était pas des gens propres, elle avait beau faire du marché noir, c'est pas une raison pour assassiner comme ça une femme. Mais dites, j'y pense, vous les auriez pas vus entrer, de votre fenêtre? Non, bien sûr, on peut pas tout voir, c'est un peu loin, et ils ont dû venir à la nuit. J'ai eu un peu de fromage blanc chez le crémier, je vous l'ai mis dans le buffet. Moi je le mange avec la confiture de la répartition, c'est pas mauvais. Et même si vous les aviez vus, parfois c'est dangereux de dire ce qu'on a vu, on en dit toujours trop long, moi je le dis toujours à mon mari : " Tais-toi, tu sais pas qui c'est qui t'écoute! " Qui vous regardez comme ça? C'est la femme du bougnat de la place Combes. Elle va accoucher le mois prochain. Jamais j'ai tant vu de femmes enceintes. On en rencontre sur tous les trottoirs. Peut-être qu'on les remarque mieux parce qu'elles sont maigres. On voit que leur ventre. Et votre mari, est-ce qu'il va avoir sa permission de rouvrir? Si c'est pas malheureux d'empêcher les gens de travailler! Oh! bien par exemple! Elle m'a échappé des mains! Remarquez qu'elle était déjà fendue Non, madame Billard, ça fait pas trois, c'est rien que la deuxième de cette semaine. Vous allez pas faire un drame pour deux vieilles assiettes? Faut pas vous formaliser, si je vous dis qu'elles étaient vieilles, c'est pour vous faire remarquer qu'elles étaient pas solides, elles se sont cassées comme de rien, et même la première elle m'est restée dans les mains, comme ça, un morceau dans chaque, en l'essuyant. Vous savez ce qu'on dit ? Mais moi, ça m'a bouleversée d'entendre ça, je peux pas y croire, on dit que c'est pas à cause du marché noir qu'elle a été tuée, il paraîtrait qu'elle aurait fourni des filles à ces messieurs ! Des filles du quartier, et on serait bien étonné si on connaissait leurs noms ! A des officiers boches, et il paraît qu'elle touchait dix mille francs chaque fois ! Vous y croyez, vous ? Moi je trouve que c'est pas propre de salir une morte sans être sûr, surtout quand elle a été assassinée. Ceux qui racontent ça, on devrait les condamner.

Bazalo a cloué sur le grand mur de son atelier une toile de dix mètres carrés. Au milieu de la toile, il a peint un œil. Dans la prunelle il a mis trois fois son propre visage, un visage tout en angles vifs rouges et violets, un visage en brume bleue, et un visage noir. Il y a ajouté un disque vert, le petit chapeau qu'il portait le jour de la rencontre.

Du blanc de l'œil il a fait un champ de bataille, un carnage de peste et de tremblement de terre chevauché de démons. Les cils sont une forêt vierge peuplée d'oiseaux de feu, enchevêtrée de lianes et de serpents qui se dévorent. Et dans le coin de l'œil saigne un ticket de métro. Première classe.

Pendant que Bazalo travaille, Jean, quand il n'a pas cours, entretient le feu et lit. Grâce aux livres de son ami, entassés dans trois malles ou épars, échevelés dans l'atelier, il est en train de découvrir les auteurs modernes. Les romans ne l'intéressent guère. Il est trop plein de son amour. Toutes ces histoires sont fades. Et pourquoi, parfois, tant de désespoir ? Ou un si grand intérêt pour les petites choses ? Ce sont en général des histoires de gens qui s'ennuient, qui n'ont rien dans leur vie, et qui la meublent de complications inutiles. Le peintre, de temps en temps, vient s'asseoir près de lui, et lui parle de l'inconnue. Jean ne sait que lui répondre, pour lui tout a été simple, et tout est grave.

Bazalo est retourné quelques matins au métro Convention, à la même heure. Il a regardé les femmes qui sortaient, parfois il croyait que c'était elle, mais il a oublié ses traits, la forme de son visage et même la couleur de ses yeux. Il ne se souvient que de leur flamme, et les yeux qu'il rencontre sont éteints. Il a essayé de la peindre, pour la fixer dans sa mémoire, il n'a pas pu. Il a peint ses chevilles en une série de petits tableaux. Et les chevilles deviennent colonnes, tiges fleuries, sources jumelles. Déjà il commence à ne plus penser à elle qu'avec ses brosses.

Jean est allé tard, ce soir, chercher sa lettre. Rozier a fermé son atelier pour deux jours, il a dépassé son contingent de gaz. La rue Louis-de-Nantes est déserte et noire. Il bruine. Jean rase les murs, reçoit de temps en temps une lourde goutte d'eau tombée d'un toit, frissonne. Il tourne dans l'impasse, s'arrête une seconde devant la porte du cordonnier. Le plus jeune des enfants, le petit aveugle, pleure, comme un fil, sans reprendre haleine. Deux grands se disputent un coin de couverture. Le cordonnier, ahanant, est en train d'en semer un autre.

Gustave a appris à Jean la mort de Mme Empot. C'était le lendemain qu'il devait aller avec elle voir pour sa chambre et sa pension. Il ne sait même pas le nom de ces gens. Il devra chercher ailleurs ; en attendant continuer de recevoir ses lettres au café. Il lui semble que l'impasse ne veut pas le laisser partir tout à fait. Il en éprouve une vague crainte. Il s'en va, vite.

Il a changé, en peu de temps. Il n'est plus, comme avant, toujours prêt à sourire. Son visage a maigri.

Bazalo se demande s'il ne devrait pas essayer de le faire coucher avec Denise, son modèle. C'est une gentille fille, propre, un peu grasse, avec des reins larges et de jolis seins quand elle lève les bras. Sûrement, après, il verrait les choses plus calmement, moins crispé.

Quand Denise vient poser, si Jean est là, elle le regarde avec des yeux de pigeonne, en commençant à se déshabiller. Alors Jean se lève et s'en va, et il ferme la porte un peu trop fort.

— C'est un puceau, que tu as adopté? demande Denise.

— C'est bien pire, répond Bazalo, souriant.

Je rêvais à toi, mon bien-aimé, quand le hurlement tourbillonnant des sirènes s'est mis à creuser un gouffre d'horreur dans la nuit. Je rêvais à toi ; mon corps avait quêté en vain ton corps dans les draps froids, puis laissé s'envoler vers toi mon âme qui sans cesse te cherche. Où donc es-tu, ô mon amour ? Quel espace, quelle éternité nous séparent ? Parfois je te sens si proche que je ferme les yeux et te tends mes mains... J'attends que tu t'y poses, j'attends de sentir enfin ta chaleur et le grain de ta peau et le poids de tes muscles. Mais la paume de mes mains reste vide, te voilà de nouveau parti pour ton propre monde...

Je rêvais à toi quand la sirène est descendue dans mon ventre en tournante douleur. Je me suis réveillée, crispée en rond autour d'elle, je me suis levée, habillée de fourrures, j'ai habillé mon enfant, le tien. Je lui ai mis son habit rouge et son chapeau pointu. Il riait, le petit ange. Pour lui, c'est un jeu, ce réveil aux lumières. Il s'est mis à danser, léger, sans bruit, sur la pointe de ses pieds nus. J'ai dû lui courir après entre les fauteuils carrés. Je lui ai mis ses bottes d'astrakan.

Nous descendons, nous sommes seuls dans l'escalier.

Au palier du troisième, un chat noir se frotte contre le mur, la queue droite, et ronronne. Les sirènes se sont tues. Nous voici dans la cave. Devant nous, dans le mur de marbre noir poli s'ouvrent sept couloirs blancs, éclairés par des traînées d'ampoules aux plafonds, et qui s'enfoncent si loin que je vois leurs murs se confondre.

Pourquoi sommes-nous seuls, mon fils et moi, dans cette lumière et ce silence? Où sont les autres? Sans doute sont-ils déjà passés. Ils doivent être là-bas, au fond...

Je ne sais lequel de ces couloirs nous devons prendre, je sais seulement que nous ne devons pas rester ici. Ici, c'est le danger atroce, le ciel de fonte, le ciel pilon qui s'abat sur les maisons et les broie.

Je prends mon petit par la main. Nous entrons dans le couloir du milieu, celui qui forme l'axe de l'éventail. Je me mets à courir, j'entraîne mon fils, qui rit et bondit, tout rouge sur ses jambes noires, comme une flamme. Il ne connaît pas la mort, il rit, il danse, mais moi je cours parce que la peur me presse. Je sens le danger derrière moi, sur mes talons. Je sens, j'en suis sûre, je sens derrière moi la porte béante du couloir qui me suit. Elle va nous rattraper, nous dépasser, et nous serons de nouveau dehors, avec notre chair nue sous les griffes. Je n'en peux plus, ma poitrine est de plomb, ma tête sonne, je vais tomber... Je m'arrête, je m'appuie contre le mur, je reprends souffle. La porte s'est arrêtée aussi, je la sens. Elle est là, juste derrière nous, elle nous guette, elle attend. Je ne veux surtout pas regarder. Il ne faut pas. Je tiens mon fils devant moi, serré contre moi. Je lui tiens à deux mains la tête tournée vers l'avant. Il ne faut pas qu'il regarde derrière,

401

il ne faut pas. Je repars doucement... Elle est repartie en même temps que nous, elle nous suit doucement, à la même distance, elle nous accompagne, elle nous...

Nous voilà arrêtés. Un troupeau de bêtes bouche le couloir, d'énormes bêtes bossues comme des dromadaires, basses sur pattes. Elles n'ont point de cou, elles mâchent, elles nous regardent avec des yeux tristes. Leur peau est lisse, couleur de citron. Je m'approche de la première, je tends ma main, je lui caresse les naseaux, lui flatte la tête. Elle cesse de mâcher, elle m'écoute. Je lui dis : « Allons, allons, écartez-vous, laissez-nous passer! » Et tout le troupeau, lentement, lourdement, se déplace. Voilà toutes les bêtes aplaties sur les murs comme des affiches. Nous passons. Je respire. Il y a quelqu'un dans notre dos. Les bêtes ne laisseront pas passer le vide.

Le couloir débouche dans un carrefour. Nous ne sommes plus seuls. Des gens pressés vont, viennent, dans tous les sens. Les hommes sont en habits, avec des chapeaux hauts de forme. Les femmes sont nues, mais semblent être vêtues, car elles n'ont pas ôté leurs vêtements, ils se sont usés sur elles jusqu'à n'être plus.

Tous ces gens marchent, courent, sans se dire un mot. Les femmes et les hommes sont mélangés, mais chacun va seul, pour son propre compte. Ils rentrent par des portes, sortent par d'autres, ils se hâtent. Je ne reconnais plus le couloir par où nous sommes arrivés. Tant d'autres semblables s'ouvrent ici! Nous en prenons un au hasard, et nous arrivons à un nouveau carrefour, puis à un troisième. Partout la même foule silencieuse s'agite. Je n'entends que le frottement doux, innombrable, des pieds nus des femmes sur le sol de marbre, et le craquement des escarpins vernis des hommes. Ils courent après leur idée fixe, tous cherchent leur chemin, cherchent la sortie, parmi cette multitude de couloirs semblables qui s'entre-coupent en tous sens. Depuis combien de temps sont-ils là ? Les femmes, c'est à tant courir qu'elles ont usé leurs vêtements dont la forme subsiste autour d'elles. Une angoisse atroce me saisit. Je ne veux pas, je ne veux pas devenir comme eux, je veux savoir, je veux sortir d'ici, je veux sortir, sortir !

Le premier homme qui passe, je l'arrête par le bras. Il ne veut pas me regarder. Par-dessus mon épaule, il regarde son chemin. Pris de rage, je le frappe de mon poing, au visage, à la poitrine. Il ne sent pas les coups, il regarde toujours derrière moi le chemin qu'il aurait dû déjà parcourir, ses traits se crispent comme ceux d'un brûlé vif, il brûle d'être immobile. Je le lâche, il s'enfuit...

Il faut sortir d'ici. J'ai peur, parce que j'ai vu que nous étions les seuls à porter les couleurs du jour, dans ces couloirs blancs dont les murs brillent, sur ce sol de marbre noir qui brille, parmi ces hommes vêtus de noir et ces femmes vêtues de vide. Il faut sortir d'ici avant que le noir et le blanc nous gagnent.

Nous allons prendre un ascenseur. Ils sont aussi nombreux que les couloirs. Les hommes noirs, les femmes nues les emplissent, montent, descendent, s'arrêtent, sortent, courent, s'agitent dans les trois dimensions sans trouver leur sortie. Il est trop tard pour eux, ils ne trouveront plus, jamais. Nous, il faut que nous trouvions pendant qu'il est encore temps. Voici un ascenseur. J'entre en poussant mon petit, je claque la porte au nez d'un homme en habit. Il n'insiste pas, il repart aussitôt, il se hâte, il se perd dans la foule de ses pareils.

A portée de ma main se trouvent deux boutons, un noir et un blanc. Quel est le bon? C'est mon fils qui va choisir, le petit ange. Il lève sa main rose, appuie sur le bouton blanc. Le sol nous manque, nous tombons, l'ascenseur tombe au gouffre à une vitesse effroyable. Tout mon sang me monte à la gorge, mon ventre se vide vers le haut. Je saisis la poignée de la porte et tire. Nous tombons assis, les jambes fauchées. L'ascenseur s'est arrêté.

Autour de sa cage tourne un escalier. Et personne ne monte ou ne descend cet escalier. Il est vide, il est gris, il est à peine éclairé. Il semble que les autres n'en aient pas eu connaissance, ne l'aient pas essayé.

J'ai pris mon petit et je l'ai lancé par-dessus la grille, puis je l'ai escaladée à mon tour. La porte de l'ascenseur s'est refermée, et la cabine est repartie vers le haut. Nous aussi. Nous montons depuis combien de temps? Nous avons monté des marches et des marches, des milliers de marches grises, dans une demi-clarté, autour de cette cage d'ascenseur vide comme un puits sans fond, et nos pieds, sur chaque marche, s'enfoncent dans une couche de poussière grise. Aucune porte ne s'ouvre nulle part.

Je suis lasse. Je m'assieds dans la poussière, mon fils à côté de moi. Mes doigts enfoncés dans la poussière sentent un objet enseveli. Je le prends, je le secoue. C'est un petit livre. Je l'ouvre. Il ne contient qu'une grande feuille qui se déplie. C'est un plan. Voici les couloirs, voici les ascenseurs, voici l'escalier, et voici, oui, oh, mon Dieu! voici l'extérieur, voici des magasins avec des stores orangés qui éclatent au soleil, la terrasse d'un café avec des gens qui ne se doutent de rien et qui boivent des boissons de toutes couleurs, une mercerie avec des pelotes d'angora derrière une vitre jaune, et une cycliste qui passe et fait jouer son timbre, un autobus, un homme qui tient un bouquet de fleurs comme un cierge... Tout cela est dehors, vrai, sur le plan, existe, vit autour de nous, comme notre peau. Nous sommes là à l'intérieur, il suffirait de percer un trou tout droit. Mais je ne peux pas percer un trou avec mes mains à travers tant de murs. Il faut trouver la sortie, trouver la porte.

Sur le plan, cette ligne rouge, sûrement, indique le chemin à suivre. Je vais bien regarder.

Elle va, la ligne rouge, elle passe un peu partout, elle fait des ronds et des boucles, elle n'en finit plus. Je ne trouve ni son commencement ni sa fin, elle glisse en tous sens, de plus en plus vite, elle ne tient pas entre mes doigts, elle grouille comme un nœud de serpents. Pourtant, il faut que je l'attrape, que je la tienne, et que j'en trouve le bout. Maintenant, je le sais, c'est notre dernière chance, la dernière absolument, et elle ne durera pas. Je n'ai qu'un court instant pour trouver, quelques minutes, moins peut-être...

Et voilà qu'un ascenseur, puis deux, puis dix, puis d'autres, d'autres, se mettent à monter et à descendre autour de nous. Ils sont pleins de la foule de tout à l'heure, et cette foule qui tout à l'heure ne voulait pas nous voir, cette foule maintenant nous regarde. Elle ne regarde que nous, tous les regards, tout autour, tous ces regards qui descendent et qui montent sont braqués sur nous. Tous ces regards nous regardent comme des lampes.

J'ai posé ma main sur le plan pour attraper la ligne. Alors ils se sont mis à rire. Ils ne faisaient aucun bruit, mais ils ouvraient largement leurs bouches. Il en vient toujours d'autres, ils veulent tous nous voir, ils viennent de tous les carrefours, du fond de tous les couloirs, ils prennent les ascenseurs, et ils montent et ils descendent exprès pour nous voir, pour se moquer de nous avèc leur bouche noire ouverte.

Je n'ai plus que quelques secondes pour trouver. Après, tout espoir sera fini, pour toujours, et ce sera le commencement de l'abominable. Je n'ai plus que quelques secondes, peut-être moins...

Mon bien-aimé, où donc es-tu ? Toi, tu sais, tu peux, toi tu connais le sens de la ligne rouge, tu sais où s'ouvrent les portes. O mon amour, ne viendras-tu pas ? ne sais-tu pas que je suis près de la mort parce que tu n'es pas là, n'entends-tu pas ma voix qui t'appelle, n'entends-tu pas le hurlement des sirènes ? N'entends-tu pas ces rires atroces ? Me laisseras-tu mourir, Jean, mon amour, me laisseras-tu mourir ? Jean ! Jean ! Jean !

Marie a crié, et son cri la réveille... Elle cherche son fils près d'elle, puis elle sourit. Cher petit, il est encore en elle, si petit, si petit... Mais son sourire s'efface. Elle se souvient de ce que lui a dit hier son père...

Il trouve cela tout naturel, il le lui a proposé avec douceur, en souriant.

Ils sont assis dans la salle à manger, après le dîner. M. Margherite a dit à sa femme :

— Laisse-nous seuls...

Ils sont assis chacun d'un côté de la grande table

ronde, aux deux bouts du chemin de table au crochet que Marie a remis en place après avoir desservi et enlevé la nappe. Et, au milieu, il y a une coupe en verre fumé qui contient des poires et des raisins en celluloïd.

M. Margherite tire de sa poche sa boîte à mégots. la vide sur la table. Il ouvre chaque mégot comme une cosse de petits pois, roule le papier maculé en une boule minuscule qu'il jette d'une chiquenaude. Il fait un petit tas du tabac, qui sent fort. Il dit :

— Marie, je suis allé hier à Courtaizeau, voir Mme Tarendol.

— Ah! dit Marie.

Elle reste les yeux grands ouverts, elle n'ose pas interroger, mais elle s'est presque soulevée de sa chaise, suspendue sur les coudes appuyés à la table, suspendue aux mots qui vont suivre.

— Elle n'était pas là, je ne l'ai pas vue, poursuit M. Margherite.

Il parle tranquillement, il n'a même pas levé la tête, il a fini de trier son tabac et il roule une cigarette, La lumière du lustre, en faux rustique avec six petits abat-jour fleuris, teinte de rose sa barbe blanche.

— Je ne l'ai pas vue, mais j'ai vu sa maison. Si on peut appeler ça une maison...

Il lève la tête pour allumer sa cigarette à son briquet sans se brûler la moustache. Il aspire une bonne bouffée de fumée, la savoure, la jette en brouillard entre lui et Marie.

— C'est plutôt une cabane à lapins, avec un pré qui tiendrait dix fois dans la cour de l'école. Ce sont des miséreux.

Marie lentement recule son buste, se recule au fond

407

de sa chaise, se replie sur elle-même, se rassemble. Elle commence à comprendre qu'elle avait eu tort d'espérer que tout se passerait bien, et qu'au fond d'elle-même elle n'y croyait pas. C'était trop facile.

— Tu comprends bien, voyons ma petite Marie, que tu ne peux pas épouser ce garçon. Ta mère et moi nous voulons te voir heureuse. Et comment pourrais-tu l'être dans ces conditions? Il n'a pas de métier, c'est un gamin, sa mère est une espèce d'ouvrière agricole, qui doit juste gagner de quoi se nourrir à peine, et je ne suis pas sûr qu'elle sache lire et écrire... Oui, oui, je sais qu'il veut devenir architecte, mais les études sont longues, et quand il aura son diplôme il faut encore s'établir, acheter une clientèle ou s'en faire une, tout ça est très long. Et s'il ne réussit pas? Alors tu seras toute ta vie la femme d'un ouvrier? Et puis, est-ce que tu sais s'il est sérieux? La façon dont il s'est conduit avec toi prouverait plutôt le contraire. C'est peut-être un coureur...

Marie est maintenant dure comme une pierre sur sa chaise. Elle ne dit mot. M. Margherite est heureux de voir qu'elle ne proteste pas. Il aura peut-être moins de mal à la convaincre qu'il ne le craignait.

— Au fond, tu as eu tort de dire à ta mère que tu étais enceinte. Tu aurais dû me dire ça à moi. Elle n'en aurait rien su. Nous aurions arrangé ça tous les deux. Tu vois, je te parle franchement; maintenant, dans la situation où tu es, tu n'es plus une enfant et je peux te faire des confidences moi aussi, comme entre deux camarades. Je peux t'avouer que j'ai eu quelques aventures, et il m'est arrivé que mes..., enfin que certaines personnes se sont trouvées à cause de moi dans des situations délicates. Tout s'est toujours bien arrangé, j'ai une certaine expérience, comme un vrai médecin. Peut-être, après tout, ai-je manqué mon vrai métier!...

Il commence à rire un peu, puis il s'arrête, il pense qu'il vaut peut-être mieux ne pas rire. Marie est maintenant une femme, mais elle est bien jeune, elle est encore malgré tout jeune fille. Il a rarement eu à faire à une jeune fille. Il ne se sent pas très à l'aise. Sacrée gamine! Seize ans à peine! Heureusement qu'elle a un père comme lui...

— Ma petite Marie, comprends bien que je ne veux que ton bonheur! Si j'étais un père sévère, un père imbécile, je te dirais que tu nous as déshonorés, et que tu n'es plus ma fille, etc. Mais je ne veux pas t'en vouloir d'un moment de faiblesse et d'une grande imprudence. Au fond, c'est un peu ma faute. Quand on a une fille, c'est pas le tout de la surveiller, on ferait mieux de la mettre en garde, de bien lui expliquer ce qu'elle risque. C'est la faute aussi des romans que vous lisez. Il y est toujours question d'amour, et jamais de ses conséquences. Enfin, maintenant, c'est trop tard, ce qu'il faut, c'est éviter que cette bêtise fasse le malheur de toute ta vie. Tu te vois, à seize ans, avec un marmot, et un mari ouvrier, qui travaille dans l'encre, qui rentrera tout crasseux, et toujours le portefeuille vide et les assiettes aussi! Et peut-être d'autres enfants tout de suite, et la maladie et la misère et tout ce qui s'ensuit. Ce n'est pas nous qui pourrons t'aider, ta mère avec son traitement et moi avec ma retraite, nous joignons tout juste les deux bouts, tu le sais bien. Et ton mari se lasserait vite de cette misère, et toi aussi. Ce seraient les disputes perpétuelles, il te dirait que c'est à cause de toi qu'il a échoué, qu'il n'a pas pu poursuivre ses études, qu'il a dû penser avant tout à vous faire vivre, toi et tes enfants. Et après tout il aurait presque raison. Il lui faudrait un sacré courage, et une volonté et une intelligence peu ordinaires, pour réussir dans ces conditions. Et toi peu à peu tu le détesterais à cause de la misère d'où il ne parviendrait pas à vous sortir. Tu lui en voudrais de son échec, des habits usés de tes enfants, de tes mains abîmées aux travaux du ménage, de ta déchéance. A vingt-cinq ans, tu serais une vieille femme, maigre, aux traits tirés, aux yeux tristes. Et que ferais-tu de tes enfants? Comment les élèverais-tu? Quelle instruction pourrais-tu leur donner? A douze ans en apprentissage, par nécessité! Oui, un bel avenir que vous bâtiriez là, tous les deux, une belle existence en perspective pour vos enfants! Si tu aimes vraiment ce garçon, tu n'as pas le droit de faire son malheur, en même temps que le tien et celui de vos enfants. On n'a pas le droit de donner la vie à de petits êtres si c'est pour leur réserver uniquement la faim et les larmes. Il vaut mieux, crois-moi, il vaut mille fois mieux s'en débarrasser avant qu'ils soient nés!...

Marie s'est appuyée à la table, la tête dans ses bras, et sanglote, ses cheveux épandus autour d'elle. M. Margherite hoche la tête, se lève, fait le tour de la table, pose sa main potelée sur l'épaule de sa fille qui frissonne.

— Ce n'est rien, ma chérie, ce n'est rien, tu verras, je te dirai ce qu'il faut faire. Trois jours de lit, et un grand repos, de bonnes vacances, et tu oublieras cette triste aventure. Et dans deux ou trois ans tu trouveras un mari digne de toi, quelqu'un de ton monde, digne de ta mère et de moi...

— Alors? demande Mme Margherite.

Elle s'assied dans son lit. Elle était couchée mais ne dormait pas. Elle attendait. Elle trouvait que c'était long, très long. Elle a une chemise de nuit en toile blanche bien fermée au cou et aux poignets.

— Elle a l'air raisonnable, dit M. Margherite.

Il tire sa montre de la poche de son gilet, la pose sur la table de nuit, ôte son veston. Mme Margherite se met à pleurer doucement, prend son mouchoir sous son oreiller, se tamponne les yeux et le nez.

— Ah! les femmes!... dit M. Margherite en quittant son pantalon.

Marie est montée à sa chambre. Elle ne sentait ni les marches sous ses pieds ni la rampe dans sa main. Elle a poussé la porte qui s'est ouverte, elle a eu le temps d'arriver à son lit, en travers duquel elle est tombée évanouie. Quand elle est revenue à elle, elle avait si froid qu'elle claquait des dents. Elle a ôté ses chaussures et s'est couchée sans se déshabiller. Elle s'est endormie aussitôt. Elle était épuisée. Mais elle s'est réveillée moins d'une heure après, et elle s'est rendormie et réveillée ainsi elle ne sait combien de fois dans la nuit. Et quand elle se réveillait elle revoyait la petite barbe pointue de son père, teintée de rose par la lumière, avec la cigarette qui noircissait et fumait sous la moustache. Elle n'avait pas la force de repenser les mots qu'il avait dits, mais elle revoyait son visage, et la table, et le chemin brodé, et la coupe de fruits, en rond sous la lampe, et cette image pesait en bloc sur sa poitrine et sur sa tête comme un rocher. Des larmes coulaient de nouveau de ses yeux, et elle se rendormait sous l'écrasement de la fatigue et de la peine. Vers la fin de la nuit, elle a trouvé au fond du sommeil ce cauchemar. Elle s'en est arrachée en criant de désespoir, et c'est pour retrouver le souvenir des mots de son père, de sa voix calme, raisonnable, de sa petite barbe bien blanche, bien propre sous la lumière rose...

Elle respire longuement. Sa ceinture la serre. Elle se rappelle qu'elle ne s'est pas déshabillée. Elle se lève, se passe un peu d'eau sur le visage, se déshabille, met son vêtement de nuit, se recouche dans les draps chauds. Elle est bien, elle est calme. Oui, hier soir cela a été terrible. C'est son père, son père, qui a parlé ainsi... Depuis quinze jours, elle bâtissait un rêve de grand bonheur paisible : un petit enfant, un grand-père, deux grand-mères, et Jean et elle. Une famille. Ces mots ont tout détruit, ces mots immondes, raisonnables. Comment a-t-il pu croire une seconde qu'elle renoncerait à Jean ? Comment a-t-il pu croire qu'elle consentirait à tuer l'enfant de Jean, leur petit ?

Elle caresse doucement son ventre chaud. Il est encore plat, mais quand elle appuie avec précaution elle sent, là, un peu sur la droite, elle croit sentir le nid blotti de son fils. Elle le caresse, son cher amour, elle lui parle à voix basse, elle balance un peu la tête dans l'oreiller, elle le berce, son tout petit si tendre, si petit, elle va l'endormir, ne crains rien mon amour, je suis là autour de toi, tu es là dans moi caché, bien à l'abri, bien protégé, va tu peux grandir, rien ne te menace, tu es dans moi, dans mon nid bien chaud, bien tendre, sois grand, sois sage, mon amour, mon petit, mon tout petit...

Marie dans sa chambre écrit à Jean. M. Margherite dans le bureau de sa femme, écrit à M. Tarendol. Chacun des deux ignore que l'autre écrit en même temps que lui ou qu'elle, et Marie écrit ceci, et M. Margherite écrit cela, Marie écrit amour et appelle au secours, M. Margherite écrit raison et fait appel à l'honneur.

Voilà, mon Jean, maintenant tu sais ce qu'il m'a proposé, ce qu'il veut que je fasse, tu sais aussi que tout cela n'a pas d'importance, et que je suis ta femme et ton petit. Je suis encore toute seule, et pourtant je suis en même temps ton enfant qui va naître...

Je ne doute pas que vous aimiez ma fille, bien que vous ne l'ayez guère respectée. Mais vous devez imaginer que sa mère et moi nous l'aimons aussi. J'apprécie votre demande en mariage, mais je ne crois pas devoir vous laisser le moindre espoir...

...ce qu'il faut, c'est que tu viennes me chercher, que tu m'emmènes...

...ce que Marie avait pris dans son innocence pour les signes d'une grossesse ne sont que troubles de santé dus, hélas ! à la nourriture de guerre et à un début d'anémie...

... je ne veux pas aller chez ta mère, je ne veux pas être séparée de toi plus longtemps, je ne veux pas que notre enfant grandisse loin de son père, je ne veux plus t'attendre, je te veux...

... élevée au sein d'une famille honorable, elle a toujours connu l'aisance et ne soupçonne même pas ce qu'est la gêne. Or, vous lui offrez la misère...

... la misère, la misère, comment pourrait-elle nous toucher, comment pourrions-nous être misérables quand nous serons tous les trois ?...

... vous avez surpris le cœur et les sens d'une enfant. Si vous êtes un homme droit, vous n'abuserez pas de votre situation, vous vous effacerez. Vous n'avez déjà fait que trop de mal...

... je suis à toi, à toi pour la vie, je serai près de toi toujours, je t'aiderai à travailler, à réussir, à triompher. Je crois en toi, je sais que tu seras grand, je serai près de toi quand tu seras fatigué, quand tu douteras, quand tu auras envie de renoncer, je serai toujours là, toujours confiante, je te bercerai, j'effacerai de mes baisers la fatigue et les doutes, je prendrai sur moi tous les soucis quotidiens pour que n'aies pas d'autres pensées que de réussir et de créer dans la joie, je balaierai le sol devant tes pas, je serai avec toi, je t'aurai, j'aurai notre fils, je serai la femme la plus riche du monde...

... un taudis, la faim, et bientôt la maladie et les dis-
putes, voilà ce qui vous attendrait : deux vies gâchées...

... Viens me chercher tout de suite. Je suis maintenant
dans cette maison une étrangère. Comment pourrais-je
encore appeler un père celui qui m'a dit de telles paroles ?
Je n'appartiens qu'à toi, je suis ici en exil chez des enne-
mis, viens m'arracher à leurs mains, viens dès que tu
auras reçu ma lettre, n'attends plus, là où tu peux vivre
tout seul nous vivrons encore mieux tous les deux et bien-
tôt tous les trois...

... Si, un jour, vous avez enfin une situation digne
d'elle, et qu'elle soit encore libre, nous pourrons évidem-
ment envisager une union qui est aujourd'hui déraison-
nable. Mais qu'elle n'entende plus parler de vous jusqu'à
ce jour. Et ne vous leurrez pas trop de cet espoir On
oublie vite, heureusement, à l'âge de Marie, et au vôtre,
monsieur.

Marie n'a plus peur. Elle est tranquille, et même heureuse. A mesure qu'elle écrivait à Jean, elle a vu se dessiner ce que sera sa vie. Son père a détruit ce premier avenir qu'elle s'était forgé, elle en a construit un autre, aussi beau, plus proche. Cette fois-ci ce n'est pas un espoir, ce sera bientôt réalité. Elle n'a plus beaucoup de temps à attendre, elle va dans quelques jours y entrer, s'y jeter. Au bras de Jean, dans les bras de Jean, pour toute leur vie. Même cette chambre sur cette cour immonde, elle saura bien en faire leur maison, en attendant qu'ils trouvent mieux. Elle lui fera sa cuisine, elle mettra des fleurs sur la table de toilette cassée, des images aux murs sur le papier troué, il mangera les plats qu'elle aura fait cuire pour lui sur un petit réchaud. Ils achèteront une petite table, elle lui préparera son papier, taillera ses crayons, et restera silencieuse non loin de lui pendant qu'il travaillera, silencieuse et tricotant la layette de leur fils. Avant qu'il soit né ils auront bien trouvé à se loger mieux. De temps en temps il se lèvera de sa table pour venir l'embrasser. Elle trouvera du travail pour les aider à vivre, des copies à corriger, de la couture. Elle le fera le soir pendant qu'il sera à l'atelier. Elle se couchera quand elle sera lasse, et quand il rentrera elle l'entendra ouvrir la porte et elle fera semblant de dormir pour lui laisser le bonheur de la réveiller en se penchant sur elle.

Elle est descendue de sa chambre en chantant, légère, heureuse comme on peut l'être quand on est sûr des lendemains. Elle a remis la robe bleue d'été que Jean aimait tant. Elle a un peu froid, mais c'est un bonheur de frissonner à cause de cette robe. Le frisson lui rappelle la robe, et la robe rappelle l'été et l'amour de Jean, et la joie de Jean quand il voyait au loin apparaître sa robe. Même la nuit, à Saint-Sauveur, il lui disait qu'il voyait de loin le bleu de sa robe, plus lumineux que le blanc de sa robe blanche, parce que c'était celle-là qu'elle portait la première fois qu'elle était venue vers lui. Bientôt, elle ne pourra plus la mettre... Elle rit, elle pense qu'elle sera drôle et ridicule, et que Jean l'aimera encore davantage.

Mme Margherite, qui revient de sa classe, un livre sous le bras, l'entend rire et s'arrête, au bout du couloir. Marie reprend sa chanson fredonnée, ouvre une porte, la referme, et derrière la porte Mme Margherite l'entend encore chanter, marcher d'un pas de danse, aller de la cuisine à la salle à manger en faisant cliqueter les assiettes et les couverts, et les verres qui tintent.

— Est-ce possible ? dit Mme Margherite.

Et voilà qu'elle entend la porte d'entrée s'ouvrir, et son mari poser sa canne dans le vestibule, et accrocher en fredonnant son manteau et son chapeau au portemanteau de faux fer forgé, et s'approcher d'un pas léger, dansant, de vieillard conservé jeune par son égoïsme. D'un côté son mari, de l'autre côté sa fille, et l'un et l'autre dansent et chantent, après

417

ce que sa fille a fait, après ce que son mari lui a dit...

Et Mme Margherite est seule au bout du couloir, dans la pénombre, seule, droite, sèche. Se peut-il que sa fille soit du même sang, toute du même sang que ce jouisseur sans souci?

— Est-ce possible? répète Mme Margherite.

M. Margherite ouvre la porte du couloir, et dès qu'il aperçoit sa femme, cesse de chanter. Il va parler, mais à son tour il entend Marie, il s'immobilise, et son visage s'étonne puis largement sourit.

— C'est elle? demande M. Margherite.

— Qui veux-tu que ce soit? répond Mme Margherite.

— Eh bien, eh bien, je n'aurais tout de même pas espéré ça, en tout cas pas si vite!

— C'est bien ta fille! dit Mme Margherite.

Alors ils sont entrés tous les deux dans la salle à manger, Mme Margherite la première, les lèvres crispées, et M. Margherite derrière elle, se frottant les mains, la bouche pleine de paroles de satisfaction. Et Marie a pivoté sur une jambe, sa robe s'est envolée un peu autour d'elle et a repris sagement sa forme de robe, et ses cheveux qui s'étaient envolés ont de nouveau baigné ses épaules. Et maintenant qu'elle leur fait face, un pain frais dans une main, dans l'autre une serviette blanche, ils peuvent l'un et l'autre voir ses yeux rayonnants, ses joues roses comme au printemps, ses lèvres fraîches d'enfant, son front pur et beau, et l'un et l'autre comprennent qu'ils se sont trompés.

— Qu'est-ce qui te prend? Qu'est-ce qui se passe? demande M. Margherite.

Il a perdu son sourire et ses bonnes paroles, et son front se plisse.

Mme Margherite pose son livre sur le buffet et s'assied.

Elle regarde son mari, puis sa fille. Il était beau, oui aussi beau qu'elle, lorsqu'il était jeune, mais jamais il n'a eu cette flamme de bonheur sur le visage.

— Il ne se passe rien, dit Marie. Tout au moins pour aujourd'hui...

— Comment, « pour aujourd'hui » ?

— Oui, pour aujourd'hui, parce que dans quelques jours Jean va venir me chercher.

— Te chercher ?

— Oui, me chercher...

Elle pose la main sur la table, la serviette propre dans l'assiette de son père et s'en retourne vers la cuisine.

M. Margherite soupire, lève les bras, les laisse retomber, s'assied, désolé. Il va falloir tout recommencer ! Encore parler, persuader, raisonner ! Comme Marie revient, il dit :

— Je croyais pourtant t'avoir fait comprendre...

— J'ai bien compris, dit Marie. C'est toi qui ne comprends pas. Je ne t'en veux pas. Je ne dirai jamais à mon fils que son grand-père ne voulait pas qu'il vienne au monde. Je pense qu'un jour tu seras content de l'embrasser...

Mme Margherite regarde sa fille et ne la reconnaît pas. C'était une enfant sage, obéissante, silencieuse dans la grande maison, gracieuse, mais un peu effacée, qui ne parlait que pour répondre, et de ce que sa mère et son père connaissaient, parce que son monde n'était qu'une partie de leur monde. C'était leur fille.

Et maintenant la voilà séparée, vivant de sa propre vie dans son monde à elle. Elle parle à son père avec une assurance familière. Elle ne discute même pas. Elle n'est plus avec lui, elle est devant lui.

M. Margherite se dresse, et pose une main sur la table.

— Ecoute, dit-il tu te fais bien des illusions, et je tiens à te prévenir tout de suite. J'ai écrit aujourd'hui à ton Tarendol. Je lui ai ouvert les yeux, je lui ai montré quelle bêtise vous feriez en vous mariant, j'ai précisé que tu n'aurais pas un sou de dot, et qu'il ne fallait pas qu'il compte sur moi pour vous nourrir. Je n'ai même pas repoussé sa demande en mariage. J'ai simplement fait appel à sa raison. Depuis qu'il est à Paris, il doit commencer à savoir ce que c'est que la vie. Les cailles n'y tombent pas toutes rôties, surtout en ce moment! Il comprendra mieux que toi, s'il tient à son avenir. Et si tu l'attends, je crois que tu peux l'attendre longtemps!

— Moi aussi, je lui ai écrit, dit doucement Marie. Maman, les nouilles sont sur le gaz. Elles sont presque cuites. Dans quelques minutes vous pourrez manger. Je monte me reposer un peu...

— Tu ne manges pas? demande Mme Margherite.

— Oh! j'ai mangé, dit Marie.

Elle regagne sa chambre. Sa joie ne l'a pas quittée. Ce que son père a pu écrire à Jean n'a pas plus l'importance que ce qu'il lui a dit la veille au soir. Tout cela n'existe pas. Dans dix jours, peut-être huit jours, peut-être moins encore, Jean l'aura prise et emportée. Elle est déjà avec lui.

Suivons les deux lettres. Elles ont été tamponnées au timbre gras par Mlle Lacôme, employée auxiliaire à la poste de Milon, le même soir, parmi quelques centaines d'autres. Le tampon est en cuivre avec un manche en bois, et une petite vis qu'on desserre pour changer les caractères de la date. Et les caractères sont englués d'encre et de poussière. Mlle Lacôme prend une poignée de lettres, les pose sur sa plaque de caoutchouc noir, et sa main droite frappe une lettre, frappe le tampon encreur, frappe une autre lettre, frappe le tampon. Et sa main gauche, chaque fois, enlève la lettre du dessus, découvre un timbre neuf que le tampon vient frapper au visage. Mlle Lacôme va vite. Elle aime bien faire ce travail, c'est un travail qu'un enfant aimerait faire, elle n'est plus une enfant puisqu'elle a quarante-six ans, mais à faire ce travail elle se sent presque, chaque soir, redevenir un enfant qui fait pour s'amuser un travail de grande personne. Elle aime aussi l'odeur de la cire qui chauffe sur le gaz, la cire qui va servir à cacheter les sacs postaux. Et les coups de tampon et l'odeur de la cire annoncent la fin de la journée.

Mlle Lacôme a tamponné la lettre de Marie entre

une enveloppe de Grand Bazar dont elle a reconnu au passage la marque avec un arrosoir et une charrue imprimée en bleu — le Grand Bazar vend surtout des articles pour les cultivateurs — et une enveloppe timbrée au tarif réduit, avec une fenêtre transparente, sûrement une facture.

M. Margherite avait collé son timbre au milieu, au lieu de le coller à droite, comme tout le monde, et Mlle Lacôme a dû donner un coup de tampon supplémentaire qui a brisé son rythme.

Toutes les lettres pour Paris sont allées dans le même sac. Le train part le matin à 7 h 12'. A 6 h 30', le facteur Didier vient chercher le courrier pour le porter à la gare. Il est manchot. De la porte, il jette les sacs l'un après l'autre, avec son bras droit, dans sa poussette à trois roues. La manche gauche de sa vareuse bleue est repliée et attachée à l'épaule par une épingle. Il rabat le couvercle de sa poussette, ferme le cadenas et s'en va d'un pas tranquille à la gare. C'est tout près. Le convoyeur, seul dans un compartiment de deuxième classe sur la vitre duquel est collée une étiquette « Postes-Réservé » reçoit les sacs et coche à mesure son bordereau, les dispose sur les banquettes, à terre, dans les filets. Il en recevra ainsi à chaque arrêt, jusqu'à la grande ligne. Il descend sur le quai bavarder avec Didier, jusqu'au moment où le petit train part. Didier regarde s'il n'y a pas quelque mégot à ramasser sur le quai, serre la main du chef de gare et s'en va avec sa poussette.

Le rapide qui transportait les lettres de Marie et de son père a sauté sur une mine entre Montélimar et Valence. La charge a explosé juste sous la machine, qui a roulé en bas du remblai, entraînant le fourgon et

les cinq premiers wagons. Le convoi n'allait pas vite.
Le mécanicien et le chauffeur ont été tués, quelques
voyageurs blessés. Les maquisards qui avaient miné
la voie ont visité le train mitraillette au poing. Ils
cherchaient des miliciens de Marseille. Ils les ont
trouvés, les ont emmenés. Le courrier n'a pas eu de
mal. Les deux lettres sont arrivées seulement avec
deux jours de retard. Elles ont été distribuées le matin.

Mme Gustave a mis les lettres dans la poche de son
tablier. « M. Tarendol sera content de les avoir, ce soir,
ça fait deux jours qu'il vient pour rien. »

Deux jours de retard, c'est peu de chose...

L'allée qui mène au bois du Garde-Vert est tapissée de feuilles encore épaisses de sève, que les arbres ont secouées de leurs branches, en pluie de pourpre et de rouille. Elles vont sécher et se tordre sur le sol jusqu'à devenir assez légères pour le vent. Les rosiers ne sont plus que chevelures hérissées et griffues. Des perles d'eau se sont empalées aux épines.

Marie est venue faire ce pèlerinage. Elle marche lentement, tête basse. Elle s'efforce de se rappeler l'odeur des roses, la chaleur de la main de Jean autour de sa main. Elle se souvient de la chenille somptueuse qui traversa leur chemin. Chenille, papillon, depuis longtemps envolé dans les feux du soleil, peut-être jusqu'à la gorge d'un oiseau.

Marie arrive au bois de pins. Les grands arbres dressent, vers le ciel parcouru de nuages, leur voûte d'où tombe de temps en temps une goutte de la dernière averse.

Le froid a éteint la chanson des cigales et le parfum de la résine. Sous les pas de Marie le tapis d'aiguilles fait parfois un bruit gorgé d'eau. Les troncs sont moins roses, presque gris. Est-ce contre celui-ci que Jean vint s'adosser, tendant les bras vers elle ? Elle ne peut pas le reconnaître, elle ne l'a pas regardé ce jour-là, elle ne regardait que Jean.

Dans quelques jours, il arrivera, il tendra de nouveau les bras vers elle, et quand il les aura fermés, cette fois-ci, il ne les rouvrira plus.

Marie appuie contre l'arbre sa joue d'abord, puis tout son corps. L'écorce est rude et fraîche contre la peau de son visage. Elle ferme les yeux. Elle est heureuse d'être Marie et d'être femme, de s'être couchée devant Jean, de s'être ouverte devant lui pour recevoir le dur plaisir et la vie chaude qui est restée en elle ; heureuse d'être le terrain miraculeux où il sema cette graine qui a germé et qui pousse, jusqu'au jour où la moisson mûre la quittera en la déchirant de joie et de sang. Elle est femme, elle est la femme de Jean. Elle se sent pleine et ronde, et elle respire bien, et son sang court bien, tout fonctionne bien dans son corps épanoui, tout travaille en joie pour cet amour en elle, ce fils chaud de Jean, vivant, qu'elle porte et nourrit.

En s'en allant, elle a laissé quelques cheveux accrochés à l'écorce. Un brin de soleil s'est glissé entre deux lèvres de nuages, entre les herses des pins et s'est fleuri de l'arabesque des fils d'or.

Marie a mis tout à l'heure une autre lettre à la poste. La première est partie il y a trois jours, et une autre chaque jour depuis. Elle n'a plus à se cacher. Sa mère ne lui dit plus un mot. Son père prétend que Jean ne viendra pas. Pauvre père, pauvre mère, s'ils se sont si peu aimés qu'ils soient incapables de comprendre comme nous nous aimons, quelle triste vie ils ont dû vivre !

A travers le bois, Marie se dirige vers la maison du

Garde-Vert. Elle veut visiter cet asile où Jean et ses amis dormirent une nuit. Elle entre par la porte béante dans une grande pièce un peu obscure, qui sent le bois moisi et les feuilles mortes. Le plancher gondolé, couvert de débris végétaux, cède par endroits sous ses pieds. Elle cherche du regard l'escalier qui conduit à l'étage, mais tout à coup s'arrête, écoute : quelqu'un marche dans la maison ; un pas furtif traverse le plafond au-dessus d'elle. Marie effrayée sort sans bruit, et dès qu'elle a atteint l'allée se met à courir. Elle court, s'arrête pour franchir une ronce qui barre sa voie, court de nouveau. Son cœur s'emballe, sa tête tourne, une nausée lui monte aux lèvres. Elle se penche vers un buisson. Sa tête sonne comme une cloche. Elle repart en courant, mais ses jambes faiblissent. Elle va tomber, s'évanouir. Elle s'assied sur les feuilles humides. Heureusement, la route est là, à quelques pas. Marie reprend son souffle et son sang-froid. Elle sourit. Ce n'était sans doute qu'une petite bête des bois... Une aigreur brûlante lui est restée dans l'arrière-bouche, ses jambes tremblent encore. Cher petit, si petit, et déjà si tyrannique...

Il suffit parfois d'une courte absence pour retrouver vieillis, au retour, les gens auprès de qui on vivait sans les voir changer. Depuis que nous l'avons quitté, M. Chalant s'est épaissi. Sa mèche tondue par la Gestapo a repoussé aussi légère, sans un cheveu blanc, mais ses yeux se sont un peu ternis, ses joues devenues lourdes. Il s'essouffle à monter l'escalier du dortoir. Le coiffeur a marié sa fille. C'est incroyable, elle était si laide. Pendant que d'autres, bien plus belles, ne trouvent pas de mari. Mᵐᵉ Chalant était déjà trop maigre, trop surmenée, pour pouvoir devenir plus maigre et plus lasse. Sa petite Georgette, dans le berceau, gazouille, fait des bulles, tourne ses mains roses devant ses yeux, les aperçoit, sourit. La rue des Écoles nous paraît moins longue, moins large, les maisons plus basses. La borne-fontaine laisse échapper un filet d'eau. Jacqueline n'a plus ouvert son piano ni le grand étui ridicule de son violoncelle. Elle n'en a pas le temps, elle n'en a plus envie. Elle aide son mari, tient la comptabilité secrète, celle du marché noir, que le comptable ne doit pas connaître. Elle commence même à traiter des marchés. Elle n'éprouve pas d'amour pour son mari, elle ne le déteste pas. Il est dur, un peu brutal dans ses manières, avare de mots, mais elle commence à le comprendre. Il est comme ça, il est son mari, elle l'a bien voulu, elle est sa femme. Elle sait bien qu'elle n'est pas belle. Sans doute Fiston n'aurait jamais pu l'aimer. Quand elle prononce ce nom dans sa mémoire, elle reçoit encore un coup au cœur. Cela lui arrive de moins en moins souvent. Les visites de Marie la troublent davantage. Marie, avec cette joie qui gonfle sa chair, est l'image même, vivante, lourde et chaude, mûre, de tous les bonheurs de l'amour. Jacqueline sait qu'elle ne connaîtra jamais ces bonheurs. Elle n'était pas faite pour eux. Marie partie, elle retrouve sa tranquillité. Le soir, quand elle se couche près de son mari, elle est calme et sèche. Elle n'a plus ouvert son piano ni l'étui de son violoncelle. Elle commence à marcher de la même démarche que Mme Margherite, et à regarder les gens autour d'elle du même regard sérieux. Elle n'éprouve pas d'amour pour son mari, mais il est bien son mari. Quand il a reçu par la poste un petit cercueil en bois, elle a éprouvé une telle inquiétude qu'elle s'est bien sentie liée à lui solidement. Charasse a grogné et haussé les épaules. Ils savent, l'un et l'autre, que ce ne sont pas les gars du maquis qui ont envoyé le cercueil. Charasse donne régulièrement de grosses sommes au pharmacien pour les réfractaires, et aussi — mais cela, Jacqueline elle-même l'ignore — tous les renseignements qu'il peut se procurer sur les déplacements des convois allemands. La menace vient d'un jaloux, sûrement, comme il y en a tant. Une saleté.

La semaine s'est écoulée. Jean n'est pas venu, n'a pas donné de ses nouvelles. Marie a su qu'un train avait sauté, bien que les journaux n'en aient rien dit. Mais si sa lettre, ce jour-là, a été perdue, Jean a reçu les suivantes. Elle a écrit tous les jours, et tous les jours elle a dit à Jean :

« Viens me chercher, n'attends pas une minute, viens nous chercher... »

La semaine a passé, et voici la semaine suivante qui commence. Il est vrai que les courriers sont longs, et sans doute Jean n'a-t-il pu quitter son travail, ni obtenir un billet tout de suite. On dit qu'il faut retenir sa place plusieurs jours à l'avance dans les trains au départ de Paris. Le fait même que Jean n'ait pas écrit prouve qu'il va arriver incessamment. Il n'a pas écrit parce qu'il pense être là avant sa lettre. Demain. Peut-être ce soir...

Marie a fait plusieurs fois sa valise, a dû la défaire pour chercher du linge, de menus objets dont elle avait besoin. L'attente la tient tendue comme un arc. Le temps dur et transparent devant elle ne s'use que seconde à seconde.

Elle ne sait où se mettre pour mieux attendre. Si elle reste immobile quelque part, il lui semble que le temps ne passe plus. Elle sort, elle va voir Jacqueline, regarde sa montre — encore deux heures avant le train — va à la gare, demande si aucun retard n'est annoncé, revient chez elle, s'étend sur son lit, les yeux fixés à une tache au plafond. Bientôt la tache danse, le plafond devient vert et rouge. Marie se relève, ouvre la fenêtre, bâille durement, soupire, bâille encore, sans parvenir à rendre plus calme sa respiration, plus souple son cœur. Ses mains se crispent autour des objets et tremblent quand elles n'ont rien à tenir. Encore une demi-heure. Elle s'assied. Elle se force à attendre encore ici. Elle est assise au bord de la chaise, le buste raide, les deux mains à plat sur ses genoux, elle regarde le mur devant elle, puis sa montre à son poignet. Son menton commence à trembler, elle se lève, cherche un mouchoir, se mouche, se rassied, va se regarder dans la glace, et de se voir se sent moins seule, se détend un peu, se sourit, secoue ses cheveux, machinalement leur donne quelques coups de peigne. Plus qu'un quart d'heure...

Alors elle a peur tout à coup d'être en retard, descend l'escalier en hâte, claque la porte derrière elle, descend la rue, tourne à droite. Elle a envie de courir mais n'ose, marche aussi vite qu'elle le peut. Elle ne voit rien, personne, elle a déjà dans les yeux l'image du train et celle de Jean qui descend et lui tend les bras...

Elle n'a pas mis cinq minutes pour arriver à la gare. Elle va voir de nouveau si aucun retard n'est annoncé, puis s'éloigne des gens groupés devant la sortie, marche doucement autour du platane, sur la place. Maintenant, il ne reste plus beaucoup de temps à attendre. Elle s'arrête, s'appuie à l'arbre. De là, quand elle verra Jean faire le premier pas dehors, sa valise à la main, elle l'appellera : « Jean! », il tournera brusquement la tête, il laissera tomber sa valise, il courra vers elle...

Un coup de vent apporte le brut lointain du train. Il arrive. Il entre en gare. Par-dessus la barrière qui sépare le quai de la place, Marie voit défiler les vieux wagons, les voyageurs impatients déjà pressés sur les plates-formes, prêts à descendre. Des hommes, des femmes. Elle croit reconnaître Jean. Elle n'est pas sûre. Peut-être maintenant... Ou cet autre... Le train va encore trop vite. Le fourgon de queue disparaît derrière le bâtiment de la gare. Que les voyageurs sont donc lents à sortir! Voici enfin les premiers qui se présentent à la petite porte ouverte dans la barrière. Un employé indifférent prend les billets. Un officier allemand et deux soldats casqués se tiennent près de lui. L'officier regarde vaguement les voyageurs. Les soldats ont l'arme à la bretelle. Des exclamations, des bruits de baisers, un enfant saute au cou de son père, des familles s'en vont, parlant fort. « Alors tu as fait bon voyage? Donne-moi ta valise. Mais non, elle n'est pas lourde. Mais si, mais si, voyons... » Un homme s'en va tout seul, d'un pas rapide. Marie, crispée, soulevée sur la pointe des pieds, regarde, regarde...

Les voyageurs agglomérés derrière la barrière ont tous passé, un à un, par la petite porte. L'officier allemand et ses deux hommes rentrent sur le quai ; Didier, le facteur manchot, sort poussant sa poussette, s'arrête une minute pour bavarder avec l'employé, lui serre la main, s'en va. L'employé ferme la porte. Marie est toute seule sur la place. Elle s'approche doucement,

431

tire la porte, s'aperçoit qu'elle est fermée avec un cadenas, se hisse des deux pieds sur la barre inférieure, se soulève, se penche par-dessus les lattes pointues qui lui meurtrissent la poitrine, regarde le quai. Le petit train est immobile, mort. Un cheminot, balai à la main, visite les wagons. La machine dételée fume au bout d'une voie...

Alors Marie pense que peut-être elle a manqué Jean, qu'elle ne l'a pas vu, bien qu'elle ait tant regardé, qu'il est sorti par quelque autre porte, il est peut-être déjà arrivé chez elle... Elle rentre aussi vite qu'elle peut, trouve la maison calme, sa mère penchée sur des copies dans son bureau. Il est peut-être allé d'abord chez Jacqueline! Elle court chez Jacqueline. Jacqueline hoche la tête. Marie sourit sans avoir l'air trop triste, dit : « Tant pis, ce sera pour demain... » Mais ce qu'elle dit à Jacqueline, elle ne le pense pas tout à fait, elle espère encore que ce sera pour aujourd'hui, qu'il a été retardé dans la ville, elle refait le chemin de la gare en regardant dans toutes les boutiques, elle revient, s'arrête devant la porte ouverte du Collège pour regarder dans la cour, rentre à l'École, s'installe à la fenêtre d'une classe déserte qui donne sur la rue, attend.

A la fin de la deuxième semaine, M. Margherite a écrit à Jean pour le remercier.

...Je n'en attendais pas moins de vous. Vous avez pris la bonne résolution, celle d'un honnête homme, celle d'un homme. Je vous demande de persister dans votre silence. Certes, Marie en souffre, vous ne l'ignorez pas puisqu'elle vous écrit, mais cette souffrance même est salutaire. Plus dure sera la crise qu'elle subit, plus elle sera brève, et plus rapide la guérison. Vous avez enfin compris que la vie n'est pas un roman. Marie le comprendra aussi. L'essentiel, c'est qu'elle n'entende plus parler de vous...

Il a tapé sa lettre à la machine, dans le bureau de sa femme, avec deux doigts de la main gauche et un doigt de la main droite, il n'a jamais su faire mieux Il a plié le double et l'a mis dans son portefeuille.

Chez M. Figuier, l'épicier, Marie est entrée, silencieuse. Elle porte un manteau marron, un peu court, serré à la taille par une ceinture. L'an dernier, il lui allait bien, cette année il aurait fallu défaire les ourlets des manches et du bas. Elle n'a pas fini de grandir. Elle a enfermé ses cheveux dans un foulard grenat noué sous le menton, qui lui tient chaud aux oreilles.

— Fermez bien la porte! crie M. Figuier, de derrière son comptoir.

Il fait froid. La douceur de l'automne s'est longuement prolongée, puis a fait place, sans transition, au gel. Quelques flocons de neige sont déjà tombés. Le vent les a emportés, réduits en fine poussière qu'il a cachée dans des trous.

Marie, docile, ferme la porte. De son sac à provisions elle tire un portefeuille, et du portefeuille les tickets du mois de décembre, qu'elle pose sur le comptoir, devant M. Figuier. Elle dit :

— Donnez-moi les pâtes.

On entend à peine sa voix.

— Qu'est-ce que vous voulez, demande M. Figuier,

434

des macaroni ou des langues d'oiseau ? C'est tout ce que j'ai.

— Moitié, moitié, dit Marie.

On entend à peine sa voix et on ne parvient pas à saisir son regard. Il semble absent de ses yeux. Elle paie et s'en va. A la porte, elle s'efface pour faire place à Mme Reynaud qui entre. Mme Reynaud entre et regarde Marie sortir, et M. Figuier la regarde également. Marie ferme la porte et s'en va. Il semble qu'elle ne soit pas venue dans le magasin, elle n'y a laissé ni parfum, ni chaleur, ni trace de ses pas, ni écho de sa voix, ni son sillage dans l'air. Elle est entrée et sortie sans déranger une poussière, sans mettre un souffle en mouvement.

M. Figuier et Mme Reynaud hochent la tête en même temps, et parce que les femmes sont plus bavardes, c'est Mme Reynaud qui parle la première. Elle dit :

— Je me demande ce qu'elle a, la petite Margherite.

— Je me le demande aussi, dit M. Figuier.

— Je la reconnaissais pas, dit Mme Reynaud. Elle a l'air malade.

— Ça mange pas assez, dit M. Figuier. A cet âge, ça devrait manger comme quatre. Et d'être sous-alimenté, quand le froid vient brusquement, la tuberculose vous prend comme rien. Il paraît qu'à l'école, quand le médecin les a visités, il y en avait soixante pour cent qui étaient malades. C'est le chiffre qu'on m'a dit. Je vous le garantis pas.

— Ça m'étonne pas, dit Mme Reynaud.

— Qu'est-ce que je vous sers, Mme Reynaud ? Vous voulez les pâtes ? J'ai rien que des macaroni et des langues d'oiseau...

— Vous pouvez les garder, vos pâtes, dit Mme Reynaud. Heureusement que j'ai jamais eu d'enfants. Quel souci, quels tourments aujourd'hui d'élever une famille!

Ils se frottent les mains tous les deux parce qu'ils ont froid. M. Figuier est rouge, presque violet. Lui n'est pas sous-alimenté. Mme Reynaud non plus, c'est la charcutière. Elle apporte un rôti dans son sac pour M. Figuier, et M. Figuier va lui donner une livre de beurre. Marie rentre chez elle sans voir le trottoir où elle marche, ni la rue, ni les passants, ni les maisons. Elle a froid, mais s'il faisait très chaud sans doute aurait-elle encore froid. La deuxième semaine est passée, la troisième vient de se terminer, et Jean n'est pas venu, et n'a pas écrit.

Marie a maigri, elle est devenue blanche, elle ne parle presque plus, elle va et vient dans la maison, dans le bourg, les yeux fixes, elle attend d'abord le facteur, puis le train. L'arrivée du courrier, un peu avant midi, et celle du train, à la fin de la journée, lui rendent pour quelques instants un peu d'espoir, remettent un peu de vie sur son visage. Ni le facteur ni le train n'apportent rien, et elle retombe dans cet état d'absence qui fait dire aux gens qui la croisent :

— Qu'est-ce qu'elle a, la petite Margherite ?

Elle ne comprend pas. Ce n'est pas possible qu'il ne l'aime plus, que du jour au lendemain il soit devenu quelqu'un d'autre que le Jean qu'elle connaît. Elle ne comprend pas. Elle dit :

— Il est peut-être malade.

Son père lui répond :

— Cela ne l'empêcherait pas de te faire donner de ses nouvelles...

Elle dit :

— Il est peut-être mort...

Et quand elle prononce ce mot et qu'elle imagine ce qu'il signifie, elle sent une épouvante abominable lui monter du ventre à la gorge. Son père répond :

— S'il était mort, tes lettres reviendraient...

Elle dit :

— Il a peut-être été pris par la Gestapo...

Elle a écrit à son logeur et à son patron, à Gustave et à Billard pour leur demander des nouvelles de M. Jean Tarendol. Ni Gustave ni Billard n'ont répondu.

Alors M. Margherite lui a dit :

— Tu vois bien, c'est lui qui leur a demandé de ne pas te répondre.

On ne peut ni télégraphier ni téléphoner, c'est terrible, rien qu'écrire, et attendre, attendre...

M. Margherite dit :

— Ma petite Marie, il faut te faire une raison. Ce garçon, en se conduisant de la sorte, lui, se montre raisonnable. Un jour tu le comprendras, et dans ton for intérieur, tu le remercieras d'avoir agi ainsi. Il faut te faire une raison et m'écouter, et te débarrasser de la dernière trace de cette malheureuse aventure...

Marie ne répond pas. Il y a quelques jours son bonheur était si proche d'elle qu'il lui éclairait le visage, qu'elle pouvait presque l'atteindre à deux mains. Et puis il s'est éloigné, il a disparu, maintenant elle est seule devant un vide noir. « Il s'est fait une raison... » Ce n'est pas possible. Et pourtant il n'est pas venu, il n'a pas écrit. « Nous nous marierons à la Noël... » Et Noël est dans vingt jours, il n'a pas écrit, il n'est pas venu...

« Il faut te faire une raison... » Quelle raison pourrait-elle se faire ? Elle laisse la lumière toute la nuit allumée dans sa chambre. Elle a peur, dans le noir, de voir son malheur exactement tel qu'il est. Dans le jour, à la lumière, elle peut encore essayer de ne pas comprendre. Le plus terrible, c'est quand elle se rappelle les rendez-vous du Garde-Vert ou les nuits de Saint-Sauveur, ou un geste, un sourire, le son de la voix de Jean, qui le rendent si présent dans le temps, dans l'espace, qu'il lui semble que c'est bien là la vérité la réalité présente, Jean près d'elle, son Jean si grand, si solide, si beau, si souriant, si plein d'amour, si fort pour elle, et pour toute sa vie en abri autour d'elle. Et tout à coup elle est obligée de se dire : « Non, il n'est pas là, il n'est pas venu, il n'a pas écrit. » Et la voix de son père : « Il s'est fait une raison... » Alors elle tombe dans le présent, dans le réel, seule, nue, chassée, réduite, brisée, seule, seule, dans le monde glacé où Jean n'est pas.

Elle en oublie presque son enfant. Jean d'abord, l'enfant n'est que part de lui. Si Jean n'est pas là, comment l'enfant peut-il y être ? Elle s'en souvient aux repas, pour manger un peu, sans faim, pour lui, mais elle vomit presque tout ; elle s'en souvient quand son père lui dit : « Il faut te faire une raison, et te débarrasser... » Elle s'en souvient alors pour le défendre. Elle ne répond pas à son père, mais elle ne fera jamais ce qu'il demande. Si Jean ne vient pas, elle aura au moins son fils. Ils auraient pu l'aimer ensemble, l'élever de leurs quatre mains. Si Jean ne vient pas, l'enfant sera son petit à elle, il sera fragile, menacé, et leurs joies à tous les deux ne seront rien qu'à eux deux, secrètes et courtes, chuchotées. Il sera souvenir, et sa présence apportera le regret en même temps qu'un bonheur farouche. C'est lui qui donnera au lieu de recevoir. Il donnera le soleil par ses sourires, l'anxiété par ses joues creuses ou la toux de l'hiver. Il ne sera pas seulement l'enfant. Il sera tout ce qui reste, la seule dernière flamme du grand feu de bonheur entrevu. Elle aura toujours peur pour lui, toujours peur de lui, il sera son sang et son désespoir, et le soir, quand il se sera endormi, couché auprès d'elle, elle murmurera sur lui le nom de son père afin que son père soit présent près de lui au moins pendant les heures dures de la nuit.

Elle ne sait plus, elle ne sait plus, elle ne peut pas imaginer que Jean la laisse seule, seule avec leur enfant, elle ne peut pas imaginer qu'il la laisserait se noyer, mourir devant ses yeux, et pourtant il n'est pas venu, il n'a pas écrit.

Le matin, dès qu'elle met le pied à terre, une nausée la prend, et bien qu'elle ait l'estomac vide, elle vomit. Ce qu'elle vomit lui brûle la bouche, et ressemble à du jaune d'œuf. Elle ne peut plus faire la queue, elle s'évanouit. Elle a maigri, depuis huit jours, à tel point que ses vêtements flottent autour d'elle.

Son père insiste pour qu'elle mange. Il est plein de prévenances pour elle. Il compatit à sa peine. Il lui dit :

— Ce ne sera rien, ma poulette, nous avons tous passé par des crises pareilles. Il te faut seulement un peu de courage. Reprends un peu de pommes de terre.

Il sourit, il lui passe la main sur les cheveux. Marie frissonne. Il dit :

— Ce qu'il faut surtout, c'est te débarrasser de ce que tu portes. Il faut agir pendant qu'il est temps...

Marie ne pleure pas. Les pleurs peuvent tout juste soulager un chagrin d'enfant. Mais elle ne sourit plus, et ses yeux s'enfoncent sous son front, son menton devient pointu, la peau de son nez se tend, le haut de ses joues s'avance. Elle ne danse plus en marchant, elle glisse, elle soulève à peine les pieds. Elle ne parle que pour l'indispensable, les mots que pourrait dire une servante, pour les repas ou les courses. Elle ne conduit plus les fillettes à la promenade. Son père lui dit :

— Il ne faut pas t'accrocher à un passé qui est maintenant disparu. Il faut libérer la route de ton avenir. Il faut te débarrasser...

Elle ne répond pas, elle s'en va. Dès qu'il la rencontre de nouveau, il lui dit :

— Tu as tort d'avoir peur, ce n'est rien du tout. Mais il ne faut pas trop attendre.

Il sourit toujours, il aime bien sa fille, il voudrait la convaincre doucement.

Mme Margherite. — Je me demande si tu as bien agi avec ces enfants. Marie me fait peur...

M. Margherite. — Ne t'inquiète pas, c'est la première réaction, bien naturelle. A cet âge, on commence toujours par prendre les choses trop au sérieux.

Mme Margherite. — Quand même, je n'aurais pas cru que ce garçon se serait si facilement laissé convaincre.

M. Margherite. — Vous, les femmes, vous êtes romanesques. L'Amour! L'Amour! Mais un homme, quand on lui parle raison, comprend vite.

Mme Margherite. — Marie a encore rendu tout son déjeuner. Et elle s'est évanouie dans la cuisine. Je ne suis pas tranquille. En faisant ton bridge, tu devrais demander au docteur Verjoul de lui donner un fortifiant.

M. Margherite. — C'est entendu, je lui demanderai, mais ces vomissements et ces syncopes sont dus à son état. Ne t'inquiète pas, dans quelques jours tu vas la voir changer, le chagrin fera place à la colère, elle se mettra à détester ce garçon autant qu'elle l'a aimé, et elle viendra elle-même me demander de la débarrasser. Après, elle aura vite fait de se retaper.

Mme Margherite. — Mon Dieu! mon Dieu! Ma petite Marie! Si elle m'avait écoutée!...

Marie n'ose plus relire les lettres de Jean. Ce sont des messages d'un autre monde. Celui qui les envoyait et celle qui les recevait vivaient sur une colline fleurie, au pied d'un rocher de soleil, sous le vol des oiseaux, leurs pieds foulant le chant de l'herbe. Marie, dans la vallée noire, sans horizon, heurtant les roches sèches, saignant à tous les cailloux, Marie ne peut plus les comprendre, ne peut plus les croire.

Sa mère lui a dit :

— Je sais ce que ton père te demande. Tu feras comme tu voudras. Ce n'est pas moi qui te pousserai à faire une chose pareille, bien que moi-même, je t'avouerai que je l'ai fait deux fois, sans danger, si c'est la peur qui te retient. Après toi, je n'ai pas voulu d'autre enfant. Mais ce que je veux te dire, c'est que tu aurais bien tort d'espérer encore en ce garçon. Je te parle par expérience. Ton père, quand nous nous sommes connus, me jurait tous les grands amours, et huit jours avant notre mariage il me trompait déjà. Je ne l'ai appris que longtemps après, avec bien d'autres choses. Tous les hommes sont pareils, ma petite Marie, ils sont comme des chiens, et ne cherchent que leur satisfaction. Après, on ne les intéresse plus. Ah! si tu m'avais écoutée...

Marie ne peut plus entendre tous ces mots. Ils lui font mal comme des coups sur la tête. Elle évite son père et sa mère. Quand elle les entend s'approcher d'elle à travers les pièces de la maison, elle se glisse vers d'autres pièces, mais les sourires de son père, le visage de compassion de sa mère, et leurs mots, leurs mots, la poursuivent malgré murs et cloisons, l'assiègent, la traquent, la pénètrent, la fouillent. C'est à son trésor qu'ils en veulent, à ce peu, à ce rien qui lui reste, à cette vie si frêle au fond de son corps maigre. Elle se traîne de couloir en escalier, ses avant-bras croisés en bouclier sur son ventre, méfiante, prête à la défense, farouche. Pour dormir elle s'enferme, et le matin s'habille de vêtements épais, elle épingle des serviettes pliées en deux à l'intérieur de sa combinaison, sur son ventre, car elle pense qu'elle n'a plus assez de chair pour le protéger. Sa poitrine paraît plus grosse, car ses seins n'ont pas maigri. Parfois elle les sent se gonfler. Ils sont lourds. Elle a acheté un soutien-gorge, mais il la serre et lui fait mal. Elle va en acheter un autre. Elle continue d'attendre le facteur, d'aller au train, elle continue par habitude, parce que cela coupe ses journées de deux moments d'illusion, de deux moments où elle éprouve autre chose que de la peur et le vide affreux de sa solitude.

En sortant de chez la mercière, elle est allée voir Jacqueline. Elle ne l'avait pas vue depuis quatre jours. Jacqueline l'a embrassée, les larmes aux yeux.

— Ma pauvre chérie! dans quel état tu es! Pourquoi te laisses-tu aller ainsi? Tu crois qu'il en vaut la peine, le saligaud qui t'abandonne? S'il te voyait, il rirait bien! Il faut réagir, Marie, pense à ton petit, il faut te garder bien portante, rien que pour lui! Tu devrais quitter tes parents, venir habiter avec moi, au moins tu aurais la paix. Moi qui voudrais tant avoir un enfant... Quand je pense à Jean! Les hommes sont bien tous les mêmes. Ils ne pensent qu'à ça, et se fichent du reste. C'est pourtant pas grand-chose...

Pas grand-chose!... Le souvenir fulgurant de l'amour et de la joie, de l'amour de Jean, de la joie de Jean dansant en elle jusqu'au déluge de soleil, jusqu'à la chair vidée et emplie jusqu'aux ongles, jusqu'au sang bouillant et glacé, jusqu'à cette goutte de vie qui la perce comme un plomb fondu, jusqu'à toute vie perdue dans le repos de la terre bercée par le ciel, le souvenir de Jean soleil, Jean rocher, Jean étoiles, Jean mon amour, mon Jean, Jean, Jean, qui ne sera jamais, jamais plus Jean, l'étreint, la tord, la broie, lui arrache un cri de mort. Elle s'accroche au cou de Jacqueline, elle sanglote à grands sanglots bruyants de désespoir, elle gémit, elle pleure, elle crie des cris noyés de larmes, hachés de hoquets, elle râle.

Jacqueline l'a couchée, lui a lavé le visage. Elle a fermé les yeux, elle est blanche, elle a l'air d'une morte. Elle s'est levée pour l'heure du train. Jacqueline l'a accompagnée. Elles ont regardé toutes les deux s'en aller les voyageurs indifférents et les familles agitées avec les enfants qui faisaient claquer leurs galoches et soufflaient dans leurs doigts. Jacqueline est venue jusqu'à la porte de l'École. Marie l'a embrassée, puis elle est montée dîner. Elle veut manger. Maintenant elle va être forte, elle va se soigner, elle va réagir, pour son enfant, pour cette vie que Jean a laissée en elle, et pour laquelle elle vivra.

Au dessert, M. Margherite a dit :

— Je suis heureux de te voir bien manger. Cela prouve que tu commences à devenir raisonnable. Il était temps, parce que tu as vraiment mauvaise mine. Je ne te parle pas du reste, mais il faut te soigner et réagir.

Mme Margherite se lève et quitte la table. M. Margherite caresse sa petite barbe. Marie, les mains posées de chaque côté de son assiette vide, regarde devant elle, quelque part dans l'obscurité de la pièce. Entend-elle ce que dit son père ?

— Puisque tu es plus raisonnable, je vais te montrer quelque chose qui te convaincra, je l'espère, de la raison du silence de ce... de ton... du jeune Tarendol. Pour le reste, nous en reparlerons dans quelques jours.

Il tire de la poche intérieure de son veston son portefeuille de maroquin marron, une bien belle qualité de cuir, que l'usage lustre et affine. Il l'ouvre, cherche parmi des papiers, en déplie un, le met dans la main de Marie.

— Lis ! C'est le double de la lettre que j'ai écrite à M. Tarendol il y a bientôt vingt jours. Tu sauras maintenant que c'est un garçon raisonnable. A toi de l'être autant que lui...

Vous avez pris la bonne résolution, celle d'un honnête homme, celle d'un homme. Je vous demande de persister dans votre silence... L'essentiel, c'est qu'elle n'entende plus parler de vous...

444

Marie a lu, a plié la lettre en quatre et l'a rendue à son père, l'air très calme.

— Garde-la, garde-la, a dit M. Margherite, tu la reliras, ça te fera du bien.

Il s'est levé pour aller fumer une pipe dans le bureau de sa femme, qui est chauffé.

Marie s'est levée aussi pour desservir, et elle a poussé la lettre, du dos d'une cuillère, avec les rognures de fromage et les croûtes de pain, dans l'assiette du dessus. A la cuisine, elle a mis de l'eau à chauffer sur le gaz pour faire la vaisselle, mais sa mère est venue et lui a dit :

— Monte te coucher, va. La femme de ménage la fera demain avec celle de midi.

Marie, sans rien dire, a ôté le tablier qu'elle avait noué autour de sa taille. Elle n'osait pas ouvrir la bouche, elle retenait de toute sa volonté la nausée qui tentait de lui faire rejeter le dîner mangé à si grand courage. Elle est montée vers sa chambre. Arrivée à l'avant-dernière marche, elle a senti qu'elle allait s'évanouir, elle a eu une peur atroce, elle a mis tout ce qu'il lui restait de force, de vie, dans sa main jetée vers la rampe. Mais sa main n'est pas arrivée jusqu'à la rampe. Son genou droit à plié le premier, elle a tourné un peu sur elle-même, et elle est tombée vers le bas, elle a roulé jusqu'au palier.

Le docteur Verjoul a dit qu'elle n'avait rien de grave, c'est une chance, une chute pareille. Mais bien sûr il ne sait pas qu'elle est enceinte, il ne l'a pas examinée pour ça. C'est un vieux toubib, un ami de M. Margherite. Il lui a dit :

— Il faut la faire manger, ta gamine, c'est surtout de ça qu'elle a besoin.

— Justement, je voulais te demander un fortifiant pour elle.

— Fortifiant! Fortifiant! Des biftecks, oui, voilà les fortifiants qu'il lui faut! Je vais lui faire un certificat de suralimentation.

— Écoutez, docteur..., a dit tout à coup Mme Margherite.

M. Margherite lui a coupé la parole, sèchement :

— Tais-toi, tais-toi donc! Je t'en prie!...

Le docteur parti, Mme Margherite s'est mise à pleurer.

— Tu es folle! dit M. Margherite. Puisque Marie n'a mal nulle part, juste ces écorchures! S'il y avait des complications, il serait toujours temps de le dire au docteur. Pour le moment, ça ne le regarde pas. Et de quoi pleures-tu, je te le demande?

Il est vrai que Marie n'a mal nulle part, enfin presque pas mal, seulement à ses mains et ses genoux écorchés et à l'épaule gauche quand elle soulève son bras. Elle a dormi, elle a passé une bonne nuit. Le lendemain, elle est restée couchée, elle a bien mangé, elle n'a pas eu de nausées. La nuit suivante, un peu avant l'aube, elle a été brusquement réveillée par d'atroces douleurs au ventre. Elle a crié, appelé sa mère. Celle-ci, en chemise, heurte la porte du poing. Marie a fermé la porte à clef, avant de s'endormir. Elle se lève, le visage tordu, une main crispée sur son ventre, l'autre appuyée au dossier de la chaise. Elle veut ouvrir, elle fait un pas, un autre. Entre ses pas, le plancher s'étoile de sang.

QUATRIÈME PARTIE

LE SOLEIL DE NOËL

Ils se ressemblent tous. Celui-ci est grand et mince, presque trop grand, celui-là est court et rouge, avec des lunettes à monture d'acier et des traces de boutons d'acné sur les tempes. Celui-ci est brun et frisé comme un Italien, celui-là a l'air d'un Allemand. Ils se ressemblent tous, d'abord, à cause de l'uniforme. Le blouson leur fait les hanches aussi minces que la taille, et dégage le derrière du pantalon tendu sur les fesses. Dans la poche revolver, ils ont leur torche électrique ou un flacon de whisky. Ils se ressemblent aussi par leur allure. Ils ont l'air fatigué. Quand ils marchent, ils ne soulèvent pas les pieds, ils balancent les hanches comme des filles. Dès qu'ils s'arrêtent, ils s'appuient, à un meuble, au mur, n'importe où, et tout leur corps s'amollit autour de ce point d'appui. En vérité, cette allure n'est pas due à la fatigue, mais au fait qu'ils sont comme de jeunes animaux que nul n'a dressés, sans discipline et sans usages. Ils ne sont pas fatigués. Ils sont jeunes et forts, mais ils laissent aller leurs membres comme ceux-ci veulent bien. Ils ne s'interdisent rien. Ils se ressemblent aussi parce que, tous, ils s'ennuient. Ils sont bien convaincus de la nécessité

449

de cette guerre, mais ils préféreraient être chez eux. Ils sont venus de plusieurs milliers de kilomètres dans un coin plat de la campagne anglaise. Les paysans anglais ne les aiment pas beaucoup. La femme du pasteur trouve qu'ils ne sont pas distingués. La campagne n'est pas très belle. Et même une très belle campagne, ça ne serait pas très gai quand les champs ne vous appartiennent pas ou quand on est de la ville, et surtout quand ces haies, ces meules de paille, ces hangars, ces pistes de ciment à travers les prés, et cette grange transformée en bar sont à des milliers de kilomètres de chez soi. Ils s'ennuient tous, et ils mâchent leur gomme en marchant à grands pas mous à travers la campagne anglaise bien verte, ils se couchent près des haies et boivent le whisky et le gin du pays, et ils voudraient tous que la guerre fût finie, pour rentrer chez eux. Mais ils n'en sont qu'à leur troisième bombardement. Ils n'aiment pas ça. Ils préféreraient faire un travail à pied. Quand leur avion revient et se pose, ils sont bien soulagés. Ce ne sont pas des héros. Ce sont des ouvriers, des commerçants, des étudiants, des ingénieurs. La proportion des braves gens et de ceux qui ne le sont pas est pareille chez eux qu'ailleurs. Ils rient facilement, peut-être pour oublier leur ennui, pour oublier qu'ils sont si loin de chez eux et qu'il va falloir remonter dans l'avion, aussi parce qu'ils sont plus enfants que les gens d'Europe. Ils bombardent et ils mâchent leur gomme, comme en Amérique ils mâchaient leur gomme en faisant leur travail de civil. Mais ils aimaient mieux celui-ci, décidément. L'escadrille part ce soir pour un quatrième bombardement. Sur la France. Ils commencent par la France parce qu'il y a moins de

D. C. A. et pas de chasseurs de nuit. Quand ils connaîtront mieux leur nouveau métier de bombardiers,
leurs patrons leur confieront des travaux plus difficiles.

L'un derrière l'autre, les appareils s'envolent, lourds
comme des hannetons. Puis les feux de piste s'éteignent.
Il n'y a plus que le bourdonnement dans le ciel noir,
un bruit vague qui devient peu à peu si lointain qu'on
ne sait plus si on l'entend encore ou si on ne l'entend
plus. Finalement on sait bien qu'on ne l'entend plus,
et que ce sont seulement les oreilles qui chantent. Et
les bruits de la campagne reprennent toute leur place.
Un cheval qui a un ver dans le sabot cogne obstiné-
ment du fer sur le sol. Une truie grogne, un arbre nu
craque de froid, le vent se glisse et se déchire entre
les branches.

L'escadrille en a rejoint d'autres au-dessus de la
Manche. Au moment où l'avion de tête franchit à la
verticale la côte française, à ce moment exactement,
Mme Gustave a mis une main dans la poche de son
tablier. Elle y touche les deux lettres qu'elle a reçues
ce matin, et celle qui est arrivée cet après-midi : la
lettre de M. Margherite, et deux lettres de Marie, la
deuxième ayant rejoint la première, grâce au retard
causé à celle-ci par le train sauté. Un petit retard,
pas grand-chose. Mme Gustave pense que Jean va
sûrement venir ce soir voir s'il a du courrier, il ne va
pas tarder. Il sera heureux d'avoir ses lettres, ça fait
deux jours qu'il vient pour rien.

A ce moment exactement, Marie souriante découvre
la soupière pour ajouter une pincée de sel. Et que
font, à ce moment exactement, Churchill, Hitler ou
le pape ? A cause des journaux et du cinéma, qui

nous représentent les personnages historiques toujours occupés à des travaux dont dépend le sort du Monde, ils vivent dans notre tête en images solennelles. Mais peut-être, à ce moment exactement, M. Eden est-il en train de faire pipi et Hitler cherche du bout de sa langue un fragment de peau de fruit qui lui est resté entre les dents. Il ne pense exactement à rien d'autre, à ce moment exactement, qu'à cette infime pellicule qui l'agace. Et l'obus de D. C. A. qui va éclater derrière le quatrième avion de l'escadrille et faire un trou grand comme une tête d'homme dans son gouvernail de dérive, est exactement, à ce moment figé, au mille trois cent dix-septième mètre de sa course. Et la femme du navigateur de cet appareil voit en rêve, à ce moment exactement, son beau-père qui ouvre la bouche pour lui parler. Dans une seconde il lui dira quelque chose en anglais, et je ne suis pas assez fort en cette langue pour le comprendre, mais c'est un reproche idiot comme on en fait dans les rêves. Pour le moment, à ce moment exactement, sa bouche n'est encore qu'à moitié ouverte dans l'image que s'en fait en rêve la femme du navigateur de l'avion qui va recevoir un éclat d'obus.

Et puis tout repart, les avions à cinq cents à l'heure, l'obus éclate, Hitler sonne un général et M. Eden se reboutonne.

Dans la nuit au nord de Paris naît l'atroce gémissement des sirènes. Il se propage comme un feu, et maintenant c'est tout le ciel de Paris qui hurle. Les mères blêmissent et poussent les enfants dans l'escalier. « Prends ton manteau! Laisse ta soupe, tu la mangeras en remontant! Tiens la bougie! Dépêche-toi, voyons, dépêche-toi! »

— Encore une alerte, dit Gustave, quelle barbe! La deuxième d'aujourd'hui! Où c'est tombé ce matin?

— Sur l'usine des pneus Boolich, à Saint-Denis, dit Vernet, il en reste rien.

— Y a des morts? demande le père Delair.

— Forcément, dit Vernet. Comment éviter ça?

— Ça fait rien, dit le père Delair, je me demande ce qu'ils viennent bombarder chez nous, au lieu d'aller en Allemagne.

— Si on veut être libérés, dit Vernet, il faut en accepter les risques.

— On dit ça, dit le père Delair, quand on est loin de l'endroit où ça tombe.

— Écoute, si tu aimes tant les Fridolins, je me demande pourquoi tu restes ici, au lieu de t'engager pour aller travailler chez eux.

— J'aime pas les Fridolins, dit le père Delair, mais j'aime pas les bombes non plus.

Un coup de sifflet coupe la nuit au coin de l'impasse.

— Allez les enfants, allez vous disputer ailleurs, dit Gustave, je ferme, voilà la D. P., je veux pas attraper une contredanse. Passez par le couloir...

Mme Gustave a fermé les volets devant la vitre, et mis la barre de fer. Elle rentre en se baissant, par le bas de la porte. Elle dit :

— Ça chauffe, par là-bas!

Elle montre du doigt une direction, mais elle ne sait pas bien si c'est celle-là.

A toutes les portes d'immeubles, des groupes d'hommes et de femmes bavardent, regardent le ciel, essaient de deviner où ça va tomber, où ça tombe.

Le ciel gronde, sous le poids des lourds invisibles charrois qui le font vibrer jusqu'au sol, et vibrer les

453

tripes de ces hommes et de ces femmes qui regardent et ne voient rien, qui ne vivent que par leurs oreilles, par leur diaphragme crispé, leurs mains moites. La D. C. A. tire sans arrêt. Ses fleurs rouges s'ouvrent en bruit mat dans tous les coins du ciel. Les éclats qui retombent longuement font résonner les tuiles. Une vitre de la verrière de l'imprimerie s'émiette en clochettes dans l'atelier fermé. De seconde en seconde, la terre tremble sous les pieds. Un bruit sourd que la chair menacée entend mieux que les tympans, un bruit qui parcourt les corps des pieds aux cheveux, qui fait frémir la chair et les os, arrive à travers les murs, en souffle de mort.

— Ça, c'est des bombes, dit le père Delair.

— Sûrement, dit Vernet. Je me demande où ça tombe.

Ils sont restés tous les deux à la porte du couloir. Il n'y a guère, dans les caves, que quelques femmes et des enfants. La plupart des gens sont demeurés chez eux. Les caves ne sont pas solides. On a peur d'y rester enterré. On a peur de montrer qu'on a peur. On a dit au voisin : « Moi, je ne descends jamais. Pensez-vous! Autant mourir d'un seul coup! » Maintenant, même si ça tape, même si on a bien envie de courir à l'abri du métro, on ne peut plus se le permettre.

Chapelle a demandé à Titou, de sa bonne grosse voix : « Tu as peur, tu veux qu'on descende? » Titou a répondu : « Oh non! », bien qu'elle tremble un peu. Elle se sent en sécurité près de lui. Il lui a donné à manger, il l'a habillée, il lui parle gentiment, il sourit tout le temps, ou bien il rit, il lui demande si elle n'a besoin de rien, il a une grande barbe et une grosse pipe, il joue du piano, il est fort, il lui a montré une pièce de deux sous en bronze qu'il a tordue dans ses doigts il y a quelques années, maintenant il ne pourrait plus, mais il est encore très fort, bien assez pour la protéger contre tout. Ils ont continué de manger la soupe. Elle mange à table avec lui.

— Tiens, dit Chapelle, ça siffle, je parie que c'est pour nous. Tire les rideaux devant la fenêtre.

Les chefs d'îlot, leur casque sur la tête, chassent les rais de lumière à coups de sifflets, essaient de persuader les groupes agglomérés aux portes d'entrer dans les couloirs. Ils n'ont pas d'autorité. Ce sont de petits employés, ou des jeunes gens maigres et dévoués.

Des pans de ciel se teignent de reflets de flammes tout autour de la ville. Charge après charge, l'armée fantôme roule sur le fond inaccessible de la nuit, en vagues interminables. La nuit entière tremble. Le ciel de fer craque, tombe en tonnes volcaniques, monts de feu, graines d'ouragans, laboure et fouille la terre, tord et fond les inébranlables machines, emporte les pierres taillées, souffle les ciments, les toits dérisoires, ouvre les maisons, pousse les murs, aplatit les grappes d'étages, nivelle et dénivelle, coupe, taille, écrase, broie, pile, mêle, arrache, enfonce, jette, casse menu et menu, poussière, gravats, débris, esquilles, plus rien du tout, rien du tout, rien que le bruit du gaz qui siffle et l'odeur des égouts crevés, et quelques restes d'homme là-dessous.

— Oh! dit Gustave, ça se rapproche!

Les grosses pièces de D. C. A. qui protègent l'usine de roulements à billes de la S. C. O. L., à quatre cents mètres de là, viennent d'aboyer. Il y en a six qui

455

tirent par deux à la fois. La porte de l'ancienne chambre de Jean remue, comme secouée par une main, un fragment de seconde avant qu'on entende le coup. Les éclats tintent sur les pavés, les verres cliquettent sur les étagères, les murs frissonnent, les obus éclatent dans le ciel, les mitrailleuses lourdes perchées sur les toits entrent dans le ballet, un avion en hurlant passe au ras des cheminées, une lumière blanche gicle de la rue dans le café par toutes les fissures.

— Qu'est-ce que c'est? Qu'est-ce que c'est? demande Gustave.

Il est debout derrière son comptoir. Il ne peut pas rester assis dans ces moments-là. Il s'énerve, il change les bouteilles de place, il se sert un verre d'eau, il le jette. Mᵐᵉ Gustave est assise sur un escabeau à la cuisine, près de la table, les deux mains serrées entre ses genoux.

La porte du couloir s'ouvre. Jean entre, essoufflé, il est venu voir s'il avait du courrier. Deux jours qu'il n'a rien reçu. Un petit retard, pas grand-chose. La lettre de Marie qui dit « Viens me chercher... » S'il l'avait eue il y a deux jours, où serait-il ce soir? Il a couru, il crie :

— Des fusées! c'est plein de fusées au-dessus du quartier.

— Nom de Dieu! dit Gustave, ils vont bombarder la S. C. O. L.! Vite, il faut descendre à la cave. Jeanne! A la cave!

Il se hâte, soulève la trappe.

Jean demande :

— J'ai des lettres? — Oui, dit Mᵐᵉ Gustave. Y en a trois. Tenez, les voilà.

Elle les prend dans la poche de son tablier, elle les lui donne.

— Merci, dit Jean. Au revoir, je m'en vais vite...

Gustave est déjà bien descendu, on ne lui voit plus que sa tête. Une vague de fond soulève sa maison et la laisse retomber, une explosion craquante jette les volets dans la salle à travers la vitre, balaie les tables, envoie Jean dans le comptoir. Gustave a roulé en bas, dans la cave. La lumière s'est éteinte. Jean, à moitié assommé, se secoue, se relève, tourne sur lui-même, il ne sait plus bien, ah ça va mieux, je n'y vois rien, où est ma lampe ? Il n'a pas lâché les lettres. Il tire de sa poche sa lampe électrique, regarde les enveloppes, reconnaît deux fois l'écriture de Marie, et ne connaît pas la troisième. Il les lira tout à l'heure, demain, quand il pourra, faut-il les lire ? des lettres ? qu'est-ce que c'est ? Sa tête est légère comme une bulle, et il sent qu'elle va éclore. Tout à coup elle casse comme un caoutchouc trop tendu qui casse et se détend enfin, il est de nouveau lui-même, il comprend, il met les lettres dans sa poche. Il respire une odeur de poudre, de poussière froide et de plâtras. Gustave, en bas, gémit. Où est Mᵐᵉ Gustave ? Le café est maintenant grand ouvert sur la rue, et la rue entre dans le café, avec le froid et la poussière, et de grands pans d'ombre et de lumière blanche qui tournent sur les tables renversées. Les débris de vitre, à terre, brillent comme des étoiles et des lunes. Le café n'est plus un morceau de maison fermée, il reçoit sa part du vacarme et du froid du dehors, et n'importe qui et n'importe quoi peut entrer et sortir. La terre tremble sans arrêt, l'air éclate en rouge et en blanc et en tonnerre. Jean fouille les débris, de la lumière

457

de sa lampe. Il voit la moitié de Mme Gustave, sa culotte à festons sous sa jupe retroussée, ses bas de coton noir autour de ses jambes maigres, et ses pantoufles. Le reste est sous le marbre d'une table. Jean soulève la table. Mme Gustave ne saigne pas, elle n'a pas l'air très aplatie. Il se penche pour la ramasser. Elle a les yeux ouverts. Une secousse, un grand vent tonnerre le jette sur elle, un morceau de plafond tombe en plâtre devant lui. Il se relève, il emporte Mme Gustave, voici la trappe. Il s'agenouille, cherche l'échelle du pied, il n'y a plus d'échelle, et Gustave au fond gémit. Jean appelle :

— Monsieur Gustave!

Gustave gémit et ne répond pas. Une autre voix répond, c'est celle de Billard. Une lumière se promène dans la cave.

— Qui c'est qui est là-haut?

— C'est moi, Tarendol. Qu'est-ce qu'il a, Gustave?

— Je ne sais pas, il a dû se casser quelque chose, il est tombé avec l'échelle. Tu descends?

— Il y a sa femme ici, qui en a pris un coup. Elle bouge plus.

— Passe-la moi, dit Billard.

Il pose sa lampe sur un tonneau et tend les bras. Jean laisse glisser Mme Gustave. Sa tête ballotte, sa bouche s'ouvre et elle perd son dentier qui tombe sur la joue de Billard.

— Merde! dit Billard.

Il reçoit la femme toute molle.

— Je vais descendre aussi, dit Jean, je peux pas m'en aller maintenant. Où est Gustave, que je lu saute pas dessus?

458

— Ça risque rien, il est à côté, laisse-toi tomber, dit Billard.

Jean s'accroche par les mains au plancher et tombe. Et le plancher, les murs, les étages, la maison, tombent avec lui, tombent sur lui, dans un écroulement de tonnerre et de montagne et un souffle de cataracte. Un éclair plongé dans le nez et les yeux, une flamme, une clameur d'enfer dans la tête qui éclate jusqu'à l'infini, et tout le poids du monde sur l'épaule et sur le cou tordu. Puis le silence.

Me voici une fois de plus en vacances, avec ce livre
devant moi. Cette fois-ci la fin est proche. Je serai
bientôt délivré de lui. Et pendant que j'écris ces
lignes, dans une ferme voisine qui n'a rien vu de la
guerre, ni de la précédente ni de celle d'avant, un coq
chante. C'est le milieu de l'après-midi, et les coqs
chantent plutôt le matin, mais celui-ci est un jeune
coq, sa voix est grêle, il chante simplement pour
montrer qu'il est un coq. Il n'y a pas longtemps, il
était encore poulet. Maintenant il est coq. Il faut que
toute la ferme le sache. Et surtout lui.

Pendant que chante ce jeune coq, les premières
bombes atomiques tombent sur le Japon. Je ne pensais
pas qu'ils iraient si vite, je croyais qu'on réserverait
cette surprise pour la prochaine guerre. Décidément
les savants sont pressés. Ils sont plus diligents que
notre imagination. Je me demande ce que vous pourrez
dire, si vous oserez élever la voix pour vous plaindre,
vous qui n'avez accueilli dans votre chair que quelques
balles de mitraillette, si petites, légères, ridicules
en somme, vous qui n'avez reçu sur votre toit que
mille kilos de bombes à la poudre très ordinaire. Vous

êtes démodés, périmés, rétrospectifs. Le progrès vous dépasse. Mais patience, les laboratoires travaillent. Il y aura bientôt de la purée d'atome pour tous. Il suffit de trouver une occasion, un prétexte. Ce n'est pas ce qui manque.

Je me rappelle que cette brave Mᵐᵉ Gustave avait peur de l'orage, avant guerre. Au moindre ronronnement de tonnerre, elle quittait le café, s'enfermait dans la plus petite pièce de son appartement, calfeutrait porte et fenêtre, s'éloignait de tout objet métallique, coupait l'électricité ; et quand l'orage approchait elle n'y tenait plus, elle se cachait sous la table.

C'est fini pour elle, elle n'aura plus jamais peur de rien. Même si on avait pu la tirer entière des débris de sa maison, je suis sûr qu'elle aurait désormais regardé venir en souriant les gros nuages joufflus. Et quand la foudre lui aurait craqué aux oreilles, elle aurait dit : « Ce n'est rien qu'un orage. »

La foudre : l'arme terrible de Jupiter! C'était bien un dieu pour peuples arriérés. Nous, les peuples de la jeune civilisation chrétienne occidentale, nous savons tuer trois cent mille hommes en moins d'une seconde. Et ce n'est qu'un essai. Une petite bombe de treize cents grammes.

Nous avons pénétré au cœur de l'infiniment petit, brisé ses univers tourbillonnants, et leur colère fera un jour sauter notre globe dans un tel éclair de lumière que les habitants du Soleil cligneront des yeux. Il ne restera rien de la Terre, ni débris, ni fumée, ni odeur. Il ne restera rien des hommes et de leur domaine, ni fantôme, ni aucun nom gravé sur aucune pierre, et nul souvenir dans aucune mémoire, ni le lent oubli des sables et des cendres sur les ruines. Nous serons devenus une onde immatérielle, un pur transparent frémissement, qui, parti tout à coup de ce point dans l'infini, à la vitesse absolue de l'idée, s'enfoncera, criblé d'étoiles, toujours plus loin dans les abîmes du partout, à la rencontre de la limite qui n'existe pas.

Nous revenons de loin. Reprenez place, écoutez la suite de l'histoire. C'est une histoire d'amour, et quand le monde peut disparaître en une étincelle, il nous faut nous hâter d'aimer. C'est aussi une histoire de sang et de mort, mais c'est avant tout une histoire d'amour. Si vous y rencontrez si souvent le sang et la mort, c'est qu'elle est une histoire de tous les jours, et, de plus, une histoire de nos jours. Peut-être avez-vous déjà oublié ce qu'était une alerte. Fermez les yeux, rappelez-vous, le plafond éclatant de la D. C. A., le bruit sombre des bombes. Puis peu à peu tout s'apaise, le ciel se tait, la terre fume. L'éventail des grondements là-haut s'est replié quelque part vers le nord. Les sirènes ont fermé l'alerte, les Parisiens ont fini le dîner et ont parlé d'autre chose, vite. L'impasse Louis-de-Nantes n'est plus qu'un tas. Une voiture de pompiers est arrivée. Elle a arrosé les restes de l'imprimerie, sur laquelle étaient tombées quelques bombes incendiaires. Les hommes, à la lueur des phares de la voiture, ont commencé de remuer des gravats. Ils ont des pelles, des pioches, et leurs mains.

L'alerte a duré une heure. Il fallait encore beaucoup

de temps, à cette époque, pour détruire à peine quelques usines et les maisons autour et quelques autres par-ci, par-là, par accident. On ne disposait que de petits moyens, de bombes balourdes, qui tombaient en se dandinant, crevaient un toit et sept étages et ne pulvérisaient guère, les plus grosses, que trois ou quatre immeubles.

Ce matin, dans cette fin de nuit de novembre, c'est peu de chose : un pâté de vieilles maisons effondré sous le poids de quelques tonnes de poudre et de fonte. Le petit jour se lève, accompagné d'une pluie verdâtre. Les pompiers, et une équipe de jeunes gens, ont travaillé toute la nuit à déblayer. Ça ne se connaît guère. Ils sont sur le tas comme de lentes fourmis, essayant de remuer des morceaux de poutre, des pierres déchirées, des esquilles de meubles. Mais tout cela est enchevêtré. Pour dégager une poutre, il faut enlever un bloc de ciment, et ce bloc de ciment soutient un reste de mur. On enlève un peu à droite, un peu à gauche, avec précautions. On a déjà dégagé le cadavre d'une vieille femme ouverte en deux, et quelque chose d'innommable, tout écrasé, en bouillie, mélangé au plâtre et aux briques. On ne sait pas si c'est un homme ou une femme, c'était nu, sans doute c'était en train de se coucher. Une ambulance les a emportés. Elle est revenue à vide, elle attend un autre chargement. Les hommes continuent, ils sont fatigués, ils sont sales. Toute en tas effondrée, avec des débris domestiques parmi les décombres, des matelas éventrés, des casseroles tordues, des fourneaux cassés, l'impasse est triste et sale comme une poubelle. Elle sent le papier brûlé et mouillé. Les agents ont barré la rue pour empêcher les curieux d'approcher. Le cordonnier est indemne. Il n'était pas là quand c'est arrivé, il était parti pour sa quête habituelle. Les agents l'ont laissé approcher, il n'a pas dit un mot, il s'est mis à aider à déblayer. Là-dessous il y a sa femme et tous ses enfants, sauf Titou. Titou est sous l'autre tas, à côté. Il n'est pas fort, il a tellement maigri depuis qu'il ne boit plus, il soulève de petits débris. De temps en temps, un chef d'équipe fait faire silence. Alors on entend, là-dessous, étouffé, continu, un cri pointu de tout petit enfant. Le petit aveugle qui pleure.

Un officiel est venu, il s'est fait photographier regardant les ruines d'un air triste. Au magnésium, parce que le jour est encore trop sombre. Il est vite reparti, en auto, pour un autre quartier, un endroit où on a déjà recueilli des blessés, pour se faire photographier au poste de secours, penché sur eux, ou serrant la main d'une pauvre vieille à qui on va couper les jambes.

Ici il sera difficile de sauver les survivants. Tout est bien en miettes. On déblaie, on va aussi vite qu'on peut, bien lentement, on déblaie avec les mains et de temps en temps un coup de pioche.

Léon imprimait des tracts, sur la machine du sous-sol, toutes les nuits. Il passait par la cave de Gustave, il travaillait tranquillement à l'abri des scellés. Jamais il n'avait joui d'une telle sécurité. Son père venait lui donner un coup de main, par désœuvrement, pour ne pas rester chez lui. Il remontait dans ses ateliers, caressait ses machines, grondait de les voir immobiles, redescendait se consoler au bruit de l'automatique. La première bombe est tombée sur la rotative offset. Elle a soufflé le mur de façade de l'imprimerie, la devanture du café, et toutes les portes et les fenêtres de l'impasse et du haut de la rue et quelques toits qui sont

465

partis en vols de pigeons. Dans le noir brusque, Billard, après l'explosion, a entendu les morceaux d'acier et de fonte de la rotative ricocher comme des cloches. Léon s'est dirigé à tâtons vers le fond de la cave pour allumer la lampe à acétylène. C'est à ce moment que Gustave est tombé de l'échelle. Billard est allé voir. Et Léon secouait sa lampe qui commençait à siffler. Il venait juste de l'allumer quand les autres bombes sont arrivées. La voûte de la cave s'est ouverte, et Léon a reçu sur le dos une forme de soixante kilos, qui descendait en tourbillonnant. Il a eu les deux omoplates cassées à la fois, et la chair du dos bien arrachée. Il s'est trouvé couché à terre avec un poids de débris sur lui qui l'empêchait de bouger, mais qui ne l'écrasait pas, il était un peu protégé par sa machine, il était tombé à côté d'elle. Il avait le nez sur sa lampe éteinte qui continuait à siffler, et qui lui retournait la tête en arrière, et lui soufflait tout le gaz acétylène dans le nez. C'est heureux pour lui, parce qu'il était déjà à moitié asphyxié quand les bombes incendiaires ont fait fondre toute la réserve de plomb du rez-de-chaussée. Près de vingt tonnes dissimulées, échappées aux réquisitions. Tous les clichés de la collection Lacta, des romans d'amour populaires qui finissent bien, pour le plaisir des jeunes filles. Les tendres baisers et les chastes étreintes ont fondu et coulé dans la cave, ont soudé ensemble les débris et la machine et Léon qui a été cuit en peu de temps.

Mme Gustave était déjà morte, la table lui avait cassé le cou. Gustave a éclaté comme ses futailles sous le poids des pierres. Billard a été transpercé de haut en bas par un pied de table en fer, qui lui a fait comme une deuxième colonne vertébrale, et qui lui a tenu le buste bien raide au milieu de tout le reste qui était tordu ou brisé. Il n'est mort qu'à l'aube. Il n'a pas crié, il avait dans la bouche le coin d'une brique qui était entré en arrachant les lèvres et cassant les dents. Jean s'était accroché par les mains au plancher, et laissé tomber sur la pointe des pieds. Il avait plié les genoux, les bras étendus, et la maison est tombée avant qu'il ait eu le temps de se relever. Il est resté accroupi comme un ressort prêt à se détendre, une poutre sur l'épaule gauche, la tête tordue sur l'autre, avec une demi-tonne de mur au ras de l'oreille, et une quantité de morceaux, de fragments et de débris de n'importe quoi appuyés, plantés, imbriqués autour de lui, sous lui, et sur lui et dans lui. Il a eu mal partout à la fois d'un seul coup, il a été assommé en même temps presque autant par les reins et le ventre, et la poitrine et les hanches que par la tête. Il est revenu à lui dans le noir. Il est revenu à lui, c'est-à-dire qu'il sent de nouveau son mal, mais il ne sait plus ce qu'il est, où il est, ni ce qu'est le jour, ou la nuit, et la vie ou la mort, et la chair de l'homme et le reste de l'univers. Quelque chose de pointu planté dans sa paupière lui empêche de fermer l'œil droit, et cet œil le brûle comme un charbon, mais il ne sait plus si cet œil est son œil ou sa cuisse qui le brûle aussi, ou son cou tordu, ou son oreille arrachée, ou ses deux bras étendus devant lui, dans des étaux, et qu'il ne sent plus comme des bras, mais comme quelque chose de cassé et moulu ; et son dos est une râpe et ses pieds enfoncés dans ses fesses, ses orteils retroussés, ses chevilles en angle droit, sont des buissons ardents et des poignards et des tenailles. Tout cela est une seule énorme douleur flambante et tordante, au milieu de laquelle s'ouvre sa bouche qui a soif.

Là-haut, les hommes viennent de retrouver, sous une porte d'armoire, Chapelle évanoui, avec sa barbe arrachée et, à côté, Titou, rouge de sang, les cuisses brisées.

C'est le père Delair qui a eu le plus de chance. Il a été protégé par deux poutres qui ont fait une voûte au-dessus de lui. Les sauveteurs sont allés tout droit vers ses appels, l'ont dégagé aux premières heures du jour. Il n'a eu que des contusions. Il a les yeux fous. Il crie encore quand on l'emmène, il appelle au secours.

Tarendol! Tarendol!

Bazalo crie le nom de Jean vers le fond des décombres. Puis il se penche, il écoute, il voudrait ouvrir ses oreilles avec les mains, écouter avec sa cervelle nue, pour entendre le moindre gémissement étouffé par la terre, le bruit d'un souffle écrasé.

Autour de lui les hommes courbés, saisis par son angoisse, crispés d'attention, n'entendent comme lui que l'écoulement de la pluie, le glissement écœurant d'un plâtre ramolli par l'eau, le craquement d'un morceau de bois qui cède, la chute d'un gravat qui a trouvé un trou.

Bazalo est accouru au début de la matinée, dès que de bouche à bouche est parvenue jusqu'à lui la nouvelle que des bombes étaient tombées du côté de la rue Louis-de-Nantes. Jean n'est pas rentré se coucher. Il aurait pu être retenu par le couvre-feu, quelque part. Mais Bazalo s'est senti envahi d'angoisse quand il a su que la rue Louis-de-Nantes avait reçu des bombes. Les gros titres et la prose des journaux ne donnent aucune précision sur les points de chute. Mais tout Paris sait.

Bazalo s'est heurté au barrage de police, a failli se battre avec les agents, être emmené au poste. On l'a finalement laissé passer, pour aider au déblaiement.

Il a jeté dans la boue son pardessus et son veston, il s'est mis à déraciner les ciments informes, les briques et les bois enchevêtrés.

Un espoir, brusquement, lui est venu. Il est parti téléphoner à l'école des Beaux-Arts. On n'y a pas vu Tarendol. Il est bien là, là-dessous, mort ou vivant. Mort ou vivant, Bazalo veut le retrouver, mais il ne peut pas accepter cette mort, il ne peut pas croire qu'un garçon brûlant d'une telle vie ait été tué d'une façon si stupide. Il s'acharne de nouveau contre les ruines, il est gris de plâtre boueux, de la tête aux pieds et ses mains saignent. Ceux qui travaillent avec lui, ce sont des jeunes gens du quartier, maigres, sous-alimentés, des hommes âgés, malingres, dont le service du travail n'a pas voulu, dont le dévouement et la bonne volonté sont sans limites, et les forces précaires. Poignée par poignée, ils ouvrent la tombe. Il semble qu'il n'y ait plus aucun espoir de trouver quelqu'un de vivant. Jusqu'à la fin du jour, ils ont arraché encore quelques morceaux de morts à la gangue des débris. A la nuit tombante, ils ont commencé à sentir l'odeur du vin répandu. Ils se sont mis alors à percer un trou presque vertical, pour pénétrer dans l'emplacement de la cave. Beaucoup ont abandonné, à bout de forces. D'autres sont venus les remplacer. Bazalo n'a pas faibli. Il ne voulait pas sentir la douleur de la fatigue. A trois heures du matin, la lumière du projecteur a découvert, sous un bloc de ciment prêt à l'écraser, une masse ronde vernie de plâtre et de sang, qui était la tête de Tarendol.

On est parvenu à glisser sous ses narines une glace

attachée au bout d'un bâton. Elle est revenue ternie.
A peine. Bazalo, des larmes sur ses joues sales, l'a
appelé doucement par son nom, avec la tendresse
d'une voix de femme.

— Jean, mon vieux Jean, mon petit Jean...

Mais Jean n'est plus un être vivant qui entend, qui
sent et qui parle. Il est une masse de tissus déjà ano-
nymes, qui se défendent pour leur propre compte, et
qu'un reste d'obscures forces retient encore, pour combien de temps, de minutes peut-être, au seuil de la
métamorphose qui en fera autre chose que ce qu'ils
sont, liquides, gaz, poussières, nuages.

Pour le délivrer, il faut creuser un autre trou, laisser
sur ses soutiens le morceau de mur qui le menace. Cela
demandera des heures. Il sera mort avant.

Bazalo court au commissariat. A mi-chemin, une
ronde l'arrête. Deux gendarmes allemands, leur plaque
sur la poitrine, mousqueton à la main et la gorge pleine
de mots lourds, de mots qu'il ne comprend pas, qu'il
ne veut pas comprendre. Furieux, il proteste, crie,
reçoit un coup de crosse sur la tête, roule sur le pavé
se relève prêt à tuer ou à mourir. Un troisième Allemand arrive, un sous-officier, qui parle un peu le français. Bazalo s'explique. Les trois hommes l'accompa-
gnent jusqu'au commissariat. Il téléphone au docteur
Marchand. C'est un des plus grands médecins de Paris,
et un amateur d'art moderne. Il connaît bien Bazalo,
il lui a déjà acheté plusieurs toiles. Le téléphone sonne,
personne ne répond. Bazalo trépigne. Sa tête lui fait
mal. Enfin un domestique répond d'une voix ensom-
meillée que monsieur n'est pas là. Bazalo s'étrangle de
fureur. « Je sais qu'il est là, tu entends, et tu vas aller
le réveiller! C'est pour la vie d'un homme! S'il meurt

par ta faute de sale crétin, je te jure que j'irai te couper la gorge! » Le domestique estomaqué s'esquive. De
longues minutes se passent. Enfin, c'est la voix du
docteur Marchand, furieuse.

— Qui est à l'appareil?

— Bazalo.

— Comment?

— Ba-za-lo!

— Par exemple! Excusez-moi, je croyais avoir mal
compris. Que vous arrive-t-il, mon cher maître?

— Il s'agit bien de cher maître...

Bazalo s'explique. Le docteur Marchand écoute,
dit :

— J'arrive. Faites tout votre possible pour lui dégager un bras...

La pluie a cessé. Un petit vent glace sur le dos des
sauveteurs leurs vêtements mouillés. Bazalo tient à
deux mains une grosse lampe à accus. Au fond du trou
qu'il éclaire, accroupis, coincés entre des débris hérissés,
deux hommes parlent à voix basse, à mots brefs. Le
docteur Marchand a réveillé et amené dans sa voiture
un donneur de sang universel. Il a pu atteindre le bras
droit de Jean par une sorte de crevasse. Il a eu grand-
peine à trouver la veine. Il tient une autre lampe avec
ses dents. Il a si peu de place que chacune de ses mains
gêne l'autre. Il transpire. Il est plongé dans une odeur
d'incendie noyé et de vin sale. Chacun de ses gestes
fait tomber de menus débris, des gouttes de boue. Il
dit à l'homme près de lui :

— Essayez de trouver une position un peu à l'aise
Et puis tenez le coup. — Ça ira comme ça, dit l'homme.

L'appareil de verre et d'argent brille entre les mains
du médecin comme tout à l'heure brillait une casserole

472

bien astiquée, bien neuve, sans une éraflure, qu'un sauveteur a dénichée dans un trou et qu'il a mise de côté. Si personne ne la lui réclame, il l'emportera.

La vie chaude a coulé dans le corps saigné. C'est fini. Et Bazalo, là-haut, tout à coup sent ses jambes plier. Jean vient de gémir.

Couché, enfin étendu, enfin allongé, dans un lit
tiède et frais, un lit blanc autour duquel s'organisent
la douceur et le silence, Jean ignore ce bien-être. De ses
cuisses, de son cou, de ses bras, de son ventre, de ses
pieds, les nerfs ont apporté dans sa cervelle les douleurs. Elles se sont enfermées dans sa tête, elles y
grouillent, coupent, poignent, broient, et sa conscience
s'est close autour d'elles en un mur qu'assiège en vain
la douceur. Dans sa tête résonnent les sirènes, les
écroulements, et les fracas de l'air en feu. Les grappes
de maisons se sont écrasées dans sa tête, et chaque
pierre saigne et gémit, pierres de chair tordue et coupée
chaos des douleurs, confusion de la souffrance étendue
à l'univers enchevêtré. Et cet univers demeure dans
sa tête pendant que son corps guérit. Son squelette de
paysan, ses tendons et ses ligaments, forgés par des
millénaires de travaux à la terre ont résisté partout.
Ses chevilles tordues ne sont ni brisées ni foulées.

Le docteur Marchand a fait l'inventaire des meur-
trissures, des muscles déchirés, des plaies profondes et
superficielles. Rien n'est grave. L'oreille se recolle, la
chair bleue devient violette et mauve, les plaies se

ferment, les os du bras plâtré se soudent. Ma s les yeux de Jean, même lorsque se lèvent ses paupières demeurent clos. Ils ne voient rien d'autre que la nuit coupée d'éclairs sauvages, et ses oreilles n'entendent rien que les bruits du ciel et de la terre qui s'empoignent.

Bazalo vient tous les jours à la clinique. Quand il trouve Jean assoupi, il guette son réveil avec l'espoir d'être enfin reconnu par son ami surgi des ténèbres. Jour après jour, Jean ne s'éveille que pour se plaindre, de cette voix qui monta vers Bazalo du fond de la tombe.

Le docteur Marchand rassure le peintre :

— Ce n'est rien. Contusion à la base du crâne. Pas de fêlure. Pas d'infection, plus de fièvre. Il s'en tirera. Le corps va bien. La tête divague encore. Ça passera. C'est le choc.

Choc. C'est un petit mot, c'est en quatre lettres résumé le vacarme du ciel qui croule et de la meute hurlante et mordante des douleurs. En un petit mot, en une seconde. L'homme est tendre.

Les lettres de Marie ont tournoyé dans Paris à la recherche de Jean, puis se sont posées sur la table blanche, à son chevet. Les gens de la poste font des miracles. Billard et Gustave sont classés « disparus ». Leur courrier attend, quelque part.

Sur l'oreiller blanc repose la tête de Jean, les yeux clos. Une barbe légère caresse ses joues, encadre ses lèvres pâles. Ses paupières sont bleues de fatigue. On a ôté le pansement de son oreille. Sa tête est libre et nue. Ses cheveux noirs bouclés brillent. Il dort.

Marie dort. Toute la nuit, tous les jours et toutes les nuits, depuis près d'une semaine, depuis un temps infini, elle s'est battue contre les affreux visages de la vérité. Jean n'est pas venu, et son petit est parti d'elle. Il ne reste rien en elle qu'un vide lourd où se tordent des flammes. Elle tourne sa tête à gauche et à droite, mais à gauche et à droite elle ne trouve rien d'autre que ceci : Jean n'est pas venu, et son fils s'est arraché d'elle. Il ne lui reste rien. Rien. La terre est noire et l'air est une cendre morte. Il n'y a plus de soleil, plus d'oiseaux fleuris, plus de plaisir de respirer. La vie pèse, insupportable lourde masse sur le lit, sur le ventre brûlant, sur l'âme sans espoir. A gauche et à droite, tout est noir et gris. Jean. Mon petit. Rien. Jamais. Elle tourne sa tête, elle dit non avec sa tête, mais il ne sert à rien de dire non. C'est ainsi.

Penchés sur elle, le visage de sa mère, celui de Jacqueline, qui sourient et disent de douces paroles, des paroles mâchées de cendres, des sourires morts. Rien. Plus rien. L'horreur de son père en barbe blanche. L'horreur, l'horreur. Elle a eu la force de crier. Il n'est plus venu.

Cette nuit, la flamme qui la brûle a gagné ses épaules et jusqu'au bout de ses doigts. Elle sent encore que quelque chose l'accable, mais elle ne sait plus très bien quelle chose. Son corps flotte, léger, au moindre vent. Quelque chose encore pèse dans sa tête et l'empêche de s'envoler, la retient ancrée à cette herbe sèche. C'est un poids dans sa tête, une boule noire, lourde, qui résiste à la flamme. Une boule qui se réduit, s'amenuise, un point, un flocon. Elle dort.

Mme Margherite pose sa main, avec précaution, sur le front blanc. Le front brûle sa main.

Jean ouvre les yeux. Il voit un plafond blanc qui brille. Je suis bien. J'ai dormi. Je m'étire. Oh!... mon bras en prison, mon bras dans l'étau, les bombes!

Il s'assied brusquement, il crie, tout son corps lui fait mal, il se laisse retomber, ferme les yeux. Mais il a vu. Il a vu le lit, la chambre. Maintenant, dans sa tête, il y a cette image. Il sait. C'est fini. Il sait qu'il est sauvé. Il s'éveille.

— Eh bien, mon vieux? demande Bazalo.

Bazalo, ce vieux Bazalo est là! Jean sourit, veut lui tendre la main. Mon bras! Qu'est-ce que c'est? Il regarde, il voit le plâtre difforme d'où sa main émerge.

— Qu'est-ce que c'est? Mon bras?

— C'est rien, mon vieux, t'inquiète pas. Une fracture. Tu t'en es bien tiré.

Jean soupire, sourit de nouveau, lève son autre bras, et morceau par morceau, se met à penser à son corps, glisse sa main sous le drap, se tâte. Ici ça fait mal. Là c'est une croûte, là un pansement. Il remue ses jambes, ses pieds, ses orteils. Tout est là, tout est à lui.

— Tu nous as fichu une sacrée frousse, dit Bazalo. On pensait que tu allais rester maboul...

Jean respire, savoure à pleine gorge le bonheur d'être vivant et de le savoir. Il sent le poids de son corps dans le lit, il sent une raideur douloureuse dans son cou, des élancements dans sa cuisse enveloppée de blanc, des fourmis dans son flanc sous une croûte, une raideur dans sa paupière droite. Il sent un pli du drap sous son dos, l'air dans ses poumons, la lumière dans ses yeux...

Il se tourne tout à coup vers Bazalo.

— Et les autres?

Bazalo fait un geste vague de la main.

— T'en fais pas pour les autres. Toi, tu t'en es tiré. C'est déjà beau.

— Oh! dit Jean. Gustave? sa femme? Billard?

— Je sais pas, dit Bazalo. Nous irons voir. Je sais qu'on en a sauvé quelques-uns.

Jean accablé se laisse aller sur l'oreiller. Il s'en est tiré, c'est déjà beau...

— Et ma valise, tu sais pas si on a sauvé ma valise?

Bazalo rit.

— Toi, alors, tu vas fort! Ta valise! Tu penses comme on a pu retrouver une valise, dans cette bouillie! Ça manque pas, les valises. Tu en achèteras une autre...

Il réfléchit une seconde, il dit :

— Mais, ballot, elle est chez moi, ta valise, tu sais bien que tu avais déménagé !

— C'est vrai, dit Jean, j'avais oublié.

Sa valise c'est tout ce qu'il possède : un peu d'argent, un peu de linge usé, un pantalon, des livres, et toutes les lettres de Marie.

Les lettres de Marie. Marie!

Il s'assied, anxieux :

— Où est mon veston? J'avais deux lettres de Marie dans ma poche. J'avais pas eu le temps de les lire...

Marie! Marie que j'aime. Mon amour. Marie enceinte. Nous nous marierons à Noël, Marie... Une tourmente de pluie bat la fenêtre. Marie!

— Bazalo, quel jour sommes-nous? Quelle date?

— Quel jour? Le dix-huit ou le dix-neuf, je crois.

— Le dix-neuf quoi? crie Jean.

— Le dix-neuf décembre! crie Bazalo. Tu redeviens fou?... Ton veston, on va le demander à l'infirmière, il doit être par là, du moins ce qu'il en reste. Mais tu as d'autres lettres qui t'attendent, tiens, tout un paquet. Elle t'a pas oublié, ta Marie, t'affole pas...

En cette circonstance, encore, l'argent et le nom de
Bazalo, et son obstination rageuse, ont été efficaces.
Il a loué au docteur Marchand une des deux longues
limousines noires, au pare-brise timbré d'une croix
rouge, qui servent d'ambulances à sa clinique. En
trois jours de démarches il a obtenu les ausweiss
nécessaires. C'est un miracle. Les bureaux allemands
le renvoyaient aux Français, les Français se retran-
chaient derrière les Allemands. Bazalo a tempêté,
hurlé, menacé les Allemands des foudres d'Hitler.
« Je le connais, c'est mon pote, il le saura, je vous
ferai envoyer sur le front de l'Est, nous y crèverez,
les couilles gelées! » Les fonctionnaires en uniforme
ne saisissent que le nom d'Hitler, et la colère. Ils
devenaient pleins de respect. Il a traité les Français
d'esclaves. « Attendez la libération. Ça va pas tarder,
maintenant. Nous règlerons nos comptes... » Cela,
il le disait à voix basse, d'un air de haine concentrée.
Et il ajoutait un billet de mille, plié en huit, dans
lequel il avait craché.

Ils sont partis le vingt et un décembre, à la fin
de l'après-midi. Le chauffeur a été loué avec la voi-

ture, un grand gaillard. Ses mains énormes cachent la moitié du volant. Le gazogène, derrière, en remorque-crapaud, danse sur une seule roue.

Jean, allongé sur la couchette, le regard fixe, pense à la dernière lettre de Marie. Elle date de dix jours. C'est un appel désespéré. Éperdue, toute fierté foulée, Marie supplie Jean de venir ou d'écrire, elle se traîne à ses genoux, elle ne demande qu'un mot, un signe de vie, un souvenir...

Marie a cru qu'il l'avait abandonnée. Comment a-t-elle pu croire la seule chose qui n'était pas croyable? Lui, jamais, jamais n'aurait douté. Mais il pense aux lettres de M. Margherite, il devine ses paroles raisonnables, ses sourires, ses airs entendus. Il serre les poings de rage. Aïe! mon bras...

— Calme-toi, mon vieux, dit Bazalo. Demain soir on sera là-bas. Et de toute façon, maintenant, elle est tranquille, elle t'attend.

Il a télégraphié. Jean avait le droit, comme sinistré. « Mme Charasse, garage, Milon. Rassurez Marie. Blessé bombardement. Guéri. Je l'aime. J'arrive. Tarendol. »

Un autre télégramme est parti à l'adresse de Françoise, dont deux lettres disaient l'inquiétude puis l'angoisse.

La voiture roule sous la pluie. Le vent du Sud fait claquer les gouttes contre le pare-brise. L'essuie-glace ne fonctionne pas. Le chauffeur est obligé de l'actionner à la main, toutes les minutes. Ses phares réglementaires ne laissent passer qu'une faible tranche de lumière qui éclaire à quelques mètres devant le capot. On file à petite vitesse.

— On n'avance pas, dit Jean.

481

— T'énerve pas, dit Bazalo, les roues tournent quand même, et chaque tour nous avance.

— Je ne t'ai pas encore remercié de tout ce que tu as fait, et de tout ce que tu fais, dit Jean.

— Tais-toi, dit Bazalo, tu me fais rire.

Ils sont dans le noir, Jean couché, Bazalo assis près de lui, sur le siège de l'infirmière. La route luit vaguement sous la pluie. Le vent hurle par bourrasques.

Au milieu d'une côte, la voiture se met à ralentir, le moteur tousse, puis s'arrête. Le chauffeur descend, armé d'un pique-feu, tisonne son gazogène en jurant. Des gerbes d'étincelles s'envolent dans la nuit. Les gouttes de pluie grésillent sur les charbons et les tuyaux brûlants. Le chauffeur remonte, la voiture démarre doucement, roule vingt mètres et s'arrête de nouveau. Bazalo descend pour aider le chauffeur. Mais il ne peut rien faire que le regarder. Le visage et les bras de l'homme sont noirs de charbon, et ses yeux rouges du reflet des braises. Furieux, il se bat contre le chaudron.

Au quatrième arrêt, il dit :

— C'est pas la peine d'insister. On ira pas plus loin.

— On va arrêter une voiture, dit Bazalo, et on lui demandera de nous remorquer.

Il attend, assis, la portière ouverte. Le temps passe, la route est déserte. Jean se tait, mais Bazalo sait quelle impatience le ronge. Le chauffeur, appuyé sur son volant, dort. Au fond de la nuit, enfin, surgissent des phares qui jettent de temps en temps un éclair de plein feu.

— Ça doit être un camion militaire, dit Bazalo. C'est ce qu'il nous faut.

Il se campe au milieu de la route, son mouchoir à la main, agite les bras, crie.

Il n'a que le temps de se jeter sur le côté, le camion passe à toute allure. Un petit bouquet de flammes jaillit du siège du conducteur. Un bruit de crécelle de fer. Mitraillette.

— Bazalo ! crie Jean.

— Ils m'ont manqué, les salauds! crie Bazalo. Il montre le poing au camion disparu dans la nuit et lui hurle des injures.

— C'est plutôt dangereux. dit le chauffeur, réveillé, et maintenant placide, Il vaudrait mieux chercher une ferme pour coucher. Je réparerai demain matin, quand j'y verrai clair.

Bazalo est parti, a disparu dans les ténèbres. Il a trouvé une ferme à cinq cents mètres. Il était passé près d'elle sans la voir. Un chien s'est réveillé et s'est mis à aboyer. Le peintre s'est dirigé vers lui, s'est enfoncé jusqu'aux chevilles dans du fumier juteux, a frappé à une porte. Un homme a ouvert, a fait entrer le voyageur trempé. La famille paysanne est en train de souper. Une vieille femme, une plus jeune, une fillette barbouillée. Une faible lampe au plafond éclaire la table de chêne, la soupière qui fume, un gros fromage sur une assiette, la moitié d'une miche ronde, de mie bien blanche. Il fait chaud,

— Bonsoir messieurs dames, dit Bazalo.

— Bonsoir monsieur, dit le chœur de la famille.

— Donne une chaise au monsieur, dit la jeune femme à sa fillette.

— Ne vous dérangez pas, dit Bazalo. Ma voiture est en panne sur la route. Je suis avec un ami malade.

Est-ce que vous pourriez le coucher quelque part ? Mon chauffeur et moi, nous coucherons au foin. Et nous aimerions bien manger, tous les trois.

Bazalo est resté debout près de la porte. L'eau coule de ses manches et du bas de son pantalon.

— Mon pauvre monsieur, dit l'homme, on a rien à manger, rien de rien...

Bazalo hausse les épaules.

— A n'importe quel prix, dit-il.

— On pourrait peut-être faire une omelette... dit la vieille, hésitante.

— On mettrait bien un matelas par terre, dit l'homme.

Bazalo est retourné à la voiture. Jean, boitant, s'appuyant à l'épaule du chauffeur, est arrivé sans trop de mal. Ses chevilles le font encore souffrir, et les muscles de sa cuisse droite sont raides autour de la plaie à peine refermée.

Ils ont mangé l'omelette, du jambon, du fromage, des pommes. Au cours des pires disettes, celui qui peut payer assez cher trouve toujours de quoi satisfaire sa faim et sa soif. En vérité, quand Moïse frappa le rocher dans le désert pour en faire jaillir la source, il devait tenir au poing, non un bâton, mais un lingot d'or.

Le lendemain matin, le chauffeur, en nettoyant le gazogène, a découvert qu'un de ses tuyaux avait été percé par une balle de mitraillette. Le fermier a loué son cheval pour tirer la voiture jusqu'au bourg. Il en avait quatre avant la guerre. La mobilisation lui en pris un, et les Allemands deux. Celui qui reste est une vieille carne philosophe, aux pattes bourgeonnantes de verrues grises. Il pense qu'il a assez travaillé dans son existence de cheval, il ne tient plus à faire de gros efforts, ni de vitesse, et remue gentiment une oreille quand on le frappe.

Il n'y avait pas de mécanicien au bourg. Le maréchal-ferrant était aux champs. Il a fallu attendre son retour l'après-midi. Il a vite compris, allumé sa forge. Le chauffeur et lui ont travaillé sur l'enclume, comme ils ont pu. Ils ont plié à coups de marteau une sorte de pièce cylindrique autour du tuyau, comme autour d'un pneu crevé. Le chauffeur a essayé son moteur. La pièce n'était pas étanche. Il a été plus difficile de l'enlever que de la mettre. Il faut essayer autre chose, boucher les deux trous avec des sortes de rivets, peut-être. Le lendemain, vers midi, on s'est trouvé enfin en état de repartir.

Le vingt-quatre décembre, à six heures du soir, la grande auto noire entre dans Milon. Il neige, les rues sont désertes, les cloches de l'église sonnent.

Depuis des kilomètres, Jean a quitté la couchette. Assis près du chauffeur, il regarde la route, essuie la glace, regarde la route papillonnante, essuie la glace, regarde la route bouchée. Crispé sur son siège, de tous ses muscles, de toute sa volonté. les dents serrées, il aide le moteur, il pousse en avant la voiture trop lente.

Ce sont enfin les premières maisons, les rues étroites, la place de l'Église. Au pied de la grande tour carrée, dans l'obscurité grise, des autos sont arrêtées. Autos des Allemands, l'auto de la milice, l'auto du sous-préfet avec sa cocarde. La neige, doucement, emmaillote leurs toits et leurs ailes, fond et fume sur les capots. Le chauffeur de l'ambulance stoppe. Il ne voit plus rien, il ne sait où tourner. Les vitraux de l'église luisent vaguement. Un bruit de chant et d'orgues se mêle au ronronnement du moteur. C'est la messe de minuit, célébrée à six heures du soir à cause de la guerre.

— Tournez derrière l'église, dit Jean, puis prenez la rue qui descend.

Tous les magasins sont clos, les volets mis. Deux

femmes se dépêchent, elles sont en retard pour la messe. Vêtues de noir, avec de vieux petits chapeaux. Jean les reconnaît au passage des phares. C'est la libraire de la rue aux Herbes, une vieille fille, et sa mère. Elles sont seules dans la rue que la neige emplit. Jean enfonce ses ongles dans l'étoffe du siège. Il a froid, il brûle. Son cœur, dur, frappe ses côtes. La voiture tourne encore une fois. La porte cochère de l'école est grande ouverte.

— C'est là, dit Jean, entrez dans la cour.

Doucement, en ronronnant, la longue voiture pénètre sous la voûte, dans la cour, s'arrête sur un tapis blanc.

Jean descend. Debout, il regarde. Il est vêtu d'un complet neuf aux jambes trop courtes, d'un pardessus de grosse laine grise, dont la manche gauche, vide, pend sur la bosse de son bras plâtré. Il est droit, solide, il ne sent plus rien des blessures de sa chair, il respire l'air frais et la neige dont les flocons aigrettent ses boucles noires. Il est là, enfin. Et Marie est là. Il dit au chauffeur :

— Tournez et attendez-moi, nous repartons tout de suite.

— Je viens avec toi, dit Bazalo.

— Je suis venu la chercher, dit Jean, et je l'emmène, tout de suite.

— Entendu, dit Bazalo.

— Je l'emmène tout de suite, répète Jean, doucement.

Il n'est jamais entré dans l'École, mais il sait que les appartements sont dans l'aile gauche. Il cherche la porte. Bazalo marche derrière lui. Il est venu pour aider Jean, jusqu'au bout. On repartira, pour Paris ou pour n'importe où, tout de suite. Jean a raison. L'amour a raison, toujours.

Au coin des deux bâtiments, la porte de chêne est fermée. Le haut de la porte est une vitre dépolie avec des arabesques gravées, protégée par des fleurs de fer forgé. Bazalo allume son briquet, un anneau de cuivre brille à gauche de la porte. Jean le tire. Ils entendent la sonnette grelotter très loin, très haut, dans un grand silence. Ils attendent. Jean sonne de nouveau, deux fois, trois fois, en carillon. Il est venu chercher Marie, il fait crier à la sonnette : « C'est moi, c'est Jean, je suis là, j'arrive, Marie, Marie, Marie... »

Le carreau de la porte s'éclaire, et aussi une lampe au-dessus de la porte, dehors. Un pas rapide descend l'escalier, une ombre se profile sur le carreau, la serrure joue, la porte s'ouvre. Le cœur de Jean s'arrête net. Une voix dit :

— Mon Dieu, c'est vous, c'est vous !...

Jean retrouve le souffle. Sur le seuil, Mme Margherite, les deux mains l'une dans l'autre serrées devant sa poitrine, répète :

— C'est vous, c'est vous...

— C'est moi, dit Jean, doucement, je viens chercher Marie.

— Marie ? demande Mme Margherite.

Alors Jean devine que quelque chose est arrivé. Il le devine au son de la voix de Mme Margherite, à la vue de son visage de vieille femme ravagée, de ses mains maigres crispées devant sa poitrine. Là, sous la lampe qui l'éclaire de haut en bas et lui creuse les yeux et lui coupe en deux la bouche et le menton avec l'ombre de son nez, elle est l'image du malheur, de l'horrible du sordide malheur qui arrive dans la maison, s'y enferme et y pourrit.

— Marie! crie Jean. Je veux la voir!...

— Marie..., dit Mme Margherite.

Elle se retourne, elle fait signe, elle monte l'escalier, elle s'aide de la rampe, elle se hisse autant avec son bras qu'avec ses jambes sans force, elle pleure, mais Jean, qui la suit, ne la voit pas pleurer. Par la porte restée ouverte, quelques flocons de neige entrent, doux, se posent sur le parquet brillant, fondent et laissent de petites taches. Mme Margherite monte un étage, puis un autre. Jean monte derrière elle. Il voudrait être déjà arrivé en haut de cet abominable escalier, et il voudrait ne jamais, jamais savoir ce qu'il va trouver au bout de la dernière marche. Juste à la hauteur de ses yeux, il voit monter devant lui la ceinture d'étoffe noire qui serre la robe noire de Mme Margherite, et il lui semble qu'il monte depuis l'éternité avec cette ceinture noire devant les yeux qui monte en même temps que lui. Bazalo le suit. L'escalier sent la cire et l'humidité. Les planches du palier craquent, puis celles du couloir. Mme Margherite ouvre une porte, entre dans une douce lumière, s'accroche à deux mains au pied du lit et sanglote, à grand bruit. Les larmes coulent sur son corsage noir, ses yeux sont rouges, le bord de ses paupières semble saigner. Et de son menton mouillé, secoué, elle montre, devant elle, Marie.

Marie.

Ses mains sont jointes sur la couverture blanche, autour d'une croix d'argent.

Douces mains, elles ont caressé le corps doré de Jean, le corps lisse parfumé de l'odeur du blé et de l'amour. Elles se sont nichées dans le creux de ses reins, elles ont empoigné ses flancs, se sont crispées sur ses épaules, elles se sont détendues, apaisées de joie, leurs doigts mêlés aux brins de l'herbe. Et la lune cherchait leur blancheur...

Jean a fait deux pas dans la chambre. Puis il s'est arrêté. Il n'a pas pu avancer davantage, mais il se penche en avant, courbé, presque prêt à tomber, il se penche, il regarde, il regarde ces mains lourdes, froides, raides, immobiles, figées, autour de la croix.

Il sent le froid de ces mains pousser dans sa propre poitrine un arbre de glace. Ces mains immobiles, d'os et de chair immobiles, froids... Jamais, jamais il n'avait vu que les mains de Marie fussent d'os et de chair. Elles étaient de flamme, de lumière, elles vivaient, dansaient, volaient, plus légères, plus douces, plus tièdes que l'air tiède des nuits d'été. Jamais immobiles, même lorsqu'elles cessaient de bouger, lorsqu'elles se reposaient sur lui, jamais immobiles, toujours animées, soudain de nouveau envolées. Elles sont sur ce lit plus froides que le métal qu'elles enserrent. Des mains... les mains de Marie... ces objets... Marie...

— Oh!... oh!... dit Jean.

Ce sont des moitiés de sanglots, des hoquets, le efforts que fait un homme qui suffoque pour retrouve un peu de vie. Bazalo s'approche de son ami, les bra prêts à s'ouvrir, prêts au secours.

Au chevet du lit, de part et d'autre, deux cierge brûlent dans des chandeliers de cuivre. Une branch de buis trempe dans une soucoupe où brille un pe d'eau. De l'autre côté, près de la fenêtre, une omb agenouillée bourdonne. Mme Margherite sanglote, mo tre le lit du bout de son menton. Elle dit :

— Elle... est... morte...

Jean se redresse. Il peut enfin avancer, il avance, il dit :

— Morte ?

Il le sait, il sait qu'elle est morte, glacée ; il répète le mot sans l'entendre, le sens du mot n'est rien, ce n'est qu'un mot, un bruit. Ce qui est vrai, c'est Marie devant lui, morte.

Il s'arrête. Immobile comme le mur, il regarde le visage de Marie et ne le reconnaît pas. Ce sont ses traits et pourtant ce n'est pas elle. Ce n'est pas elle parce qu'elle était toujours prête à sourire ou à s'alarmer, même en son sommeil, et maintenant elle est indifférente. Elle n'est ni calme, ni sereine, ni apaisée. Ce sont là des mots qui conviennent aux vivants. Si elle était ainsi, il pourrait encore l'émouvoir, l'éveiller. Elle est indifférente. Il ne peut rien, elle l'ignore. Une indifférence minérale. Elle appartient à la terre et aux rochers. Il faudra maintenant qu'on la remue, que quelque chose la change par le dedans ou le dehors, que quelqu'un ou quelque chose s'en mêle, et ce quelque chose ou ce quelqu'un ne fera que changer sa position ou sa forme comme celle d'une motte de terre.

Alors Jean cherche autour d'elle, cherche, comme une chose perdue, ce qui lui manque, ce qui est parti, une larme, soupir, un rire, la souffrance, même la plus atroce souffrance. La vie...

Elle est immobile, glacée, indifférente. Ses lèvres et le reste de son visage ont la même teinte de chair froide. Le front est lisse, et, sous les sourcils, les yeux sont pleins d'ombre. La lumière des bougies danse sur ses pommettes, et sur ses mains et sur le drap. La lumière danse et elle est immobile, froide.

Jean gémit, soulève lentement son bras valide, cache ses yeux derrière sa main qui tremble.

Sa main tremble, sa tête tremble. Ce n'est pas possible, pas vrai, ce n'est même pas vraisemblable, ça ne peut pas arriver... Il faut faire quelque chose, agir, bouger, chasser l'impossible...

Il se tourne vers Bazalo. Il dit :

— Je suis venu la chercher.

— Oui, dit Bazalo.

Jean soupire, soulagé. Son voyage de tant d'espoir ne se termine pas ici. Ce n'était pas possible, pas possible. Ce n'est pas encore fini.

Il se penche vers Marie, dénoue les rubans, défait les tresses, épand les cheveux. Ils sont frais dans sa main, ils étaient toujours frais comme une source même en pleine chaleur de l'été. Ils sont souples, vivants, ils coulent dans ses doigts, glissent, s'échappent. Il pose ses lèvres sur une poignée dorée. Marie...

— Qu'est-ce que vous faites ? crie Mᵐᵉ Margherite.

— Je suis venu la chercher, dit Jean.

De l'autre côté du lit, l'ombre bourdonnante se redresse. C'est Mᵐᵉ Léocadi, blafarde entre sa perruque noire et le ruban noir qui lui serre le cou. Elle brandit son chapelet, elle dit :

— Vous êtes fou ?

— Aide-moi, dit Jean à Bazalo.

Il prend la croix, cherche des yeux où la mettre, l'appuie dressée contre le chandelier, près de la branche de buis. Il défait le lit, jette le drap. Marie est en longue chemise blanche. Ils posent sur elle la couverture et doucement, avec précautions, l'enroulent autour d'elle.

Mᵐᵉ Margherite halète, hoquète. Elle s'accroche

à Jean, à Bazalo, elle avale ses mots, ses larmes, sa langue.

— Marie... Monsieur... ma fille... laissez-la...

— Calmez-vous, madame, calmez-vous, dit Bazalo.

— Enveloppe-lui bien les pieds, dit Jean à voix basse.

Il secoue son bras que tient Mme Margherite. Elle glisse près de lui, toute accroupie contre le lit, bascule, s'allonge évanouie sur le parquet. Bazalo l'enjambe. Il dit à voix basse :

— Ça y est, Jean.

— Aide-moi à la prendre, dit Jean.

Mme Léocadi pousse un grand cri, s'enfuit dans le couloir, dévale l'escalier, hurle :

— Au voleur! Au secours! Monsieur Margherite!... Monsieur Margherite!...

Elle a toujours appelé ainsi son beau-frère, qu'elle n'aime pas.

M. Margherite est assis dans un fauteuil de la salle à manger, près du poêle. Il dort. Quand il s'éveille, il essaie de rouler une cigarette. Le papier crève entre ses doigts, le tabac s'émiette sur son ventre. Sa barbiche tremblote. Il marmotte « Ça s'est fait tout seul... Tout seul... C'est pas moi. »

Il sursaute. Mme Léocadi entre en courant.

— Venez vite!... Vite!... Ils l'emportent!... Ils emportent Marie!...

— Qui? Qui?

Il s'est dressé, il tremble sur ses jambes.

— Les voleurs!... Tarendol!...

Elle l'attrape par la main, l'entraîne. Il ne comprend rien. Elle est folle. Vieille folle. Elle le tire, elle court, il court, une porte, deux portes, le couloir, le palier.

Au milieu du palier, un homme, immense, dont les cheveux en boucles de nuit brillent sous la lampe, un homme porte sur son épaule un paquet raide, à peine plié en deux, qu'il tient d'un seul bras. Dans son dos pendent des cheveux d'or.

M. Margherite, suffoqué, s'arrête, n'ose pas comprendre. Cet homme? Tarendol? Il ne l'a jamais vu. Et sur cette épaule?... Est-ce bien?... Et l'autre? Que font-ils Que veulent-ils? Mais ils sont fous!

Ils sont tous les quatre immobiles. Mme Léocadi a perdu en courant sa perruque. Toute sa tête est une boule ronde blanchâtre. Elle se tient derrière son beau-frère. Bazalo est à côté de Jean. Jean regarde M. Margherite, devant lui, le regarde avec des yeux de loup. M. Margherite parle enfin. Il a cherché des mots. Il dit :

— Où allez-vous, messieurs?

Jean dit à Bazalo :

— Je n'ai qu'un bras. Tue-le.

Bazalo hausse les épaules et s'avance.

Mme Léocadi pousse un hurlement. On l'entend courir, les portes battre, une clef tourner, des verrous claquer. M. Margherite n'a pas encore eu le temps de comprendre. Bazalo lui empoigne la barbe de la main gauche et du poing droit, de tout le poids de son corps, lui écrase le visage. Puis recommence. Il le pousse contre le mur. M. Margherite s'écroule. Jean reprend sa marche, descend l'escalier. Il ne sait plus qu'il est blessé. Il oublie qu'il a jamais eu mal à son corps. Il ne sent que le poids qu'il porte sur l'épaule.

La neige a cessé de tomber. La cour est vaguement blanche. Les grands bâtiments vides, autour d'elle, se confondent avec la nuit. L'auto attend, face à la

voûte. Le moteur tourne. Le chauffeur n'est pas là.
Il avait froid, il est parti à la recherche d'un café. Il
est chez le père Louis, en train de boire un jus de pomme
chaud et de mâcher un sandwich au pâté de mamelle.

— On n'a pas besoin de lui, dit Bazalo.

Ils étendent Marie sur la couchette. Bazalo s'installe au volant.

— Où allons-nous ?

— Tourne à droite, dit Jean, puis à gauche, et tout
droit...

Ils ont roulé toute la nuit. Bazalo fume cigarette
après cigarette pour se tenir éveillé au volant. Jean est
assis sur le siège étroit, près de la couchette.

Le ciel s'est nettoyé de tous nuages. Le bleu de la
nuit glacée pèse sur les vitres, gicle dans la voiture,
ternit le pare-brise, fleurit de diamants les glaces
arrière. Bazalo se penche sur le volant pour déchiffrer
la route. Le point rouge de sa cigarette danse au dehors,
devant lui, au milieu d'une ronde d'étoiles. Les phares
promènent une étroite lumière sur la neige éblouie
qui s'ensevelit de nouveau sous la nuit.

Quand l'auto saute sur un caniveau, Jean étend son
bras valide pour empêcher Marie de rouler hors de sa
couche. Puis il remet son coude sur son genou, sa
tête dans sa main. Aux carrefours, il indique le chemin
à prendre. A droite. A gauche. Tout droit...

Il ne dit rien d'autre. Sa voix est celle de tous les
jours. Mais le silence qui se referme autour de lui est
un silence nouveau, sorti de lui, un silence qu'il impose
et non point qu'il reçoit, et qui gagne la nuit entière,
la neige et les étoiles et la grande solitude des montagnes, et les épaules de Bazalo et le bourdonnement du
moteur...

496

La tête de Jean est lourde dans sa main. Le poids des ruines est retombé sur son cou tordu. La plaie de sa cuisse s'est rouverte et saigne. Son sang a traversé le pansement et l'étoffe de son pantalon, et trempé son siège que le gel durcit. Sa main immobile, au bout de son bras plâtré, est blanche et ne sent plus rien. L'autre main, sur son front, est moite et froide. Le froid est monté de ses orteils et de ses talons jusqu'à ses chevilles et s'est glissé de son cou jusqu'à ses reins. De temps en temps un frisson le secoue, un bâillement nerveux lui crispe la bouche. Il s'appuie au dossier, pose son bras sur Marie, le ramène aussitôt.

Marie est morte, Marie est morte, Marie est morte, morte, morte... Ce ne sont plus des mots, ce n'est plus une pensée. Cela tient tout seul en lui, sans mots et sans pensées, c'est une morne présence, une certitude qui l'emplit de son eau lourde, en laquelle se dissout son esprit, où se noie sa chair. Il ne sent plus comme siens son bras qui enfle dans le plâtre à chaque battement des artères, ni sa cuisse ouverte, ni ses chevilles que le froid martèle, ni sa nuque meurtrie. Tout cela est étranger autour de lui, autour de cet abîme noir sur lequel il se replie et se tasse. Parfois l'image de Marie, désespérée, seule, souffrant loin de lui il ne sait quelles abominables souffrances, le pénètre et le déchire. Des larmes coulent entre ses doigts. Il se demande si elle a eu son télégramme, si elle a pu le lire avant de mourir. Marie est morte, morte. Ses larmes s'arrêtent. Il n'est plus besoin de penser. Marie est morte. C'est un mot — morte — rond, un cœur mou, mort, une loque, un sang noir — morte — en lui — morte.

Une barrière en travers de la route, des silhouettes grises. Freins. Bazalo baisse la glace, jette sa cigarette.

Une lumière, des mots rudes. Bazalo parle allume la lampe du plafond. Une poigne ouvre la porte. Un long manteau vert au col relevé se penche à l'intérieur. Un casque terne. Une arme brille. Les cheveux de la morte pendent hors de la couchette. Jean a tourné la tête, enlevé sa main de devant ses yeux. Ses yeux blancs et bleus dans son visage gris sont grands ouverts et ne voient point et ne regardent point, ni l'homme, ni la lumière, ni la nuit. L'homme qui peut-être allait demander quelque chose se tait, lentement se redresse, se retire, referme la porte. Bazalo entend un ordre crié. Des silhouettes écartent la barrière. La voiture repart.

Il a fallu s'arrêter pour recharger le gazogène. On a failli ne pas franchir le col de Quinze Pas. On a traversé des villages où la neige était sale entre les maisons. Les hommes, qui avaient sali la neige de leurs pas, dormaient derrière les murs et les volets, avaient laissé la route seule sous la nuit.

Un poste de guet du maquis, à son tour, a voulu savoir d'où venait cette longue auto noire. Le ciel commençait à s'éclairer quand elle est arrivée à Saint-Sauveur-Neuf.

Le père Maluret l'a entendue passer. Il a tourné l'interrupteur, regardé l'heure, s'est levé en pestant d'avoir trop dormi. Quelques petits enfants l'ont entendue, se sont souvenus brusquement que c'était le matin de Noël, ont couru à la cheminée. Elle a monté les sept lacets, elle a ronflé aux virages, s'est arrêtée sur la place devant le château. Le père Jouve a dit : « Qu'est ce que c'est ? C'est déjà Sabret qui revient ? » et s'est endormi. Sabret est parti fêter Noël chez sa sœur, à Millebranches.

Bazalo aide Jean à descendre. Jean fait un pas. Ses genoux cèdent, il tombe dans la neige. Bazalo le relève. Jean dit :

— C'est rien, je suis resté trop longtemps assis.

Bazalo le soutient. Ils font quelques pas ensemble. Jean dit :

— Merci, ça va mieux maintenant, ça va, merci.

Il sourit. Oui, il sourit, pour remercier son ami. Il ne pense même pas qu'il sourit, et Bazalo, dans le matin qui s'éclaire, ne voit pas ce sourire. Jean ne sait pas qu'il sourit, c'est un sourire d'habitude, qui n'est plus à lui, pas plus que cette main engourdie, cette faiblesse des jambes, ces coups de poignard dans la cuisse.

Il revient vers la voiture.

Ils sont là tous les deux, devant la porte ouverte.

— Allons, dit Jean.

Ce sera bientôt fini. Il est venu de loin. Ce sera la fin du voyage. Bazalo, de nouveau, l'aide à charger sur son épaule son fardeau tout à fait raidi par le froid.

— Merci..., dit Jean. Maintenant, je n'ai plus besoin de toi... Merci...

Il s'en va. Il peine. Bazalo, debout, les bras ballants, les mains ouvertes, le regarde partir. Il a peur qu'il tombe. Il espère peut-être qu'il va tomber. Non, il ne tombe pas. Il marche. Il s'en va, il s'efface dans le gris du petit matin, entre le gris des murailles. Le Château commence à surgir du Rocher dressé vers les dernières étoiles.

Bazalo allume une cigarette, la broie dans sa main, la jette à terre, s'assied sur le marchepied de la voiture, allume une autre cigarette. Il sait où va Jean, où le conduira la dernière étape. Il ne peut rien faire pour l'en empêcher, il ne veut rien faire. Il regrette d'avoir mis tant d'obstination à le retirer des décombres. C'est tout. Pourquoi l'empêcher d'aller où il va ? De quel droit se mettrait-il en travers ? Que peut-il lui offrir pour le retenir ? Sa mère, la vie, le travail, l'avenir... Des mots, des mots... Saloperie. Il l'a aidé jusqu'au bout. C'est fini. Jean a dit : « Je n'ai plus besoin de toi. » Prendre le volant, tout à l'heure, et foncer droit, pleine vitesse, dans les murs, culbuter, écraser... Saloperie... La cigarette est de fiel.

Jean avance. Il se porte et il porte Marie sur une seule jambe. L'autre jambe traîne. Il sent venir l'épuisement, des cercles rouges éclatent dans ses yeux. Mais il veut arriver. Il arrivera. Le sang coule dans sa chaussure. Il chancelle. Il se raidit, se broie les mâchoires à serrer les dents. Des talons à l'épaule, à son bras levé crispé en anse, il est un seul muscle de fer. Son corps pousse ses pieds, pousse les mètres, pousse l'air qui résiste. Encore, encore. Arriver. Le bout du chemin. Une jambe. Un pieu. Une colonne. Arriver...

Voici la Chapelle, et le figuier aux branches tordues, le figuier de miracle que les gels épargnent. Sur le cyprès noir, une écharpe de neige s'est déchirée. La neige cache les éboulis de la Chapelle, dont les murs échancrés se dressent, neufs, au-dessus d'un tapis de douceur, dans l'air qui devient rose.

Une brusque douleur tord le bras dressé de Jean, une crampe lui broie les muscles. Son fardeau lui échappe, glisse le long de sa poitrine, tombe devant lui. Sa main sans force s'est fermée sur un coin de la couverture qui se déploie sur lui et le drape de blanc. Marie a plongé dans la neige où se sont enfoncés sa tête et ses cheveux blonds. Puis elle a basculé, sa chemise remontée jusqu'aux cuisses, ses bras à peine écartés du corps. Le bout de ses doigts gris, et son visage et ses pieds nus, et ses genoux minces sont enfoncés dans la neige.

Jean s'agenouille près d'elle. Il halète, le visage tordu. La sueur et les larmes lui salent les lèvres. Les muscles durcis de ses bras peu à peu se détendent, la douleur s'en va d'un seul coup. Il ouvre et ferme sa main engourdie. Doucement, il la pose sur l'épaule de Marie. Il sent la chair rigide sous l'étoffe.

Doucement, il retourne Marie, il lui tourne le visage vers le ciel. Elle obéit toute à la fois à sa main. Le ciel est rouge au-dessus du Rocher. L'épervier qui ne sent ni l'hiver ni l'été commence sa ronde dans l'air haut qui jamais ne se réchauffe. Jean râle d'horreur. La bouche de Marie est ouverte et pleine de neige. Son œil gauche est ouvert, glauque, terne. Jean tombe en avant, la tête sur la poitrine de la morte, et gémit et se mord le poing. Il sent sous sa joue les côtes dures, les seins aplatis, raides et froids. Marie!... Il hurle. Marie!.. Non, ce n'est pas Marie, ces os, cette viande glacée, cette grimace, cet œil de lapin!...

Il se relève, il titube, il n'a plus que quelques pas à faire, il laisse là ce cadavre étranger, quelques pas à faire jusqu'à l'endroit vers lequel il est venu de si loin pour la rejoindre, le saut blanc dans la neige vers les amandiers.

Quelques pas... Le Rocher éclate de rouge au soleil levant. Les amandiers ourlés de neige, noirs et blancs, noirs et roses au reflet du Rocher, sont dentelles de fleurs et de branches, dentelles, robe légère autour de Marie dansante, et l'épervier en rond couronne ses cheveux d'or. L'écharpe de neige autour du cyprès et le ruban de fumée qui monte de la vallée bleue encore de nuit s'enroulent à ses épaules rondes. Son rire chante avec les coqs, et le cri de son amour monte à travers la chair du Rocher. Ses mains fleuries, ses mains oiseaux se posent à tous les reflets du matin sur la neige. Son souffle, le parfum de sa peau sur l'herbe froissée tourbillonnent, vrillent l'air immobile, et sa voix jamais éteinte murmure et caresse :

« Jean... mon Jean... toi... mon Jean... mon amour...»

Quelques pas à faire. Quelques pas qu'il ne peut pas faire, qu'il ne fera pas jusqu'au dernier, à cause de Marie vivante, Marie d'hier et de demain, légère, chaude, présente en lui et hors de lui, dans le monde qu'il a vécu et celui qu'il va vivre, le monde qu'elle lui a ouvert avec sa joie et ses souffrances, le monde des hommes dans lequel il vient d'entrer, avec elle près de lui, toujours.

Étendu près du gouffre, il sanglote, il râle, il saigne, il pleure à pleines larmes dans la neige, son sang et ses larmes trouent la neige ; il vit.

Le Rocher ruisselle d'or, la neige s'émeut, la terre en ses profondeurs sait que le soleil qui s'était détourné d'elle lui revient. D'innombrables peuples de germes, encore emprisonnés dans les écorces dures, arrondissent les muscles qui les feront craquer. Les vieux amandiers tors, au bout de leurs lointaines racines, sentent se préparer le prochain printemps. La neige sera devenue rosée, les grillons enfouis jailliront de leurs trous en chantant. Les hommes mûrs, les hommes las, iront à leur tâche avec les joyaux et les lames et les cendres de leur jeunesse bien secrètement enfermés en eux. Des adolescents bouleversés embrasseront leur première fille. Des fleurs montera l'odeur de l'amour.

DU MÊME AUTEUR

Impression Bussière à Saint-Amand (Cher),
le 28 novembre 1984.
Dépôt légal : novembre 1984.
1ᵉʳ dépôt légal dans la collection : août 1972.
Numéro d'imprimeur : 2829.

ISBN 2-07-036169-1./Imprimé en France.
(précédemment publié aux Éditions Denoël
ISBN 2-207-22613-1)